DIE

JÜDISCHE EHESCHEIDUNG UND DER JÜDISCHE SCHEIDEBRIEF

EINE HISTORISCHE UNTERSUCHUNG

Erster Teil

von

Prof. Dr. Ludwig Blau

Budapest 1911

Originally published in conjunction with
Jahresbericht der Landes-Rabbinerschule in Budapest für das Schuljahr 1910—1911

ISBN 0 576 80146 1
Republished in 1970 by Gregg International Publishers Limited
Westmead, Farnborough, Hants., England
Printed in Hungary

Inhalt.

EINLEITUNG.

An Darstellungen des jüdischen Eherechts, des einzigen des Altertums, das bei allen Wandlungen im Laufe der Jahrhunderte dem Grundstock nach noch heute lebt, ist kein Mangel. Sämtliche Kodifikatoren des rabbinischen Gesetzes, wie Maimonides, Jakob ben Ascher und Josef Karo[1]), um aus der Überfülle von Kompendien nur die bekanntesten und gebräuchlichsten zu nennen, haben das Eherecht eingehend behandelt. Ihnen haben sich moderne Gelehrte, wie Frankel[2]), Duschak[3]) und andere angeschlossen. Eine scharfe, stellenweise durchaus ungerechte Kritik hat das babylonisch-talmudische Eherecht erst jüngst von A. Billauer erfahren, der an dieses alte Recht einen Maßstab anlegt, dem auch die modernsten Gesetzgebungen nicht standhalten könnten[4]). Haupt-

---

[1]) Die Titel der Werke lauten der Reihe nach: Mischne Tora, Tur (Eben ha-Eser), Schulchan Aruch (Eben ha-Eser).

[2]) Grundlinien des mosaisch-talmudischen Eherechts, Breslau 1860 (Beilage zum Jahresbericht des jüdisch-theologischen Seminars zu Breslau).

[3]) Das mosaisch-talmudische Eherecht mit besonderer Rücksicht auf die bürgerlichen Gesetze, Wien 1864.

[4]) Grundzüge des babylonisch-talmudischen Eherechts, Berlin 1910. Billauer meint: „Das mosaisch-talmudische Eherecht ist veraltet, seine Bestimmungen stehen zu den Bedürfnissen des modernen Lebens im Widerspruch“ (S. 1). Welche moderne Gesetzgebung befriedigt die „Bedürfnisse des modernen Lebens“ nach rascher und leichter Schließung und Trennung der Ehe? Haben sich nicht die modernen Völker bezüglich des letzteren, also des wichtigsten Punktes im Eherecht nach und nach auf den Standpunkt gestellt, den „die Ahnen des gegenwärtigen Judentums vor zweitausend Jahren“ einnahmen?

sächlich aus jüdischen Quellen schöpft auch L. Freund[1]), der das semitische Ehegüterrecht rechtsvergleichend untersucht. Bis auf den letzteren bildet bei den genannten Autoren die Darlegung des geltenden Eherechts das Hauptziel der Darstellung. Sie verfolgen, ob zustimmend oder ablehnend, gleichviel samt und sonders einen praktischen Zweck, der meiner Arbeit ganz fern liegt. Ich führe eine rein historische Untersuchung, die mit dem in Gegenwart und Vergangenheit ausgeübten Recht lediglich die Materie gemein hat. Das Schielen nach praktischen Resultaten ist mit der freien Geschichtsforschung, deren einziges Ziel die Eruierung des Gewesenen und Gewordenen ist, durchaus unvereinbar[2]).

Den Gegenstand meiner Untersuchung bilden zwei Hauptpunkte des jüdischen Eherechts: die Ehescheidung und der Scheidebrief. Ich beschränke mich dabei auf den Kern der Sache, auf den Scheidungsgrund und auf das Wesen des Scheidebriefes in Form und Inhalt. Die Frage nach dem Scheidungsgrund stand im Judentum, wie sich zeigen wird, nur etwa bis zur Wende des ersten Jahrhunderts im Vordergrunde des Eheproblems. Zwischen den zwei großen Schulen Palästinas im letzten Jahrhundert vor der Tempelzerstörung, zwischen der Schule Schammais und Hillels, tobte während der ganzen Dauer ihres Bestandes neben mehreren Punkten des Eherechts ein heftiger Kampf um das Scheidungsprinzip. Während die Schammaiten lediglich den Ehebruch des Weibes als zureichenden Scheidungsgrund gelten ließen, wollten die Hilleliten auch andere Scheidungsgründe anerkannt wissen. Mit dem allgemeinen Siege der Hilleliten über die Schammaiten war nach einer rund hundert Jahre währenden Kontroverse auch diese Frage für alle Zeiten entschieden. Nachdem das alte Prinzip gefallen war, bewegte sich die Entwicklung vorerst in der Richtlinie der Erleichterung der

---

[1]) Zur Geschichte des Ehegüterrechts bei den Semiten, Wien 1909 (Sitzungsberichte der kais. Akademie d. Wissenschaften in Wien. Phil.-hist. Klasse 162. Band, 1. Abhandlung).

[2]) Die eherechtliche Literatur der Reformbewegung habe ich aus diesem Grunde ganz außer Spiel gelassen.

Scheidung weiter, aber es handelte sich dabei nunmehr lediglich um Einzelheiten, nicht um das Prinzip. Diese Einzelheiten zu verfolgen ist Sache der Geschichte des gesamten jüdischen Eherechts und fällt außerhalb des Rahmens dieser Arbeit, deren Vorwurf ausschließlich die Untersuchung des Scheidungsprinzips bildet.

Eine andere prinzipielle Frage des Eherechts, die man eigentlich noch vor der Frage des Scheidungsprinzips zu erledigen hat, ist die der Scheidungsmöglichkeit überhaupt. Angesichts der Tatsache, daß das mosaische Gesetz (V 24, 1—4) die Scheidung ausdrücklich gestattet und über die geschiedene Frau Bestimmungen trifft (III 21, 7. 14 [Ezech. 44, 22]; 22, 13; IV 30, 10); ferner auch die Propheten den Scheidebrief, sowie die Geschiedene erwähnen (Jesaia 50, 1; Jeremia 3, 8), hat man es bisher für selbstverständlich gehalten, daß die Juden samt und sonders auf dem Standpunkt der Ehescheidung gestanden haben. Man wurde in diesem Glauben auch durch den schwerwiegenden Umstand bestärkt, daß in der gesamten jüdischen Tradition keine gegenteilige Meinung angetroffen wird. Die Evangelien haben allerdings mit großer Emphase die Unauflöslichkeit der Ehe proklamiert, doch hielt man diese Schriften jüdischen Ursprungs in diesem Punkte für nichtjüdisch, vielmehr von auswärts beeinflußt. Der Stifter der neuen Lehre, der „nur zu den verlorenen Schafen aus dem Hause Israel gekommen ist“ und der „nicht gekommen ist, das Gesetz aufzulösen, sondern zu erfüllen“, hätte eine mosaische Institution ohne jede jüdische Grundlage für eine Institution der verhaßten Römer eingetauscht. Überdies ist es noch überhaupt fraglich, ob die Evangelisten von den Bestimmungen des römischen Rechts über diesen Punkt irgendwelche Kenntnis hatten. Ich habe die einschlägigen Aussagen des Neuen Testaments einer eingehenden Prüfung unterzogen, ihren wahren Sinn festzustellen und ihren jüdischen Ursprung zu erweisen versucht. Das absolute Verbot der Ehescheidung haben die Evangelien nicht von heidnischen Römern übernommen, sondern von einem Kreise jüdischer Priester. Es ist das

Produkt einer innerjüdischen Strömung, die schon vor dem Auftreten Jesu gewisse Volkskreise erfaßt hatte.

Die Hauptstütze dieser These ist die neuentdeckte Schrift der zadokidischen Priestersekte — ein glücklicher Fund S. Schechters — in welcher eine vorchristliche Quelle für das absolute Ehescheidungsverbot gefunden ist, wodurch die sonstigen Trümmer der Überlieferung über diesen Punkt erst ins rechte Licht gerückt werden. Der Zeitpunkt der Entstehung der Sekte kann leider nicht genau fixiert werden, sicher aber ist, daß die Sekte nicht über Nacht zu einer dem von ihr hochgehaltenen mosaischen Gesetz widersprechenden Lehre gekommen ist. Sie wird in der Frage der Ehescheidung, gleichwie in der der Polygamie an bereits vorhandene Strömungen innerhalb des jüdischen Volkes angeknüpft haben. Es ist nicht ausgeschlossen, daß die Anfänge dieser Strömung in die Zeit des letzten Propheten hinaufreichen. Eine entschiedene Abneigung gegen jede Ehescheidung ist wenigstens aus Maleachi 2, 14—16 herauszufühlen. Ich glaube auf alle Fälle zeigen zu können, daß die Anschauungen über unsere Frage schon in biblischer Zeit Wandlungen durchgemacht haben. Die Quellen fließen allerdings sehr spärlich, das Material ist indes durch die Entdeckungen der letzten Jahre, namentlich durch den Kodex Hammurabi und die jüdisch-aramäischen Papyri von Assuan, sowie durch assyrisch-babylonische und ägyptische Ehekontrakte erfreulich vermehrt worden. Die Heranziehung dieser neuen Daten hat bei einer objektiven, von jeder vorgefaßten Meinung freien Betrachtung der einschlägigen Bibeltexte zu manchen neuen Resultaten geführt. Auseinandersetzungen mit früheren Aufstellungen habe ich möglichst vermieden, weil dadurch einerseits der Gang der Untersuchung gestört und anderseits die Arbeit allzu umfangreich geworden wäre. Allzuviele Noten hätten die Schrift gleichfalls übermäßig belastet. Wer sich für einzelne Punkte besonders interessiert, kann die reiche exegetische und archäologische Literatur zu Rate ziehen.

Das Quellenmaterial habe ich in chronologischer Reihenfolge nach Schriftgruppen: Bibel, Apokryphen, Talmud, Neues Testament vollständig vorgeführt, jede einzelne Gruppe besonders besprochen und die aus ihr fließenden Ergebnisse festgestellt. Auf Grund dieser Einzeluntersuchungen habe ich dann in einem zusammenfassenden Schlußkapitel eine gedrängte Geschichte der jüdischen Ehescheidung von den ältesten Zeiten bis zum zweiten Jahrhundert unserer Zeitrechnung gegeben.

Diesem ersten Teil einer Monographie des jüdischen Scheidungsprinzips lasse ich im zweiten Teil eine Monographie über ein verwandtes und mit ihm vielfach zusammenhängendes Thema, über den jüdischen Scheidebrief folgen. Das älteste Dokument, das erst in den letzten Jahren aus der Kairiner Genisa, der reichen Fundgrube der jüdischen Geschichte und Literatur, zum Vorschein gekommen, reicht nicht hinter das Jahr 1000 zurück. Es erscheint daher im ersten Augenblick als eine Sache der Unmöglichkeit, eine Geschichte dieses Dokuments im Altertum schreiben zu wollen. Ich glaubte indes, dieses Wagnis auf Grund reichlich fliessender literarischer Quellen, zu denen sich der Papyrus G. von Assuan, sowie außerjüdische Dokumente gesellen, unternehmen zu dürfen. Über die äußere Gestalt, Schreibstoff und Form, Schrift und Sprache des Scheidebriefes bietet die talmudische Literatur eine Fülle von Angaben, die nichts zu wünschen übrig lassen. Aber auch den Inhalt können wir, wie ich glaube, bis in die biblische Zeit hinauf zurückverfolgen, und eine genaue Prüfung der Quellen ermöglicht es sogar, eine Geschichte des Inhalts in großen Zügen zu zeichnen.

Das Schema des Scheidebriefes ist, wie das Schema anderer Urkunden, konstant geblieben, Wandlungen war lediglich die Scheidungsformel, das sogenannte „Wesen des Scheidebriefes", unterworfen. Infolge der Zähigkeit der Urkunden, des felsenfesten Konservatismus der Notare, vermochten indes die auf Abänderung von Sprache und Scheidungsformel gerichteten Bestrebungen der palästinensischen Schriftgelehrten des ersten und zweiten Jahrhunderts nicht durchzudringen, so daß der Scheidebrief Sprache und Inhalt in unveränderter Form beibehalten hat. Meine Beweisführung gipfelt in dem Nachweis, daß der Scheidebrief seit dem Altertum bis in die Gegenwart im großen und ganzen sich gleich geblieben ist.

Diesen aramäischen Scheidebrief kann man mit hoher Wahrscheinlichkeit bis ins 5. vorchristliche Jahrhundert, der Zeit Esras und der Abfassung des Ehekontraktes von Assuan (Papyrus G), zurückverfolgen. Von der gedachten Zeit bis zur Ausbreitung des Arabischen, also etwa 1200 Jahre hindurch, bildete im ganzen Orient das Aramäische die Sprache des jüdischen Volkes. Es gab aber auch eine hellenistische Diaspora und in Palästina lebte die hebräische Sprache bei den Gebildeten (vielleicht auch in manchen Volkskreisen) weiter fort. Sicher ist, daß es sowohl hebräische als griechische Scheidebriefe gegeben hat. Diese Scheidebriefe haben, wie ich nachweisen zu können glaube, eine andere Scheidungsformel enthalten. Die eine Scheidungsformel ist ausdrücklich in der Tradition bezeugt, die andere in je einem Ausspruche des Propheten Hosea und des Josephus angedeutet. Während die Formel der Tradition schon durch ihre Sprache sich als eine jüngere erweist, ist die prophetische, wie nicht minder die aramäische uralt. Beide gingen nebeneinander her, doch glaube ich auf Grund der allerdings sehr spärlichen Angaben vermuten zu dürfen, daß die erstere die der Priester und die letztere die des Volkes gewesen ist.

Der Scheidungsgrund und der Scheidebrief sind die zwei Momente der Ehescheidung. Man sollte nun glauben, daß diese zwei Momente nicht nur chronologisch, sondern auch sachlich mit einander verbunden sind, d. h. daß im Scheidebrief nicht nur der Scheidungsakt, sondern auch der Scheidungsgrund enthalten sei. Doch dies ist nicht der Fall. Der Scheidebrief nimmt auf die Antezedentien der Scheidung gar keine Rücksicht, erwähnt überhaupt keinen Scheidungsgrund. Er ist lediglich ein Formular, in welchem der Mann die Frau freigibt, die Scheidung ausspricht. Von einem Scheidungsgrunde ist nicht die Rede. Der Scheidebrief variiert nicht von Fall zu Fall, wie das beim Ehekontrakt, trotz seiner festen Form, der Fall ist. Bis auf Namen, Ort und Zeit sind alle Scheidebriefe gleich. Diese konstante Form des Scheidebriefes darf als Beweis dafür gelten, daß in ältester Zeit der Mann einen Scheidungsgrund nicht anzugeben brauchte und daß ein Gerichtsverfahren überhaupt nicht stattfand.

Man sieht daraus, daß die zwei Untersuchungen, die hier vereinigt sind, organisch mit einander zusammenhängen. Während aber dem Scheidebrief zu allen Zeiten große Aufmerksamkeit gewidmet wurde, kümmerte man sich um den Scheidungsgrund, soweit die Sache historisch verfolgt werden kann, höchstens 150 Jahre lang, von Hillel bis Akiba (30 vor, 120 nach uns. Zeitr.). Manche Bestimmungen wurden wohl noch nachher getroffen, aber im Vordergrunde des Interesses, wie in der Kirche[1]), stand diese Frage nicht mehr. Es ist demnach begreiflich, daß die jüdische Literatur über die Geschichte des Scheidungsgrundes keine eigene Monographie besitzt. Man brachte dem überwundenen Prinzip kein Interesse mehr entgegen.

Das gerade Gegenteil gilt vom Scheidebrief, für den das Interesse sogar ständig wuchs. Als seinen Reformator in Europa kann man R. Jakob Tam in Rameru betrachten, der um 1150 die mischnische Scheidungsformel in ihn aufnehmen ließ und ihn überhaupt den talmudischen Vorschriften anpaßte. Er tat dies auf Grund talmudisch-theoretischer Erwägungen gegen die bis dahin befolgte Praxis. Von da an hat

---

[1]) Es können hier drei Schriften genannt werden. A. Cigoi, Die Unauflöslichkeit der christlichen Ehe und die Ehescheidung nach Schrift und Tradition, Paderborn 1895; J. Fahrner, Geschichte der Ehescheidung im kanonischen Recht, 1. Teil: Geschichte des Unauflöslichkeitsprinzips und der vollkommenen Scheidung der Ehe, Freiburg 1903; A. Ott, Die Auslegung der neutestamentlichen Texte über die Ehescheidung, historisch-kritisch dargestellt, Münster in Westf. (mir ist bloß der erste, 1910 als Dissertation erschienene Teil bekannt). Cigoi behandelt das Problem vom dogmatischen, Fahrner vom kirchenrechtlichen, Ott vom exegetischen Standpunkt, alle drei historisch. Für unsere Zwecke kommt nur Ott in Betracht.

der Scheidebrief eine Geschichte, aber nur seine äußere Gestalt, wie Zeilenzahl und Form mancher Buchstaben, sowie die Formulierung des Datums, die Schreibung des Namens und ähnliches betreffend; das Formular selbst ist bis auf die Einfügung der erwähnten Scheidungsformel auch nachher unverändert geblieben. Talmudisch gesprochen, es änderte sich der תורף, aber nicht der טופס. Mit der Regelung des ersteren befaßt sich eine unübersehbare Literatur, es galt nämlich, großen Streitigkeiten, welche nicht selten um einen Scheidebrief ausbrachen und ganze Länder in Aufregung versetzten, möglichst vorzubeugen. So z. B. widmet das Werk ריח השדה (Konstantinopel 1738) dem Datum des Scheidebriefes (זמן הגט) allein 30 Folioblätter. Ich werde am geeigneten Platz die hier berührte Entwicklung durch den Abdruck eines Scheidebriefes aus dem Jahre 1748 veranschaulichen, aber auf sie nicht weiter eingehen. Es handelt sich dabei nicht sosehr um eine Erscheinung des Volkslebens, als vielmehr um Produkte des gelehrten Studiums, was daher besser der Geschichte der Halacha überlassen bleibt. Die einschlägigen Spezialwerke der Dezisoren bezwecken die Regelung der Praxis und scheiden für eine Geschichte des Scheidebriefes von selber aus, wenn sie auch manche Daten zu einer solchen beisteuern.

Eine Monographie über den Scheidebrief hat vor 25 Jahren A. Friedmann veröffentlicht[1]). Diese 40 Seiten starke hebräische Schrift ist, wie schon ihr Titel andeutet, eine sprachliche Kritik und nicht eine Geschichte des Scheidebriefes. Es wird namentlich nachgewiesen, daß der Text des Scheidebriefes in seinen nicht formelhaften Teilen (Datierung und Namen der Beteiligten) infolge Unkenntnis des Aramäischen im Mittelalter eine Verwilderung erfahren hat[2]). Von

---

[1]) Aron Friedmann: פתשגן כתב תשובה על דבר נוסח הגט הארמי הנהוג וקצת ענינים הקרובים אליו Wien 1886. (Auch mit lateinischem Titel: Exemplar epistolae responsi, in qua de cnnceptione Aramaica libelli repudii etc. agitur). Derselbe Autor hat unter dem Titel: אגרת תשובה על דבר הכתובה ונוסחה הארמי הנהוג וקצות ענינים הקרובים אליהם (Wien 1888) auch über den aramäischen Ehekontrakt eine Monographie verfaßt (108 Seiten).

[2]) Siehe besonders S. 18.

einer Geschichte des Formulars selbst, die den eigentlichen Gegenstand unserer Untersuchung bildet, ist überhaupt nicht die Rede. Der Autor hält die Angaben der Mischna und des Talmuds für die ältesten und macht gar keinen Versuch, in die vortalmudische Zeit vorzudringen, was schon auf Grund der Äußerungen der Bibel und des Josephus, ja des Talmuds selbst auch vor dem Fund von Assuan, den ich herangezogen, möglich gewesen wäre. Der verhältnismäßig weite Umfang der Schrift erklärt sich neben der Weitschweifigkeit des Stils aus der Einbeziehung „verwandter Materien". Ich kann demnach, ohne Widerspruch zu befürchten, sagen, daß meine Arbeit den ersten Versuch einer Geschichte des Scheidebriefes darstellt. In einem solchen dürften etwaige Lücken und Mängel Anspruch auf Nachsicht machen.

Meine Schrift gliedert sich vermöge ihres Inhalts naturgemäß in zwei Teile. Der erste Teil behandelt die Geschichte der Ehescheidung und der zweite Teil die Geschichte des Scheidebriefes.

ERSTER TEIL.

DIE JÜDISCHE EHESCHEIDUNG.

I.

CHARAKTER DER JÜDISCHEN EHE.

Die Ehescheidung steht mit der allgemeinen Anschauung von der Ehe in so engem Zusammenhange, daß es notwendig erscheint, vor Eintritt in die eigentliche Untersuchung die Institution der israelitisch-jüdischen Ehe und die Stellung der Frau innerhalb derselben in großen Zügen zu charakterisieren. Es kann dies für unsern Zweck mit ein paar Sätzen geschehen, welche ich zum Teil J. Benzingers „Hebräischer Archäologie" (1. Aufl., Freiburg i. B. und Leipzig 1894) und L. Freunds „Zur Geschichte des Ehegüterrechts bei den Semiten" (oben S. 2) entnehme. Findet ersterer, daß bezüglich der Stellung des Weibes die Sitten des alten Israel ganz auffallend an die des heutigen Orients erinnern, so weist letzterer nach, daß die meisten Sitten bei allen bekannten alten semitischen Völkern sich vorfinden, also gemeinsemitisch sind. Gemeinsemitisch ist namentlich, was für die Auflösbarkeit der Ehe ausschlaggebend ist, die Kaufehe.

„Die Stellung der Frau wird dadurch gekennzeichnet, daß sie ein Eigentum ist, erst ihrer Eltern, die sie verkaufen, dann ihres Mannes, der sie um Geld erwirbt." „Mit der Braut verliert das Elternhaus eine tüchtige Arbeitskraft, die der Familie des Bräutigams zuwächst; dafür darf wohl diese etwas zahlen und jenes sich entschädigen lassen." Dieser Kaufpreis wurde Mohar genannt und betrug in ältester Zeit 50 Schekel. „War der Mohar vom Bräutigam bezahlt, so war ... das Mädchen verlobt." „War die Frau Eigentum des Mannes, so ergab sich endlich daraus von selbst das Recht zur Scheidung[1])." „Wie bei allen Völkern, die eine schon entwickeltere Geschlechterverfassung haben, war auch bei den Babyloniern, Hebräern und Arabern in der ersten Zeit die Kaufehe allgemeiner Brauch. Der Bräutigam zahlte dem Vater des Mädchens einen Kaufpreis oder leistete auf Verlangen des Vaters einen Dienst, wofür ihm dieser seine Tochter zur Ehefrau übergab und die Gewalt über sie übertrug. Dafür sprechen die Uberlebsel aus jener Zeit, die in der altbabylonischen Rechtsliteratur, in der Bibel und in den älteren arabischen Quellen erhalten sind." „Als Ausfluß des Kaufgedankens hatte die Ehe privatrechtlichen Charakter, so daß die Frau als Eigentum und Besitz des Mannes betrachtet wurde, was schon aus dem in fast allen semitischen Sprachen für Ehemann geprägten Ausdruck בעל = Herr zu schließen ist[2])." Bemerkenswerterweise macht schon der Prophet Hosea einen Unterschied zwischen „Herr" und „Mann", wenn er Gott zu dem ihm untreuen Israel bildlich sprechen läßt: „An jenem Tage wirst du mich mein Mann (איש) und nicht mehr mein Herr (בעל) nennen[3])." Hammurabi (§ 117) gestattet sogar, die Frau zu verkaufen, was bei den Israeliten nicht nachweisbar ist. Aus Deut. 21, 10—14, wo dem Manne verboten wird, die Kriegsgefangene, nachdem er sie zum Weibe genommen, zu verkaufen, darf vielmehr mit Sicherheit gefolgert werden, daß der Verkauf einer rechtmäßigen Gattin nicht gestattet war. Es findet sich nur darum keine Bestimmung hierüber, weil dies dem Manne gar nicht einfallen konnte, wie bei der Kriegsgefangenen.

[1]) Benzinger 138 f., 142, 145.

[2]) Freund, S. 20 und 22.

[3]) Hosea 2, 18. Kautzsch, Die Heilige Schrift, 1. Auflage, S. 627, hat den Unterschied zwischen איש und בעל nicht erkannt und darum „Baal" beibehalten und falsch erklärt.

„Der Brautpreis, der in der ältesten Zeit seinem Wesen nach als Kaufpreis aufgefaßt wurde, erfuhr ... eine Milderung seines Charakters, bis er sich endlich in der letzten Phase seiner Entwicklung zu einer Obligation umgestaltete. In seiner Entwicklung lassen sich nach den vorhandenen Quellen zwei Hauptstufen unterscheiden.

I. Die Stufe, auf der der Brautpreis zwar noch dem Vater ausgezahlt, aber nicht mehr als Äquivalent für seine Tochter, sondern als ein ihm anvertrautes Wittum der Tochter angesehen wurde.

II. Die Stufe, auf der der Brautpreis nicht mehr ausgezahlt, sondern bloß vom Manne in einer Urkunde verschrieben und als Obligation gesichert wurde[1])". Auf Grund von biblischen und talmudischen Daten stellt Freund fest: „1. In der ältesten Zeit hinterlegte der Mann den bereits zum Wittum umgewandelten Brautpreis im väterlichen Hause der Frau. 2. Darauf folgte die Investierung des Brautpreises in Geräten, die als Eigentum der Frau im Hause des Mannes blieben. 3. Die schriftliche Sicherstellung durch Generalhypothek[2])." Auf diese letzte Stufe gelangte der Brautpreis schon

---

1) Ebenda 24.

2) Ebenda 28. Freund gelangt zu diesem Resultate auf Grund der Interpretation eines Berichtes über die Wandlungen der Kethuba in b. Kethub. 82b und j. Kethub. 32b. Schwierigkeiten bereitet der einleitende Satz des Berichtes: בראשונה היו כותבין לבתולה מאתים ולאלמנה מנה, היו מזקינין ולא היו נושאים נשים. Schon die Alten konnten mit diesen Worten nichts anfangen. Raschi interpretiert: „Die Frauen wollten wegen der Unsicherheit des Brautpreises nicht heiraten". Dies widerspricht dem Wortlaut des Textes: „Die Männer wurden alt und nahmen keine Weiber", es hing also nicht von den Weibern ab. Freund (27, n. 3) streicht den ganzen Satz, weil er keinen rechten Sinn gibt und im Parallelbericht des pal. Talmuds tatsächlich fehlt. Der Bericht ist aber dann nicht vollständig, denn es fehlt in ihm die allererste Stufe des Brautpreises (der dem Vater gezahlt wurde), also der eigentliche Ausgangspunkt der ganzen Regelung. Dieser steckt eben in dem ersten Satze: In ältester Zeit verschrieb man (zahlte man als Brautpreis) für eine Jungfrau 200 und für eine Witwe 100 Sus, da wurden die Männer alt und nahmen keine Weiber. Die jungen Leute vermochten diese Summe, die in dem Ehevertrag stipuliert zu werden pflegte (daher כותבין), nicht zu erschwingen, da verwandelte man den Brautpreis in ein Wittum usw. Siehe auch A. Friedmann: אגרת תשובה

vor 2000 Jahren und er befindet sich noch heute auf derselben, wo er eigentlich, wie Freund (26) richtig bemerkt, nur noch ein Symbol ist. Man ersieht auch hieraus, was für unsere späteren Untersuchungen von großer Wichtigkeit ist, daß die ursprüngliche Iustitution unter total veränderten Umständen formell zäh festgehalten wird. Die jüdische Ehe behält religionsgeschichtlich den Charakter der Kaufehe, nachdem sie in Wirklichkeit schon seit zwei Jahrtausenden eine solche zu sein aufgehört hatte. Bei der Kaufehe wurde nach der Einwilligung der Frau nicht gefragt, zur Zeit des Talmuds war diese Einwilligung schon bei einer 12jährigen Jungfrau unerläßliche Vorbedingung der Ehe, geblieben ist trotzdem der Kaufcharakter in der älteren Terminologie (נקנית), wie auch in der Übergabe eines Geldstückes oder einer Wertsache bei der Verlobung. Die Hochschätzung des Weibes, welche im Hohelied und in der Lobpreisung des Spruchbuches, in der Auffassung des Verhältnisses zwischen Gott und Israel durch Propheten und Schriftgelehrte als einer ehelichen Gemeinschaft und in zahllosen schönen Aussprüchen und Rechtszubilligungen des Talmuds[1]) zu beredtem Ausdruck kommt, vermochte den ursprünglichen Charakter der Kaufehe nicht zu verwischen. Dessen Rudimente sind im Heiratsbrief und in erhöhtem Maße im Scheidebrief, allgemeiner ausgedrückt: in den Formen der Schließung und Auflösung der Ehe bis auf den heutigen Tag sichtbar. Es zeugt aber von geringem Verständnis für den israelitisch-jüdischen Volksgeist, der den neuen Wein stets in die alten Schläuche gießt, wenn man bei der Wertung der israelitisch-jüdischen Ehe rein den Schlauch und nicht vielmehr seinen Inhalt betrachtet.

Die Praxis zeigte ein ganz anderes, viel helleres Bild

על דבר הכתובה (Wien 1888) S. 19 ff. Simon ben Schetach hat die Kethuba nicht als neue Institution eingeführt — so richtig Frankel דרכי המשנה 36, n. 9 und nicht wie Friedmann l. c. 22 — sondern bloß eine Abänderung bezüglich der Erlegung des Brautpreises getroffen. Die Ansichten der Alten über diese Frage siehe bei M. Bloch, שערי תורת התקנות II, 2, S. 79—82.

[1]) Siehe Krauß, Talmudische Archäologie II, 43 ff. und meine Berichtigungen „Magyar Zsidó Szemle" XXVIII, 200—206.

als die Theorie. Das Gesetz setzte auf Ehebruch Todesstrafe[1]), vollzogen wurde sie aber, wie weiter gezeigt werden soll (S. 25), in den allerseltensten Fällen[2]). Das Gesetz blieb auf dem Papier, wie etwa die im Pentateuch so oft und so eindringlich eingeschärfte Ausrottung der „sieben Völker". Dieselbe Bewandtnis hat es mit dem ganzen Eherecht. Es bestand zu Recht, äußerte aber seine Härten nicht sosehr im Leben als vielmehr in religiösen und juridischen Formeln. Gerade darum ist es für unsere Untersuchung, deren Objekt im zweiten Teil eine religionsgesetzliche Urkunde bildet, von ausschlaggebender Bedeutung. Die ältesten Sätze dieses Eherechtes sind nach Benzingers Zusammenstellung[3]) die folgenden:

„1. Die Ehe ist eine reine Privatangelegenheit, an welcher Gemeinde und Staat keinerlei direktes Interesse haben[4]).

2. Die Frau ist rechtlich betrachtet das Eigentum des Mannes, der sie durch Kauf erworben hat.

3. Der Mann kann die eigene Ehe nicht brechen, Ehebruch mit der Frau eines anderen ist Eigentumsverletzung[5]). Die Frau kann nur die eigene Ehe brechen.

---

[1]) Lev. 20, 10; Deut. 22, 22; Ezech. 16, 38. 40. Buch d. Jubiläen 39, 6; Josephus Archäologie VII, 7, 1; Ev. Joh. 8, 1—11; Gesetz Hammurabis § 129. Im Midrasch Tannaim ed. Hoffmann zu Deut. 24, 1 (Seite 153) wird merkwürdigerweise eigens bewiesen, daß diese Strafe auch für den Ehebruch mit einer solchen Frau gilt, die mit ihrem Manne in Unfrieden lebt.

[2]) Siehe jetzt Büchler, die Strafe des Ehebruches in der nachexilischen Zeit (Monatsschrift 55 [1911] S. 195—219).

[3]) A. a. O. S. 341. Den zweiten Satz habe ich, als für unsere Untersuchung belanglos, ausgelassen.

[4]) Gilt für das Zeitalter des Talmuds überhaupt nicht, aber auch für das alte Israel nicht ganz, denn die Gemeinde hat sich — wenigstens nach dem kodifizierten Gesetz — um die Bestrafung des Ehebruchs zu kümmern.

[5]) Dies ist falsch, denn der begangene Ehebruch gilt ja auch dann als solcher, wenn der Mann seine Einwilligung gegeben oder auf seinem Eigentumsrecht nicht besteht. Wenn der Mann für sein verletztes Eherecht vom Adulter einen Schadenersatz fordern könnte, wie etwa nach englischem Recht, dann könnte in diesem Zusammenhange auch von „Eigentumsverletzung" die Rede sein. Doch war dies in Israel nie der Fall.

4. Der Mann kann beliebig viele Frauen und Nebenfrauen haben.

5. Dem Mann allein steht das Recht zu, die Ehe aufzulösen."

Für unsere Untersuchung sind die folgenden drei Sätze im Auge zu behalten:

1. Der Mann ist der Eigentümer seiner Frau.
2. Der Mann hat das Recht, die Ehe zu scheiden.
3. Ehebruch wird mit dem Tode beider Teile bestraft.

II.

DIE EHESCHEIDUNG.

1. Die Ehescheidung nach Bibel, Papyrus von Assuan und Kodex Hammurabi.

Um die einschlägigen Stellen der Bibel ganz unbefangen betrachten zu können, muß man von ihrer späteren Interpretation in den nachbiblischen Schriften ganz absehen. Wir wissen vorderhand nichts von Apokryphen und Talmud, Neuen Testament und Kirchenvätern. Die altisraelitischen Aussagen sollen für sich allein reden. Die Hauptstelle findet sich Deut. 24, 1—4 und lautet wörtlich wie folgt:

„(1) Wenn ein Mann ein Weib nimmt und sie ehelicht — es wird dann geschehen, wenn sie keine Gunst in seinen Augen findet, weil er etwas Widerwärtiges an ihr gefunden, und er schreibt ihr einen Scheidebrief und gibt ihn ihr in die Hand und entläßt sie aus seinem Hause (2) und sie geht aus seinem Hause und wird [das Weib] eines anderen Mannes (3) und der letztere Mann haßt sie und schreibt ihr einen Scheidebrief und gibt ihr ihn in die Hand, oder der letztere Mann, der sie sich zum Weibe genommen, stirbt: (4) so darf ihr erster Herr, der sie entlassen, sie nicht wieder nehmen, daß sie sein Weib sei, nachdem sie verunreinigt worden, denn ein Greuel ist es vor dem Ewigen und du sollst nicht sündig machen das Land, das der Ewige, dein Gott, dir zum Besitz gibt"[1]).

Das ganze Stück ist als *ein* Gesetz aufzufassen, in welchem die Wiederholung der Ehe mit der geschiedenen und dazwischen mit einem anderen Manne verheiratet gewesenen Frau verboten wird[2]). Die mosaische Gesetzgebung hat das Institut der Scheidung nicht eingeführt, sondern vorgefunden[3]). „Die Tora spricht von dem, was gewöhnlich vorkommt", wie der Talmud bemerkt. Dies ist auch hier der Fall. Es wird der ganze Vorgang der Schließung und Trennung der Ehe anschaulich beschrieben. Der Mann kauft (יקח) eine Frau, vollzieht mit ihr die Ehe[4]), er findet an ihr keinen Gefallen, denn er entdeckt an ihr ערות דבר, er schreibt einen Scheidebrief, er gibt ihn ihr, schickt sie aus seinem Hause, sie zieht weg, geht zu einem andern Mann, dieser haßt sie usw. Es ist klar, daß das Gesetz keinen Grund für die Ehescheidung fordert, sondern bloß den im Leben vorzukommenden Grund registriert. Da der Mann die Frau für Geld erworben hat und an ihr neben dem Weibe auch eine wertvolle Arbeitskraft besitzt, verstößt er sie nicht ohne jede Ursache. Diese Ursache ist mit ערות דבר ausgedrückt. Nach dem Zusammenhange kann dieser Ausdruck nur bedeuten, daß der Mann nach dem Vollzug der Ehe sich enttäuscht fühlt. Die Worte והיה אם לא תמצא חן בעיניו כי מצא בה ערות דבר sind nichts anderes als eine ausführliche Umschreibung des im 3. Verse ge-

---

[1]) כי יקח איש אשה ובעלה והיה אם לא תמצא חן בעיניו כי מצא בה ערות דבר וכתב לה ספר כריתת ונתן בידה ושלחה מביתו: ויצאה מביתו והלכה והיתה לאיש אחר: ושנאה האיש האחרון וכתב לה ספר כריתת ונתן בידה ושלחה מביתו או כי ימות האיש האחרון אשר לקחה לו לאשה: לא יוכל בעלה הראשון אשר שלחה לשוב לקחתה להיות לו לאשה אחרי אשר הטמאה כי תועבה היא לפני ה' ולא תחטיא את הארץ אשר ה' אלוהיך נתן לך נחלה.

[2]) So Dillmann (Exegetisches Handbuch) und Baentsch (Nowacks Kommentar) z. St. u. a. Die ersten drei Verse sind Vordersatz, V. 4 ist Nachsatz. Wenn V. 1 ein eigenes Gebot wäre, müßte es statt והיה אם heißen ולא, ferner statt ויצאה (V. 2) ואם תצא usw.

[3]) Müller D. H., Die Gesetze Hammurabis, Wien 1903, S. 122.

[4]) So ist hier בעלה auzufassen, wie auch Proverbien 30, 21: תחת שנואה כי תבעל ושפחה כי תירש גברתה, wo תִּבָּעֵל, wie im Neuhebräischen, nur den Geschlechtsakt bedeuten kann.

brauchten Terminus וּשְׂנֵאָהּ „er haßt sie“. Die Bedeutung dieses technischen Ausdrucks ist aus Deut. 22, 13 mit Sicherheit zu entnehmen. Es heißt da: „Wenn ein Mann eine Frau nimmt und zu ihr eingeht und sie haßt und beschuldigt sie mit Worten[1]) und bringt sie in üblen Ruf und spricht: diese Frau habe ich genommen und ich näherte mich ihr und fand bei ihr keine Jungfrauschaft.“ Die Eltern der Frau beweisen das Gegenteil „und der Vater spricht: meine Tochter habe ich diesem Manne zum Weibe gegeben und er *hasst* sie und beschuldigt sie mit Worten ... das ist die Jungfrauschaft meiner Tochter“ usw.

„*Hassen*“ heißt hier, wie der Zusammenhang deutlich zeigt: der Mann will nach der ersten Beiwohnung das eheliche Leben mit der Frau nicht fortsetzen. In der Geschichte Amnons und Tamars heißt es, nachdem Amnon der Tamar Gewalt angetan: „Und Amnon *hasste* sie mit einem sehr großen *Hasse*, denn größer war der *Hass*, mit dem er sie *hasste*, als die *Liebe*. mit der er sie [vorher] *liebte*. Und Amnon sprach zu ihr: stehe auf, gehe. Und sie sprach zu ihm: Nicht doch diese größere Unbill als die andere, die du mir angetan, mich zu verstoßen“ usw.[2]). Die unüberwindliche Abneigung stellt sich beim Orientalen, wie sicherlich auch heute noch, wenn auch etwas seltener, bei Okzidentalen, gleich nach dem ersten Beisammensein ein. Als Samson zu seiner Frau in die Kammer gehen will, verweigert ihm dies ihr Vater mit den Worten: „Ich dachte, du *hassest* sie, da gab ich sie deinem Genossen“[3]). Mit demselben Worte wird auch der Widerwille des Weibes ausgedrückt. „Ich will versammeln alle deine Liebhaber, denen du gefallen hast, und zwar alle, die du gern hattest, samt allen denen, die du *hassest*“[4]). „Ich gebe dich in die Hand derer, die du *hassest*, in die Hand derer, von denen deine

---

[1]) Über die Bedeutung von עלילות דברים siehe die Kommentare und die Wörterbücher.

[2]) II Sam. 13, 14—18.

[3]) Richter 15, 1. 2. Vgl. auch 14, 16.

[4]) Ezechiel 16, 37. V. 41 (שפטים) und 23, 10 (שפוטים) bedeutet die Vergewaltigung.

Seele losgerissen; und sie werden dich *gehässig* behandeln"[1]). Ein Weib, mit dem der Mann den ehelichen Umgang meidet, heißt die „*Gehasste*" (שנואה)[2]). Instruktiv ist hiefür das Bild des Jesaias: „An Stelle davon, daß du *verlassen* und *gehasst* warst, *unbesucht,* mache ich dich zum ewigen Stolz, zur Wonne für Geschlecht auf Geschlecht"[3]). Das „Buch der Jubiläen" sagt von Ger (Er, Gen. 38, 6), dem sein Vater die Kanaaniterin Tamar zum Weibe gegeben: „Aber er *hasste* sie und *wohnte ihr nicht bei*" (41, 2)[4]). Maimonides, der ein feines Sprachgefühl hatte, drückt den Begriff der Verweigerung des ehelichen Umganges, für welchen der Talmud das technische Wort מורדת „die Widerspenstige" gebraucht, mit „Haß" aus, und zwar sowohl beim Manne wie bei der Frau[5]). In diesem Zusammenhange hat das Wort שָׂנֵא einen ganz konkreten Inhalt: die Verneinung des Willens aus Abscheu, wie beim „Prediger", wenn er spricht: „Ich *hasse* (verabscheue) das Leben, all mein Tun" (2, 17. 18). Der technische Sinn von שנא hat den Propheten Maleachi zur Wahl eben dieses Wortes veranlaßt in dem Satze: „Denn ich *hasse* Scheidung, so spricht der Ewige, der Gott Israels" (2, 16).

Der Mann, der ein Weib genommen (gekauft) und sie nach Vollzug der Ehe „*hasst*", d. h. geschlechtlich enttäuscht ist, hat das Recht, die eheliche Gemeinschaft aufzuheben, indem er der Frau einen Scheidebrief ausstellt. Dies wird Deut. 24, 3 mit „er haßt sie" und V. 1 mit „sie fand keine Gunst in seinen Augen, denn er fand an ihr eine Widerwärtigkeit" ausgedrückt. Wenn er aber die Frau fälschlich des Fehlens der Jungfrauschaft beschuldigt, statt sie einfach zu

---

[1]) Ebenda 23, 28. 29.

[2]) Genesis 29, 31. 33; Deut. 21, 15. 16. 17. A. Dieterich weist in „Mutter Erde" (Leipz.-Berl. 1905) nach, daß die Alten glaubten, die Erde bringe aus ihrem Schoße die Kinder hervor. Eine Verhaßte konnte trotz ihrer Verlassenheit gebären.

[3]) Jes. 60, 15.

[4]) Ein Text hat bloß „er haßte" (Kautzsch, Apokryphen II, 107, n. 2), weil eben im „Hassen" die „Nichtbeiwohnung" schon ausgedrückt ist.

[5]) Mischne Tora, Ischuth 14, 15: אבל איני בא עליה מפני ששנאתיה; 14, 8: שתבעל לשׂנוי לה; 22, 6: ואפילו אמרה אני שונאה אותו.

entlassen, hat er eine doppelte Strafe zu tragen: 1. eine Geldbuße von 100 Silberstücken, 2. Verlust des Rechtes der Entlassung auf Lebenszeit. Aus der letzteren Strafe folgt ebenfalls, daß der Mann sonst das Recht der Scheidung besitzt. Wiedervergeltung (Talion), „Gleiches mit Gleichem" ist das oberste Prinzip des biblischen Strafrechts. Der Verleumder wollte durch eine falsche Behauptung von seiner Frau und von der Zahlung des Brautpreises[1]) befreit sein, zur Strafe verwirkt er auf immer sein Recht auf Scheidung und zahlt überdies wegen der Schwere der Beschuldigung, wie etwa der Dieb, das Doppelte des normalen, 50 Silberst. betragenden Brautpreises (ebenda 23, 29). Aus der auferlegten Strafe ist nach dem Wiedervergeltungsprinzip auf das Recht des Bestraften zu folgern. Wenn der Mann seine Frau bloß „gehaßt", aber nicht verleumdet hätte, hätte er bei Einbuße des Brautpreises die Frau entlassen können. Auch das Gesetz über die Notzucht einer unverlobten Jungfrau zeigt, daß dem Manne das unbedingte Recht der Scheidung zusteht. Da hier geboten wird, daß der Vergewaltiger die Vergewaltigte heirate und sie nie entlasse (Deut. 23, 29), so folgt daraus, daß eine andere Frau wohl entlassen werden könne.

Fassen wir die Resultate der voraufgehenden Erörterung zusammen, so ergeben sich die folgenden Sätze: 1. „Hassen" (שנא) ist ein terminus technicus, der den geschlechtlichen Widerwillen und infolgedessen die Aufhebung des ehelichen Umganges bezeichnet. 2. Dem Manne steht das bedingungslose Recht der Scheidung zu. 3. Bei der Scheidung verliert der Mann den Brautpreis. 4. Erfolgt die Scheidung wegen Fehlens der Jungfrauschaft, behält der Mann allem Anscheine nach das Recht auf den Brautpreis. Ob die Frau die Scheidung fordern kann, wenn z. B. der Mann seinen aus Exodus 21, 9 folgenden Gattenpflichten nicht nachkommt, wissen wir nicht. In der Bibel ist davon nicht die Rede, sicherlich deshalb, weil dies nicht zu den „im Leben gewöhnlich vorkom-

[1]) Hat er bereits gezahlt, so wollte er den Kaufpreis sicherlich zurückerhalten. Daß hievon keine Rede ist, mag darauf beruhen, daß es bei Bewahrheitung der Behauptung des Mannes als selbstverständlich galt.

menden Fällen gehört". Unbedingt ist indes diese Frage nicht zu verneinen, denn der vom Jahre 440 (ante) datierte Heiratsbrief von Assuan sichert dieses Recht auch der Frau zu. Dieser Papyrus (G) ist auch für die anderen besprochenen Fragen von Bedeutung und wir wollen ihn als ältesten außerbiblischen Zeugen abhören. Zeile 22—29 lautet:

„Morgen oder an einem anderen Tage wird Mibtachja in der Gemeinde aufstehen und sagen: ich *hasse* meinen Mann As-Hor, so soll sie den Preis des *Hasses* voll auf die Wage geben und As-Hor fünf Schekel und 2 d in Silber zuwägen und alles, was sie mitgebracht hat bis zum letzten Zwirn, kann sie mitnehmen und sie kann gehen, wohin sie will, ohne Streit und Wort. Morgen oder an einem anderen Tage wird As-Hor in der Gemeinde aufstehen und sagen: ich *hasse* mein Weib Mibtachja, soll er ihren Brautpreis verlieren und sie kann alles, was sie mitgebracht hat, mitnehmen bis zum letzten Zwirn an einem Tage mit einer Hand und sie kann gehen, wohin sie will, ohne Streit und Wort"[1]).

Das „Ich hasse" (שנאת) ist hier, wie Cowley dem Sinne nach richtig übersetzt hat, mit „Ich scheide mich" identisch und der „Preis des Hasses" ist nichts anderes als „Scheidungsgeld". Der Haß ist nicht spezifiziert, d. h. die Ehegatten sind nicht gehalten, besondere Gründe für ihre Abneigung beizubringen. Die öffentlich, vor der Gemeinde (oder vor dem Gerichte)[2]) abgegebene Erklärung des Mannes oder der Frau, die eheliche Gemeinschaft nicht fortsetzen zu wollen, genügt zur Scheidung. Mit dieser Erklärung ist, wie es scheint, die Scheidung schon perfekt, denn von der Übergabe eines

---

[1]) מחר [או י]ום אחרן תקום [מב]טחיה בעדה ותאמר שנאת לאסחור בעלי כסף שנאה בראשה תתב על מוזנא ותתקל ל[אס]חור כסף שקלן ||||| ו ד || וכל זי הנעלת בידה תהנפק [מן] חם עד חוט ותהך [ל]האן זי צבית ולא (י)דין ולא דבב מחר או יום אחרן יקום אסחור בעדה ויאמר שנאת [לאנ]תתי מבטחיה מהרה [י]אבד וכל זי הנעלת בידה תהנפק מן חם עד חוט ביום חד בכף חדה ותהך | לה אן זי צבית מן לא דין ולא דבב. Cowley leitet תתב fälschlich von תוב ab, statt von יתב = יהב. בראשה ist aramäisch בְּרֵאשָׁה zu vokalisieren. Vielleicht ist es aber ein Hebraismus בְּרֹאשָׁה oder בְּרֹאשֹׁה wie Lev. 5, 24 ושלם אתו בראשו „die volle Summe".

[2]) Funk in Monatsschrift 55 (1911) S. 36.

Scheidebriefes oder von der Übernahme einer solchen Verpflichtung ist nicht die Rede. Man sieht hier, daß auch die Frau auf Scheidung beantragen konnte. Wenigstens folgt aus unserem Heiratsbrief, daß der Mann seiner Frau bei der Eheschließung dieses Recht zusichern kann. Noch im 3. nachchristlichen Jahrhundert, also 700 Jahre später, gab es in Palästina Ehekontrakte, in welchen, ganz wie in unserem Papyrus, für den Fall, daß der eine der Ehegatten die Fortsetzung der ehelichen Gemeinschaft mit der Erklärung „ich hasse“ verweigert, Vorsorge getroffen war[1]. Da die jüdische Militärkolonie zumindest vor 525, vielleicht gar schon im 7. vorchr. Jahrhundert von Palästina nach Ägypten eingewandert war und die väterlichen Sitten beibehielt, kann man das bei ihr geltende Recht der Ehescheidung auf Grund der einfachen Erklärung: „ich hasse“ getrost in die biblische Zeit hinaufdatieren. Wenn dieses Recht noch 700 Jahre später nachweisbar besteht, so mag es zumindest einige Jahrhunderte, bevor es dokumentarisch nachweisbar ist, bestanden haben. Auf alle Fälle besitzen wir im Assuan-Papyrus die älteste Auslegung des deuteronomischen Gesetzes und diese stimmt mit der von uns gefundenen sowohl bezüglich des Scheidungsgrundes als auch des Brautpreises überein. Der Papyrus stipuliert ausdrücklich, 1. daß beide Ehegatten mit dem nicht näher zu begründenden ehelichen Widerwillen auf Scheidung beantragen können, 2. daß der Brautpreis verloren ist, wenn der Mann die Scheidung fordert und daß er zurückzuerstatten ist, wenn dies die Frau tut. Der Ausdruck „morgen oder übermorgen“ ist gewiß eine Phrase für „in beliebiger Zeit,“ nichtsdestoweniger ist darin auch der Fall enthalten, wo das Eheband, wie Deut. 22, 12 und 24, 1. 3, schon am Hochzeitsmorgen gelöst wird.

Betrachten wir nun den Kodex Hammurabis, in welchem

---

[1]) Jer. Kethuboth 30b, Z. 22 von unten: ר' סימון בשם ר' יהושע בן לוי המורדת והיוצאת משום שם רע אין לה לא מזונות ולא בליות. אמר ר' יוסה אילין דכתבין אין שנא[ת] אין שנאת תניי ממון ותניין קיים. Siehe „Magyar Zsidó Szemle“ XXV (1908) 247.

§§ 137—143 von der Ehescheidung handeln. Wir konstatieren zuvörderst, daß der Mann das unbeschränkte Recht der Scheidung besitzt. Unterschiede bestehen lediglich bezüglich der Entschädigung der entlassenen Frau. Nach dem Grunde der Ehescheidung wird überhaupt nicht gefragt. Es heißt einfach: „Wenn ein Mann . . . eine Ehefrau, die ihm Kinder geschenkt hat, zu scheiden die Absicht hat, stellt er jener Frau ihre Mitgift zurück" usw. (§ 137). „Wenn ein Mann seine Gattin, die ihm Kinder nicht geboren hat, scheidet, gibt er ihr ihren vollen Kaufpreis" usw. (§ 138). Der Mann hat gewiß, wie Deut. 24, 1—3 sich ausdrückt, „etwas Widerwärtiges an der Frau gefunden", oder (mit einem andern Wort) „er haßt sie", sonst nähme er neben dem Verzicht auf ein Weib nicht auch noch die Leistung einer beträchtlichen Summe als Entschädigung auf sich, aber gefragt wird im Gesetz danach nicht, denn der Mann hat das absolute Recht der Scheidung. Dasselbe Prinzip wird auch für das mosaische Gesetz anzunehmen sein: die Erwähnung der Scheidungsursache ist nicht eine gesetzliche Vorbedingung, sondern eine stilistische Eigentümlichkeit der biblischen Darstellungsweise. Wird ja auch beim Verleumder der Ehre seiner Frau angegeben: „weil er sie haßt", obgleich dies bei diesem Rechtsfall überhaupt nicht in Betracht kommt.

Das Grundprinzip ist also, wie ich glaube, in beiden Gesetzbüchern identisch. Die Regelung der materiellen Seite der Scheidung fehlt im mosaischen Gesetzbuch, sicher ist indes, daß es in keinem Falle dem Mann gestattet, seine Frau wegen irgendwelcher Vergehen als Magd im Hause zu behalten, wie K. H. § 141 (oben S. 11). Die Scheidung ist vollzogen, „wenn der Mann sagt „ich entlasse sie" (§ 141). Es ist dasselbe Wort, mit dem auch die Bibel die Scheidung bezeichnet (שִׁלַּח), aber ein Scheidebrief ist im K. H. ebensowenig erwähnt, wie im Assuan-Papyrus. Dies mag seine Erklärung darin finden, daß die Scheidung sich vor dem Gerichte abspielt, welches den Prozeß registriert oder auch darüber einen schriftlichen Bescheid ausfertigt, während im Pentateuch eine Privatscheidung vorliegt: der Mann schreibt der Frau einen Scheidebrief, ebenso Jeremia 3, 8 „ich gab ihr ihren Scheidebrief“ und auch Jesaia 50, 1 „wo ist der Scheidebrief eurer Mutter, mit dem ich sie entlassen habe“, von der Intervenierung eines Gerichtshofes ist wenigstens nirgends die Rede.

Wichtig ist für unsere Frage § 142, der in D. H. Müllers Übersetzung (S. 38) wie folgt lautet:

„Wenn eine Frau, weil sie ihren Ehemann haßt, „Du wirst mich nicht besitzen,“ spricht, [geschieht], sobald nach ihrer Angabe ihre Benachteiligung untersucht wird [also]: Wenn, weil sie häuslich ist, ein Vergehen ihrerseits nicht vorhanden ist, auch ihr Gatte, indem er sich herumtreibt, sie sehr vernachlässigt, hat dieses Weib keine Schuld. Nachdem sie ihre Mitgift erhalten hat, kehrt sie in das Haus ihres Vaters zurück“.

Hier finden wir das charakteristische „ich hasse“ als Ausdruck der Forderung der Scheidung im Munde der Frau. Der Mann konnte bei Übernahme der materiellen Nachteile die Scheidung ohneweiteres durchführen. Das ganze Verfahren wird nur darum eingeleitet, weil die Frau die Scheidung wegen der Schuld des Mannes fordert, folglich auch auf Ausfolgung ihrer Mitgift besteht. Träfe die Frau die Schuld, hätte sie auf die Mitgift keinen Anspruch. Dies stimmt mit dem überein, was wir oben vermutungsweise ausgesprochen haben, daß nach dem mosaischen Gesetz die Frau den Mohar verliert, wenn die Scheidung wegen ihrer Schuld erfolgt. Wenn der Mann (Deut. 23, 13—27) gegen seine eben heimgeführte Frau die Klage des Fehlens der Jungfrauschaft erhebt, so tut er dies nicht um das Recht auf Scheidung zu erwerben, sondern um des Mohars nicht verlustig zu gehen. Der Ausdruck „die Frau kehrt in ihr Vaterhaus zurück“ bedeutet die Aufhebung der Ehe, wie in Leviticus 22, 13, wo er von der Witwe und der Geschiedenen gebraucht wird. Die einfache Separation (Scheidung von Tisch und Bett), ein Ausfluß des starren Prinzips der Unauflöslichkeit der Ehe, was mit der Menschennatur in Widerspruch steht, haben die alten Völker nicht gekannt. Müller meint, „daß der Frau in einem Falle wohl ein Recht auf Aufhebung der ehelichen Gemeinschaft, keineswegs aber das Recht der Ehescheidung zusteht, wie Jeremias und zum Teil auch Cohn behauptet. Demnach herrscht eine vollständige Kongruenz beider Gesetze in bezug auf die auch vom mosaischen Rechte aus älterer Zeit übernommenen Institution der Ehescheidung, daß nur der Mann die Scheidung aussprechen kann; das Gericht kann auf Antrag der Frau die Scheidung nicht aussprechen"[1]).

Ich kann mich dieser Auffassung nicht anschließen. Das Unvermögen des Gerichtes, eine Scheidung auszusprechen, wäre nur dann verständlich, wenn die Ehescheidung ein religiöser und nicht ein bürgerlicher Akt wäre. Als ersterer wird sie vom rabbinischen Gesetz betrachtet, und eben darum gibt es nach diesem Gesetze keine Macht auf Erden, die eine rechtskräftige Ehescheidung ohne Übergabe eines Scheidebriefes vonseiten des Mannes an die Frau vollziehen könnte. Aber selbst nach diesem Gesetze hat das Gericht in gewissen Fällen das Recht (ja sogar die Pflicht), den Mann zur Ausfolgung des Scheidebriefes zu zwingen[2]). Das mosaische Gesetz räumt also nach rabbinischer Auffassung dem Gerichtshof das Recht der Scheidung der Ehe ein. Daß der Mann noch einen Scheidebrief überreichen muß, ändert am Wesen der Sache, an der Machtbefugnis des Gerichtshofes, die Ehe aufzulösen, nicht das mindeste. Da der Hammurabi-Kodex keinen Scheidebrief fordert, die Ehescheidung überhaupt nicht als einen religiösen Akt auffaßt und dem Gericht das Recht einräumt, dem Manne Zahlungen aufzuerlegen und die Frau aus seiner Gewalt zu befreien, so ist nicht einzusehen, warum er durch das Gericht lediglich eine Separation der Ehegatten und nicht auch die endgiltige Auflösung der Ehe gestattet hätte.

Wenn auch der Mann, wie wir festgestellt zu haben glauben, seine Frau von Rechtswegen aus jedem beliebigen Grunde scheiden konnte, so wird doch das gewöhnliche Motiv

---

[1]) A. a. O. S. 124.

[2]) Keth. 7, 9. 10 (wenn der Mann Leibesfehler hat). Siehe die Aufzählung aller Fälle bei Billauer 68 f. Die nörgelnde Darstellung dieser humanen Bestimmungen der altjüdischen Gesetzeslehrer ist durchaus nicht am Platze. Siehe noch weiter unten Teil II bei גט מעושה.

die Untreue der Frau oder ein derartiger Verdacht gewesen sein. Die Todesstrafe, mit welcher das Gesetz den Ehebruch belegte[1]), wurde in den allerseltensten Fällen exekutiert[2]). Der Mann begnügte sich in der Regel mit der einfachen Scheidung. Wirklich vorgekommene Scheidungen sind nicht überliefert, aber das Gesagte folgt mit Sicherheit aus den Reden der Propheten. So heißt es bei Jeremia 3, 7—10: „Das sah die Treulose, ihre Schwester Juda, und obwohl sie sah, daß ich eben deshalb, weil die Abtrünnige, Israel, Ehebruch getrieben, sie entlassen und ihr den Scheidebrief gegeben hatte, scheute die Treulose, ihre Schwester Juda, sich dennoch nicht, ging vielmehr hin und buhlte gleichfalls und durch ihre leichtfertige Buhlerei entweihte sie das Land und trieb Ehebruch mit dem Stein[götzen] und mit dem Holz[bilde]. Gleichwohl trotz alledem ist die Treulose, ihre Schwester Juda, nicht von ganzem Herzen, sondern nur heuchlerischer Weise zu mir zurückgekehrt — so spricht Gott“[3]). Jesaia 50, 1: „Wo ist der Scheidebrief eurer Mutter? . . . um eurer Vergehungen willen ist eure Mutter entlassen worden.“ Die „Vergehungen“ sind Untreue, Ehebruch. Bei Hosea, einem der ältesten Propheten, spricht Gott: „Hadert mit eurer Mutter, hadert, denn sie ist nicht mein Weib und ich bin nicht ihr Mann[4]), bis sie weggeschafft ihre Buhlerei von ihrem Angesicht und ihre Ehebrecherei von zwischen ihren Brüsten“ (2, 4). Aus diesen Stellen, sowie aus Ezechiel Kap. 17 und 23 geht hervor, daß der Mann der ehebrecherischen Frau auch verzeihen konnte[5]) und daß er sie nicht selten wieder zurücknahm[6]).

Aus nachexilischer Zeit, aus der Mitte des 5. Jahrhunderts, besitzen wir in Maleachi 2, 14—16 eine Äußerung

---

[1]) Lev. 20, 10; Deut. 22, 22 ff. (= Hammurabi § 129 und 130).

[2]) Siehe I Samuel 2, 22. 25 und Ezechiel 23, 47. (Siehe oben 14. n. 2).

[3]) Nach Kautzsch.

[4]) Eine Scheidungsformel, wie im II. Teil nachgewiesen werden soll.

[5]) K. H. § 130: „Wenn der Mann seiner Frau [die die Ehe gebrochen] das Leben schenkt“. Müller, S. 35 und 117.

[6]) II Sam. 3, 14—16 ist ein exzeptioneller Fall.

über die Ehescheidung. Die Stelle ist im ganzen wohl etwas dunkel, für unsere Frage ist sie indes deutlich genug. Nachdem der Prophet die Treulosigkeit Judas, die es durch Ehelichung heidnischer Frauen begangen, gegeißelt und erwähnt hatte, daß Gott die Opfergaben nicht annehmen werde, fährt er fort: „Ihr fragt noch: Warum? Darum, weil Gott Zeuge war [bei dem Eingehen des Bundes] zwischen dir und dem Weibe deiner Jugend, der **du** [nun] die Treue gebrochen hast, obschon sie deine [Lebens]Gefährtin und deine durch feierliche Gelübde mit dir verbundene Gattin war ... und dem Weibe deiner Jugend werde nie die Treue gebrochen. Denn ich hasse Scheidung, spricht der Ewige, der Gott Israels, und [den], der sein Gewand mit Frevel bedeckt, spricht der Gott der Heerscharen, darum hütet euch wohl in eurem Sinn und brecht niemals die Treue!“[1])

Es ist von solchen Männern die Rede, die ihre Gattinnen, die sie in ihrer Jugend geheiratet hatten, ohne jede Schuld vonseiten der Frau, offenbar lediglich jüngeren Weibern zuliebe, treulos verstoßen. Der Prophet geißelt mit flammenden Worten die neue Sitte, die Frau auch ohne Untreue von ihrer Seite, lediglich auf Grund des „Widerwillens“[2]) zu scheiden. Das Recht aber zu einer solchen Scheidung bestreitet der Prophet den Männern augenscheinlich nicht, er bekämpft die Untat nicht vom Standpunkte des gemeinen Rechts, sondern von dem der höheren Moral. Er tritt also für die alte Volkssitte ein, die Frau nur wegen Ehebruch zu entlassen.

Diese Sitte spiegelt sich, wie ich glaube, noch in der Satzung wieder, daß gemeine Priester wohl Witwen, aber keine Geschiedenen heiraten dürfen. „Eine buhlerische und geschändete Frau sollen sie nicht nehmen, und eine Frau, die von ihrem Manne verstoßen worden, sollen sie nicht nehmen, denn

---

[1]) Kautzsch (mit geringen Änderungen). Das „Bedecken des Kleides mit Frevel“ (כסה חמס על לבושו) ist sicherlich eine Metapher für die eheliche Untreue.

[2]) Hebräisch: שָׂנֵא Hassen. Der Prophet wählt mit Absicht den Ausdruck שנא שלח (Gott haßt die Scheidung), weil beide Worte Termini der Ehescheidung sind. S. oben S. 18.

heilig ist er [der Priester] dem Ewigen"[1]). An der geschiedenen Frau haftete der Verdacht des Ehebruchs, daher auch die Reihenfolge: Buhle, Geschändete, Geschiedene.

Die Frage, ob der Mann eine Frau, die die Ehe gebrochen, behalten dürfe, was im Talmud entschieden verneint wird[2]), wird in der Bibel wohl nicht behandelt, doch geht aus den Reden der Propheten hervor, daß dies gestattet war und auch vorgekommen ist (oben S. 25). Man darf vermuten, daß eine solche, wenn sie behalten wurde, in der Regel zu den „Gehaßten" gehörte, d. h. der Mann pflegte keinen ehelichen Umgang mehr mit ihr. (Vgl. II Sam. 20, 3 mit Bez. auf 16, 22.)

Wir konstatieren als Ergebnisse unserer Erörterungen, daß die Bibel keinen Scheidungsgrund fordert und keinen Scheidungsgrund kennt. Deut. 24, 1 wird mit ערות דבר, gleichviel ob es „Ehebruch" oder „etwas Ungehöriges" bedeutet, nicht eine Vorbedingung für die Ehescheidung aufgestellt, sondern bloß eine gangbare Ursache derselben erzählt. Der Mann hat allezeit das Recht, *die Frau* aus jedem beliebigen Grunde zu verstoßen, aber nicht die Pflicht, selbst dann nicht, wenn sie ihm die Treue gebrochen. Dies folgt aus den angezogenen Prophetenstellen. Der Mann ist Eigentümer der Frau, als solcher kann er sich dieses Eigentums ebenso entschlagen wie jedes anderen Eigentums. Es fragt sich nun, wozu der Scheidebrief dient? Die Antwort kann, wie ich glaube, nicht zweifelhaft sein: zur Legitimation der Frau. Der Mann bescheinigt ihr, daß er sie aus freien Stücken freigegeben habe und sie ihm nicht entlaufen sei. Der Mann entsagt allen seinen Rechten, die er als Herr und Gatte über die Frau hatte, und sie kann nunmehr über ihre eigene Person wieder frei verfügen. Dies zeigt noch der Scheidebrief, der eigentlich nichts anderes als die Entlassung der Frau dokumentiert[3]).

---

[1]) Lev. 21, 7. Der Hohepriester darf auch keine Witwe heiraten (ebenda V. 14). Nach Ezechiel (44, 22) gilt dies auch vom gemeinen Priester.

[2]) Siehe weiter unten S. 30, Anm. 4 und S. 38 f.

[3]) Siehe die Scheidungsformeln im II. Teil.

2. Der Scheidungsgrund nach Apokryphen, Talmud, Philo und Josephus.

a) Apokryphen.

Die Apokryphen bieten für unsere Frage nur sehr dürftiges Material. Von Frau und Ehe ist wohl oft die Rede, nicht aber von Scheidung und Scheidungsgrund. Diese letzteren werden eigentlich nur von Jesus Sirach erwähnt, der auf die gute und böse Frau des öfteren zu sprechen kommt[1]). Die Anschauungen dieses altjüdischen Sittenlehrers widerspiegeln die folgenden Sprüche:

7, 26: „Hast du eine Frau, so laß dich nicht von ihr scheiden, und wenn sie dir verhaßt ist, so schenke ihr kein Vertrauen“[2]).

25, 26: „Wenn sie [die Frau] nicht Hand in Hand mit dir geht, so schneide sie ab von deinem Fleische“[3]).

28, 15: „Die Verleumdung trieb wackere Frauen aus dem Hause fort [Scheidung], und beraubte sie ihrer mühsamen Arbeit“[4]).

---

[1]) Hauptstelle Kap. 25 und 26 (vgl. noch 36, 26—31 und 40, 19).

[2]) אשה לך אל תתעבה ושנואה אל תאמן בה. Beim Griechen fehlt der zweite Halbvers, während der erste Halbvers vom Glossator durch κατὰ ψυχήν „nach deinem Sinne“ erweitert wurde. Siehe Ryssel z. St. (Kautzsch, Apokryphen I, 281). Unter „Vertrauen“ wird hier sicherlich das Vertrauen inbezug auf Moral zu verstehen sein, wie unter „Verhaßte“ die geschlechtlich Gemiedene, wie in der Bibel (oben S. 16—19).

[3]) εἰ μὴ πορεύεται κατὰ χεῖρά σου, ἀπὸ τῶν σαρκῶν σου ἀπότεμε αὐτήν. Das hebräische Original bricht leider hier ab, doch ist es ganz sicher, daß mit „Abschneiden von deinem Fleische“ die Scheidung ausgedrückt ist. Ryssel (362, n. k) meint, der bildliche Ausdruck gehe auf die Vorstellung zurück, daß die Frau mit dem Manne „ein Fleisch“ ist (Gen. 2, 24). Sanhedrin 100 b wird aus Sirach zitiert: „Eine gute Frau ist eine gute Gabe, in den Schoß eines Gottesfürchtigen wird sie gegeben; eine böse Frau ist ein Aussatz ihrem Manne“ (צרעת לבעלה). Hier bricht das Zitat ab. Der Talmud fährt fort: „Wie kann dem Manne geholfen werden?“ Antwort: „Er vertreibe sie aus seinem Hause und er wird von seinem Aussatze geheilt“ (יגרשנה מביתו ויתרפא מצרעתו). Die letzten Worte sind gewiß eine verdeutlichende Umschreibung des „Abschneidens von seinem Fleische“. Wenn dies aber auch nicht der Fall sein soll, das ist sicher, daß der bildliche Ausdruck vom Abschneiden des Aussatzes hergenommen ist.

[4]) Die Varianten siehe bei Ryssel 374, n. h.

Der Spruchdichter vertritt als gesetzestreuer Jude den mosaischen Standpunkt der Auflösbarkeit der Ehe, nur darf die Scheidung keine leichtfertige sein (7, 26). „Verleumdung" kann sich in diesem Zusammenhange nur auf die Treue der Frau beziehen. Wegen Ehebruchs wurde also die Frau in der Regel „vertrieben". Fraglich ist, was der konkrete Sinn von „εἰ μὴ πορεύεται κατὰ χεῖρά σου" ist? In den voraufgehenden Sprüchen ist von dem Leid die Rede, das eine böse Frau bereitet und es wird dabei auch erwähnt, daß die erste Sünde von einer Frau herstamme und wir alle um ihretwillen sterben. Dann folgt: „Gestatte dem Wasser keinen Durchbruch, noch der bösen Frau Freiheit auszugehen"[1]). Dies paßt zu dem Bilde und in den Zusammenhang. Wenn nämlich die Frau dem Manne nicht gehorcht, sich trotz seines Verbotes herumtreibt, dann schneide er sie von seinem Fleische ab. Sirach würde demnach die Scheidung nur wegen moralischer Defekte der Frau gestatten, somit mit der Ansicht der Schammaiten übereinstimmen (siehe weiter unten 31 ff.).

Die Scheidung kann aber nur der Mann vollziehen, nicht die Frau. Dies folgt aus 23, 22. 23: „Ebenso ergeht es auch einer Frau, wenn sie ihren Mann verlassen hat und von einem anderen einen Erben zur Welt bringt. Zuerst nämlich hat sie dem Gesetze des Höchsten zuwidergehandelt, und zweitens verging sie sich gegen ihren Mann und zum Dritten hat sie durch Buhlerei Ehebruch getrieben, hat von einem anderen Mann Kinder zur Welt gebracht". In den unterstrichenen Sätzen ist,

[1]) Gegen den *textus receptus* („noch überlasse der bösen Frau die Herrschaft") halte ich diese Lesart (siehe Ryssel 362, n. h.) für die richtigere. „Ein Frevler ist, wer es duldet, *dass seine Frau ausgeht,* ihr Haupt entblößt, mit ihren Sklaven und Nachbarn intim verkehrt, auf der Straße webt, mit Männern badet. Es ist des Mannes Pflicht, eine solche Frau zu entlassen" (Tosifta Sota 5, 9; 302, 2, Zuckermandel und Parallelstellen). Kodex Hammurabi § 143 dekretiert: eine Frau, die nicht häuslich ist, sich herumtreibt usw. soll ins Wasser geworfen werden. Der Syrer hat noch den Zusatz: „Denn wie ein Wasserdurchbruch immer größer wird, so sündigt auch ein böses Weib immer mehr".

glaube ich, ausgesprochen, daß die Frau keine Scheidung vollziehen könne; das wird eben das „dem Gesetze des Höchsten zuwiderhandeln“ bedeuten, denn das Vergehen gegen den Mann und der Ehebruch werden ja besonders genannt. Dem „Verlassen des Mannes“ im ersten Vers entspricht der „Verstoß gegen das Gesetz“ im zweiten Vers[1]).

In den anderen Apokryphen findet sich kaum etwas, was für unser Problem mit Sicherheit verwendet werden könnte. Nur im allgemeinen wird in der „Weisheit Salomos“ (Kap. 3) von unerlaubtem ehelichen Umgang gesprochen. In 3, 16 ist, wie der Wortlaut zeigt, von in Ehebruch gezeugten Kindern die Rede, denen kein langes Leben beschieden ist. Dies findet sich auch bei Sirach 23, 25: „Nicht werden es die Kinder [der ehebrecherischen Frau] zum Einwurzeln bringen und ihre Zweige werden keine Frucht darreichen.“ Ähnlich lautet auch ein im Talmud oft wiederkehrender Satz: Bastarde leben nicht[2]). Wie der Zusammenhang zeigt, spricht das ganze Kapitel von jüdischen Frevlern und nicht von Heiden. Es wird also auch Vers 13 auf die Ehe zwischen einem Juden und einer Jüdin bezogen werden müssen. Er lautet: „Selig ist die Unfruchtbare, die unbefleckt ist, die kein im Abfall vollzogenes Ehebett gekannt hat“[3]). Es dürfte eine verbotene Ehe gemeint sein. Das Testament Rubens 3 Ende: Ruben beging die Sünde mit Bilha, und Jakob „rührte sie nicht mehr an“ widerspiegelt die vom Talmud kodifizierte Norm, daß der Mann mit der ehebrecherischen Frau keinen ehelichen Umgang pflegen dürfe, sie folglich entlassen müsse[4]).

Es ist noch an Jubiläen 3, 7 zu erinnern, worüber weiter

---

[1]) Die ganze Stelle bespricht Büchler a. a. O. S. 198 ff. Das zur Welt gebrachte Kind ist nach meinem Dafürhalten deshalb erwähnt, weil dieser Umstand der eigentliche unwiderlegliche Beweis des Ehebruchs ist. Man denke an die Geschichte der Tamar, Gen. 38.

[2]) ממזרים לא חיים (Jeb. 78b). Siehe noch j. Kidd. IV, 65d, 23; Jebam. VIII, 9c, 64 und Büchler l. c. 200, n. 1. Kautzsch I, 485, n. c.: μοιχῶν, Ehebrecher, d. h. abtrünniger Juden usw.

[3]) ἥτις οὐκ ἔγνω κοίτην ἐν παραπτώματι.

[4]) כשם שאסורה לבעל כך אסורה לבועל Gittin 4, 7. 8; Sota 5, 1; Tosifta Sota 4, 16; 301, 6 Zuckerm.

unten bei der Untersuchung der Aussagen des Neuen Testaments ausführlich gehandelt werden soll. Die Apokryphen sind Erbauungsschriften und keine Gesetzbücher, sie tragen darum für ein Gesetzesproblem wie das unserige natürlich wenig bei.

b) Talmud.

Über den Scheidungsgrund kontroversieren in der ersten Hälfte des ersten Jahrhunderts die zwei großen Schulen Palästinas. Die Schammaiten lehren: „Der Mann darf seine Frau nur wegen Ehebruchs verstoßen.“ Die Hilleliten gestatten dem Manne die Scheidung: „auch wenn die Frau seine Speise anbrennen ließ.“ Akiba (um 100) sagte: „selbst wenn der Mann eine schönere gefunden“[1]). Zunächst wollen wir feststellen, daß die Schammaiten den bewiesenen Ehebruch meinen. Dies folgt aus der Diskussion der beiden Schulen über den Ausdruck עֶרוַת דבר (Deut. 24, 1), über welchen die Hilleliten bemerken: wenn nur דבר stünde, würde man meinen, nur eine Frau, die wegen irgend einer anderen Ursache entlassen würde, dürfe einen anderen Mann heiraten, die aber wegen Ehebruchs Entlassene dürfe überhaupt nicht mehr heiraten, darum sind beide Worte im Gesetz gebraucht[2]). Die Antwort der Schammaiten wird nicht mitgeteilt. Daß aber ihre Auffassung dieses Ausdrucks die ältere und allgemeine war, sieht man aus Sifre zu Deut. 23, 15, wo derselbe Ausdruck ohne Not, ja gegen den Kontext auf Unzucht bezogen

---

[1]) Mischna Gittin Ende (ed. Low): בית שמאי אומרים לא יגרש אדם את אשתו אלא אם כן מצא בה ערוה שנאמר כי מצא בה ערות דבר ובית הלל אומ׳ אפילו הקדיחה את תבשילו שנאמר כי מצא בה דבר ר׳ עקיבא אומר אפילו מצא אחרת נאה הימנה שנא׳ והיה אם לא תמצא חן בעיניו. Die Ausgaben haben statt des gesperrten Wortes דבר ערוה, aber auch j. Gittin 49c unten wird bloß ערוה zitiert. Sifre Deut. 269 Anfang ערות דבר (so auch מדרש תנאים ed. Hoffmann 154).

[2]) Sifre l. c. (Gittin 90a unwesentlich variiert): אמרו בית הלל לבית שמאי . . . שאם נאמר דבר הייתי אומר היוצאת מפני דבר תהיה מותרת להינשא והיוצאת מפני ערוה לא תהיה מותרת להינשא . . . ת״ל ערוה ויצאה מביתו [וגו׳] ואם נאמר ערוה ולא נאמר דבר הייתי אומר מפני ערוה תצא מפני דבר לא תצא ת״ל [דבר] ויצאה מביתו ר״ע אומר וכו׳.

wird[1]). Ismael, der Vertreter der alten und einfachen Exegese, schließt sich der schammaitischen Auslegung an, allerdings mit der Erweiterung, daß auch Götzendienst gemeint sei[2]), während sein Kontroversant (Akiba?) den Ausdruck als „etwas Beschämendes" deutet, was an das ἄσχημον πρᾶγμα der LXX (an beiden Stellen) erinnert. Die beiden Targume, welche die fraglichen Worte mit עברת פתגם übersetzen, vertreten, wie auch die Auslegung von ושנאה zeigt, gleichfalls die schammaitische Anschauung[3]). Genau besehen, faßt auch Sifre Numeri 7 die Hauptstelle wie die Schammaiten auf. Er bemerkt nämlich zu Num. 5, 12: „Da gesagt wird (Deut. 24, 1): „Wenn ein Mann eine Frau nimmt und sie ehelicht usw., soll er ihr einen Scheidebrief schreiben." Daraus entnehmen wir nur, daß sie durch einen Scheidebrief entlassen wird, wenn er Zeugen hat und sie ist verwarnt worden, aber wir können daraus nicht entnehmen, was mit ihr geschehen soll, wenn es zweifelhaft ist, ob sie die Ehe gebrochen? Daher heißt es: „Rede zu den Kindern Israels und sprich zu ihnen: „Jeder Mann, dessen Frau sich vergeht und sich gegen ihn auflehnt" usw., die Schrift zwingt also die Frau, die bitteren Wasser zu trinken"[4]). Das Targum zu Kohelet 7, 26: „Gottgefällig handelt, wer die böse Frau entläßt, sündig ist, wer sie heiratet und in ihre Buhlerei verstrickt wird"[5]). Die Hille-

---

[1]) Sifre 254: אין לי אלא ערוה מנין לרבות ע״ז ושפיכ״ת דמים וכו׳.

[2]) Midrasch Tannaim z. St. (S. 148): ר׳ ישמעאל אומר נאמר כאן ערות דבר ונאמר להלן ערות דבר... בהרהור וע״ז הכתוב מדבר ר׳ [עקיבא] אומר נאמר כאן ערות דבר ונאמר להלן ערות דבר וכו׳ אף כאן משום בזיון.

[3]) ואכריזו עליה מן שמיא דיסנינה גברא בתראה יכו׳; Sifre z. St. und Gittin Ende. Schefftel באורי אונקלוס glaubt, das Targum vertrete die hillelitische Ansicht, aber schon קטורת הסמים hat das Targum als schammaitisch ausgelegt. Es wäre auch nicht verständlich, warum „die Schrift dem zweiten Gatten den Tod verkünden" sollte, wenn er eine Frau heiratet, die ihr Mann wegen „irgendwelcher Ursache" entlassen hat. עבירה bedeutet hier, wie oft, geschlechtliche Sünde. Die Auslegung, welche auch Sifre und Talmud haben, stammt noch aus vorhillelitischer Zeit.

[4]) Seite 3b Friedmann: לא שמענו אלא בשיש לו עדים והתרו בה שיוצאה ממנו בגט, אבל ספק נבעלה ספק לא נבעלה לא שמענו וכו׳.

[5]) תקין קדם ה׳ גבר דיפטיר יתה בגט פיטורין ומשתזיב מינה וחייבא קדם ה׳ גבר דיסבינה ואתלכד בזנותה.

liten haben die schammaitische Ansicht verdrängt, die schammaitischen Deutungen sind indes überall, wo nicht der Kern der Frage behandelt wurde, unverändert stehen geblieben.

Der Scheidungsgrund bildet noch bei zwei anderen Kontroversen der Schammaiten und Hilleliten die eigentliche Grundlage. Die Schammaiten gestatten, die Frau mit einem alten Scheidebrief zu entlassen, während die Hilleliten dies verbieten[1]). Ein alter Scheidebrief ist derjenige, zwischen dessen Abfassung und Übergabe der Mann mit seiner Frau ohne Anwesenheit anderer beisammen war. Hat der Mann mit seiner geschiedenen Frau in einer Herberge übernachtet, braucht er ihr keinen neuen Scheidebrief zu geben. So lehrten die Schammaiten, während die Hilleliten einen neuen Scheidebrief fordern[2]). Der Grund ist in beiden Fällen derselbe. Die Schammaiten, die eine Ehescheidung nur wegen Ehebruchs erlauben, befürchten nicht, daß der Mann sich einer solchen Frau noch einmal nähern könnte, während die Hilleliten, die auch andere Gründe für zulässig erklären, eine Annäherung nicht für ausgeschlossen halten[3]). Wenn die Schammaiten entscheiden, eine Frau werde schon dadurch eines Priesters unwürdig, wenn der Mann für sie einen Scheidebrief bloß angefertigt hat, ohne daß er ihn übergeben hätte[4]), so ist hiefür derselbe Grund vorauszusetzen. Die „früheren Gelehrten" haben der Menstruierenden das Schminken verboten, während dies Akiba erlaubte, „denn es steht zu befürchten, die Frau könnte dem Manne mißfallen und er wird ihre Entlassung ins Auge fassen". Der pal. Talmud konstatiert[5]), daß die „früheren Gelehrten" die Ansicht der Schammaiten teilten,

---

[1]) Gittin 8, 4 (Edujot 4, 7): ב"ש אומרים פוטר אדם את אשתו בגט ישן וב"ה אוסרין. איזהו גט ישן כל שנתייחד עמה אהר שכתבו לה.

[2]) Gittin 8, 11 (Edujot 4, 7): המגרש את אשתו ולנה עמו בפונדקי ב"ש אומ' צריכה הימנו גט שני וכו'. Beide Fälle sind dem Leben entnommen. Der erste Fall weist auf eine Scheidung am Wohnorte des Ehepaares, der zweite auf eine Scheidung am Sitz des Gerichtshofes hin. Die Geschiedenen verbringen die Nacht noch in dem Scheidungsorte.

[3]) j. Gittin 49c unten; anders b. Gittin 79b (vgl. Tosaf. s. v. ב"ש).

[4]) Gittin 8, 10: כתב לגרש את אשתו ונמלך פסלה מן הכהונה.

[5]) Gittin Ende (50 d).

wonach die Frau nur wegen Ehebruchs geschieden werden darf, ein solches Bedenken somit nicht vorhanden sei.

Der Streit der zwei großen Schulen setzt sich auch nach der Tempelzerstörung fort, als die hillelitische Schule durch Jochanan ben Sakkai bereits den Sieg davongetragen hatte. Jochanans ältester Schüler, Elieser ben Hyrkanos, der sich auch sonst an die alten Traditionen klammerte, vertrat auch in der Ehescheidungsfrage den schammaitischen Standpunkt. Er lehrt, es sei Pflicht des Mannes, seine des Ehebruchs verdächtigte Frau durch das Fluchwasser prüfen zu lassen, während Josua dies dem Belieben des Mannes anheimstellt. Der pal. Talmud erklärt die Kontroverse folgendermaßen: „Elieser vertritt den Standpunkt der Schammaiten, wonach man seine Frau nur wegen Ehebruchs entlassen darf. Hat nun der Mann an ihr häßliche Taten gefunden — entlassen darf er sie nicht, denn sie ist des Ehebruchs nicht überführt, behalten darf er sie nicht, denn er hat an ihr häßliche Taten gefunden, darum sagt Elieser, die Prüfung durch das Fluchwasser sei Pflicht“[1]). Wenn also eine Baraita im Namen der Schammaiten lehrt, die Frau dürfe schon wegen unzüchtigen Betragens entlassen werden[2]), so widerspricht dies allem, was wir von den Schammaiten über diesen Punkt sonst hören. Wenn man diese Baraita nicht für apokryph halten will, so muß man in ihr eine durch die Ausläufer der schammaitischen Schule abgeschwächte Ansicht erblicken[3]). Die unver-

---

[1]) j. Sota 16b (I. 1, Anf.). Sifre Num. 7 (S. 4a) ist der Kontroversant Eliesers Ismael; b. Sota 3a sind die Kontroversanten Ismael und Akiba (auch Numeri rabba 9, 12 fol. 53b oben, Wilna). Alles falsch. Siehe auch Sifre sutta ed. Königsberger 12a, n. 22.

[2]) Ebenda, ferner j. Gittin Ende (50d): והא תני משום בית שמאי אין לי אלא היוצאת משום ערוה מנין היוצאת וראשה פרוע וצדדיה מפורמין וזרועותיה חלוצות ת״ל כי מצא בה ערות דבר. Auffallend ist היוצאת (statt שיוצאת). An beiden Stellen wird diese Baraita als eine der geläufigen Ansicht der Schammaiten widersprechende angezogen und eine Ausgleichung versucht.

[3]) Verdächtig wird die Baraita auch dadurch, daß dieselben Vergehungen der Frau als Scheidungsgrund von Meir, also von einem Hilleliten erwähnt werden. Er sagt nämlich in einer Charakterisierung des Verhaltens der Männer gegenüber ihren Weibern unter anderem: „Ein

fälschte schammaitische Ansicht, welche wir als die volkstümlichere und seit der Herrschaft der Tradition als die ältere ansehen dürfen, kennt einzig und allein Ehebruch als Scheidungsgrund. Dies widerspiegelt noch eine in beiden Talmuden nur künstlich erklärte Kontroverse. Elieser gestattet dem Manne, bei der Scheidung die Bedingung zu stellen, daß die Frau einen bestimmten Mann nicht heiraten dürfe, was alle anderen Gelehrten verbieten[1]. Es ist evident, daß der Mann die Verheiratung der Frau mit dem Ehebrecher verhindern will. Die Hilleliten, die auch andere Gründe, nicht nur Ehebruch, zu einer Scheidung für zureichend halten, gestatten die Stellung der erwähnten, die Ehre der Frau verdächtigenden Bedingung nicht.

Eine wichtige Frage ist, ob eine Scheidung, die ohne den hiefür geforderten Grund vollzogen wurde, giltig sei? Diese Frage stellen die Alten überhaupt nicht, offenbar deshalb, weil ein solcher Fall nicht denkbar war. Die Ehescheidung wurde nämlich zur Zeit des Bestandes der zwei großen Schulen ihrer bürgerlichen Bedeutung entsprechend ausschließlich von einem Gerichtshof vorgenommen, der ohne Grund den Akt nicht vollzogen hat. Die Frage wirft erst Papa, ein babylonischer Gesetzeslehrer des 4. Jahrhunderts auf: „Ist die Scheidung giltig, wenn weder Ehebruch noch irgend ein anderer Grund zur Scheidung vorhanden war?" Raba bejaht die Frage[2]. Dies dürfte, wie ich glaube, nicht die alte Ansicht gewesen sein. Wie wir gesehen haben, hängen mit der Kontro-

Frevler ist, wer es duldet, daß seine Frau ausgeht, ihr Haupthaar entblößt, sie webt auf dem Marktplatz, ihre Seiten sind (bei den Armen) offen und sie badet mit den Leuten" (Gittin 90a; Tosefta Sota 5, 9, p. 302, Num. r. 9, 12 fol. 53a Wilna). Zu letzterem, das dem Talmud ganz unbegreiflich scheint, vgl. Ploß-Bartels, Das Weib, 9. Aufl., Leipzig 1908, I, 531 (gemeinsames Bad bei den Japanern noch heute üblich.)

[1]) Gittin 9, 1: המגרש את אשתו ואמר לה הרי את מותרת לכל אדם אלא לפלוני ר"א מתיר וחכמים אוסרים. Die Kontroversanten sind Jose der Galiläer, Tarfon, Eleasar ben Asarja und Akiba, die Elieser nach seinem Tode widerlegen (Tos. Gittin 7, 1, 333, 17; b. Gittin 83a). אלא לפלוני (siehe b. Gitt. 82a) ist ein elliptischer Ausdruck und mit אי את מותרת zu ergänzen.

[2]) Gittin 90a.

verse über den Scheidungsgrund noch andere zwei Kontroversen zusammen, die über den „alten Scheidebrief“ und die über Notwendigkeit eines neuen Scheidebriefes in dem Falle, „wenn der Mann mit der Frau nach vollzogener Ehescheidung in einer Herberge übernachtet hat“[1]). In beiden Fällen stützen die Schammaiten, wie der pal. Talmud ausdrücklich erklärt, ihre Ansicht auf den Scheidungsgrund. Da eine Scheidung nur bei Ehebruch am Platze ist, steht nicht zu befürchten, daß der Mann sich der verhaßten Frau noch einmal genähert hat. Diese Schlußfolgerung ist aber nur dann am Platze, wenn die ungerechtfertigte Scheidung auch nachträglich ungiltig ist. Im entgegengesetzten Falle ist es ja möglich, daß der Mann einen Scheidebrief in der Hoffnung vorbereitet hat, mit ihm einen erfolgversprechenden Versuch zu machen.

Für die nachträgliche Ungiltigkeit einer ungerechtfertigten Scheidung spricht noch die folgende Stelle. „Warum hat man gesagt, der Mann dürfe die Frau, von der er sich wegen ihres schlechten Rufes getrennt hat, nicht wieder zurücknehmen? Aus dem folgenden Grunde: Wenn nämlich jemand seine Frau wegen schlechten Rufes entläßt und sie heiratet einen anderen und gebiert, nachträglich stellt es sich aber heraus, daß die Anklage falsch war und der Mann sagt: „Wenn ich das gewußt hätte, würde ich meine Frau nicht um 100 Minen entlassen haben“, da sind die Kinder Bastarde und der Scheidebrief ist ungiltig“. Ähnliches wird auch von einer Scheidung gesagt, die wegen eines Gelübdes erfolgt ist[2]). Man sieht hieraus, daß selbst der regelrecht gegebene Scheidebrief ungiltig ist, wenn der Mann bei der Scheidung übel beraten

---

[1]) Oben S. 33.

[2]) Tos. Gittin 4, 3 (327, 15): איזהו נדר וכו' ר' אליעזר אומר בזה לא יחזיר מפני תקון העולם וכו' שהמוציא את אשתו משום שם רע ונשאת לאחר וילדה ואחר כך נמצאו דבריו בדאין אמר אלו הייתי יודע שהדברים בדאין אפילו אדם נותן לי באשתי מאה מנה לא הייתי מגרשה נמצא הולד ממזר והגט בטל . . . שהמוציא את אשתו משום נדר וכו' נמצא גט פסול והולד ממזר. ר' אלעזר ברי יוסי אמר וכו' שלא יהו בנות ישראל פרוצות בעריות (Vgl. Mischna 4, 7 und j. z. St. 46 a; Halach. Gedoloth ed. Venedig 84 d und 85 a).

war, umso eher wird dies gelten bei einem Falle, wo die Scheidung überhaupt nicht zulässig ist.

Ferner ist noch zu bedenken, daß die Kontroverse der beiden Schulen keinen rechten Sinn hätte, wenn der Scheidebrief nachträglich auch ohne jeden Grund giltig wäre[1]). Beide Schulen fordern die Angabe eines Grundes und eben hierin unterscheidet sich Akiba von ihnen, daß er einen Grund zur Scheidung überhaupt nicht für notwendig erachtet. Wir behaupten auf Grund der beigebrachten Beweise, daß beide Schulen jede Scheidung, welche ohne zureichenden Grund erfolgt war, für nicht rechtskräftig gehalten haben. Wie weiter gezeigt werden wird, vertritt das Evangelium Matth. in seiner vorliegenden Gestalt denselben Standpunkt. Schon Tertullian, der vom Talmud nichts wußte, hat die Evangelienstelle in obigem Sinne verstanden[2]).

Bevor wir die Kontroversen der beiden ältesten Schulen über die Ehescheidung verlassen, konstatieren wir noch, daß es sich hier nicht um bloße Schulmeinungen handelt, sondern um praktische Entscheidungen für das Leben. Beide Schulen haben ihre Dezisionen gegebenenfalls gemäß ihrer eigenen Ansicht getroffen. Dies wird mehrmals ausdrücklich bezeugt. „Obgleich die Schammaiten und Hilleliten in sechs Kardinalpunkten des Eherechts entgegengesetzter Meinung waren, heirateten sie dennoch untereinander“[3]). Am heftigsten und am längsten tobte der Kampf um die Leviratsehe (צרות). Was nun die Frage der allgemeinen Praxis anbelangt, so scheinen die Priester in diesem Punkte die Ansicht Hillels, die vielleicht die babylonische war, befolgt zu haben,

---

[1]) Meinungsdifferenzen über לכתחלה und בדיעבד sind bei diesen alten Schulen überhaupt skeptisch zu betrachten.

[2]) Siehe weiter S. 50 und 52.

[3]) Jeb. 1, 4 (Eduj. 4, 8): ואעפ״י שאלו פוסלין ואלו מכשירין לא נמנעו ב״ש לישא נשים מב״ה ולא ב״ה מב״ש Tos. Jeb. 1, 10, 241, 23: אעפ״י שנחלקו ב״ש כנגד ב״ה בצרות ובאחיות ובספק אשת איש ובגט ישן ובמקדש בשוה פרוטה ובמגרש את אשתו ולנה עמו בפונדקי לא נמנעו ב״ש וכו׳ לקיים מה שנאמר האמת והשלום אהבו (ausführlicher j. Jeb. 3 a).

während die Schammaiten mit den Samaritanern übereinstimmten[1]). Dieser letztere Umstand darf als Beweis dafür gelten, daß zumindest in Palästina die ältere Praxis die schammaitische war. Vielleicht darf man auch annehmen, daß die hillelitische Ansicht die des jüdischen Adels war, der, wie bekannt, seinen Sitz in Babylonien hatte, während die schammaitische Ansicht die volkstümlich palästinische darstellt.

Während in biblischer Zeit, wie wir oben (S. 25) gesehen haben, der Mann das Recht hatte, seiner Frau die Untreue zu verzeihen, gilt im Talmud der Ehebruch widerspruchslos als zwingender Ehescheidungsgrund[2]). Dies war so selbstverständlich, daß die Frage, ob der Mann eine untreue Frau behalten dürfe, meines Wissens nirgends zur Diskussion gestellt wird. Selbst die Genotzüchtigte oder Verführte, die der Schuldige gemäß dem mosaischen Gesetz zu heiraten gezwungen wird und nie entlassen kann, „darf nicht behalten werden, wenn sie die Ehe bricht"[3]). Für ebenso selbstverständlich gilt es, daß der Ehebrecher die schuldige Frau, auch nachdem sie geschieden wurde, nicht heiraten darf[4]). Selbst wenn er sie schon heimgeführt hat, wird er gezwungen, sich von ihr wieder zu trennen[5]). Ein anderer Mann durfte sie indes heiraten, wenn auch dies moralisch gebrandmarkt

---

[1]) Tos. und Jer. l. c. und b. Jeb. 15a. Tarfon war Schammaite, in dem fraglichen Punkte hielt er es jedoch mit den Hilleliten. Er war nämlich Priester (Frankel, דרכי המשנה, S. 103). Anders erklärt das Verhalten Tarfons A. Büchler in einem scharfsinnigen Artikel über die halachische Praxis (ס' היובל לרמ"א בלאך, hebr. Abteilung, S. 22), wo er auch über צרת הבת ausführlich handelt.

[2]) Sota 1, 5; 3, 1; 4, 2; Nedarim Ende: האומרת טמאה אני לך. Siehe die folgenden Anmerkungen.

[3]) Kethub. 3, 3: (האונס והמפתה) נמצא בה דבר ערוה... אינו רשאי לקיימה. Josephus, Archäologie IV, 8, 23: „und es ist jenem benommen, sich von ihr zu trennen, es sei denn, daß sie ihm große Gründe dazu gibt, gegen welche sie keinen Widerspruch zu erheben vermag" (Ritter, Philo und die Halacha, 79 f.).

[4]) Oben p. 30, n. 4.

[5]) Jeb. 2, 8: הנטען על אשת איש והוציאוה מתחת ידו אעפ"י שכנס יוציא. Siehe b. Jeb. 24b—25a und auch Keth. 7, 6. 7.

wurde[1]). Dagegen heißt es von einer Frau, die ins Gerede kommt, ohne jede Einschränkung: man heirate sie[2]). Selbst als die hillelitische Ansicht über die Ehescheidung sich allgemein durchgesetzt hatte, haftete an den Töchtern einer Geschiedenen ein Makel, wie denn trotz des freien Rechts die Scheidung mißbilligt wurde[3]).

Nachdem mit dem Tode Eliesers (nach 100) der letzte unbeugsame Schammaite vom Schauplatz abgetreten und mit dem Emporkommen Akibas die hillelitische Schule zur Alleinherrschaft gelangt war, verlor die Kontroverse über den Scheidungsgrund, die wichtigste im ganzen Eherecht, ihre Bedeutung. In unserer Mischna, ein Produkt Akibas und seiner Schüler, erscheint sie dementsprechend erst am Ende des über die Scheidung handelnden Traktates, wie überhaupt die Kontroversen der Schammaiten und Hilleliten über den Scheidebrief im letzten Abschnitt, wie etwa in einem Anhang, nachgeholt werden. Die ganze Ehescheidungsfrage wird denn auch in allen auf uns gekommenen Halacha- und Midraschsammlungen gemäß der hillelitischen Lehre behandelt. Die Scheidung wurde immer mehr erleichtert, in vielen Fällen, z. B. wegen schwerer Leibesfehler oder unerträglicher Beschäftigung, wurde der Mann sogar von Gerichtswegen zur Entlassung der Frau gezwungen[4]). Der Zwang besteht darin, daß der Mann durch geeignete Mittel zur Einwilligung veranlaßt wird. Formell gibt also der Mann den Scheidebrief freiwillig. Da die Darstellung des gesamten Scheidungsrechts nicht in den Rahmen unserer Untersuchung gehört, begnügen wir uns mit einem allgemeinen Hinweis auf die Kompendien des talmudischen Eherechts[5]). Bemerkt sei bloß noch, daß die neuen

---

1) Oben p. 31, n. 2, p. 32, n. 3 und 5.

2) Sota 27a: אמר שמואל ישא אדם דומה [שמלעיזין עליה שהיא מזנה] . . . תניא נושא אדם דומה . . . והלכתא ישא אדם בת דומה ואל ישא דומה Cf. Kodex Hammurabi § 132.

3) Ned. 9, 9: כך היא וסתו של פלוני לגרש את נשיו ועל בנותך יהו אומרין בנות גרושה הן וכי מה ראת אמן של אלו להתגרש.

4) Mischna Kethub. 9, 7 und sonst. (Oben 24, n. 2.)

5) Maimuni Ischut 25; Eben ha-Eser 139 (Scheidungsgründe auch

Bestimmungen einen Fortschritt in der Entwicklung des Eherechts darstellen, wie denn auch die modernen europäischen Gesetzgebungen, wie schon in der Einleitung bemerkt worden, nach anderthalb Jahrtausenden gegen die Bestimmungen des kanonischen Rechts sich auf den Standpunkt des jüdischen Scheidungsrechts gestellt haben.

c) Philo und Josephus.

Philo und Josephus haben die Ehescheidung wohl nicht als eigenes Problem (wie der Talmud) behandelt, ihre Ansicht indes haben sie gelegentlich ganz deutlich zum Ausdruck gebracht.

Philo gibt Deuteronomium 24, 1—4 mit folgenden Worten wider: „Wenn die von einem Manne aus welchem Grunde immer geschiedene Frau[1]) einen anderen geheiratet hat und wiederum gattenlos wird, sei es, daß ihr zweiter Gatte lebt oder tot ist, darf sie nicht zu dem ersten zurückkehren. Derjenige Mann nun, welcher mit einem solchen Weibe wieder die Ehe eingehen will, begeht zwei der größten Verbrechen, das der Buhlerei und der Kuppelei[2]). Denn solche Wiedervereinigung ist Grund zur Anklage auf den Tod beider; er soll also die Strafe büßen mit dem Weibe“[3]). Philo vertritt also den Standpunkt Hillels, „daß die Scheidung aus welchem Grunde immer“ erfolgen könne[4]). Die Todesstrafe auf die Wiederverheiratung geschiedener Gatten setzt das mosaische Gesetz nicht ausdrücklich, das talmudische Gesetz kennt es auch nicht. Es kann indes aus den Worten: „denn es ist ein

---

Unfruchtbarkeit der Frau, moralische Fehler des Mannes usw.) Neuere Werke von Frankel, Duschak und Billauer (68 ff.).

[1]) καθ' ἣν ἂν τύχῃ πρόφασιν.

[2]) μοιχείαν τε καὶ προαγωγείαν.

[3]) De legibus spec. c. 5 II 308 Mangey.

[4]) So richtig Ritter, Philo und die Halacha, 70, n. 1, woselbst noch aus II 313 Anf.: „μηδεμίαν ἀπαλλαγῆς πρόφασιν ἀνευρίσκοντες“ gefolgert wird, daß eine πρόφασις angegeben werden mußte. Wie oben 37 gezeigt wurde, forderten auch die Hilleliten die Angabe eines Grundes, das „Anbrennen der Speise“ ist ein oppositioneller Kraftausdruck und sicherlich nicht wörtlich zu nehmen.

Greuel vor dem Ewigen und mache nicht sündig das Land" gefolgert worden sein. Auch Jeremia 3, 1 heißt es von der entlassenen und dazwischen an einen andern Mann verheiratet gewesenen Frau: „wird der Mann wieder zu ihr zurückkehren? Würde dadurch das Land nicht entweiht werden? Du aber buhltest mit vielen Freunden und willst zu mir zurückkehren?" Die Wiedervereinigung geschiedener Gatten wurde nach diesen Äußerungen als eine unerhörte, das Land entweihende Sünde betrachtet[1]) und es ist ganz gut denkbar, daß das sadduzäische Gesetzbuch, daß sich durch äußerste Härte auszeichnete, sie mit dem Tode beider Gatten bestrafte. Philo mag also dieses Gesetz dem priesterlichen Gesetzbuch der Sadduzäer entnommen haben. Aus demselben Gesetzbuch dürfte sein ganzes, mit dem Talmud in manchen Punkten in Widerspruch befindliches Ehegesetz stammen. Nach Philo darf der Hohepriester nur eine Jungfrau aus priesterlichem Geschlecht heiraten[2]). Während im Talmud die Mischehe nach Ansicht der Majorität kein biblisches Verbot bildet[3]), heißt es bei Philo: „Nicht einmal mit den Angehörigen eines fremden Volkes dürfe man eheliche Gemeinschaft eingehen"[4]). Am auffallendsten sind aber die folgenden Bestimmungen Philos: „Wenn jemand eine gattenlose Frau nach dem Tode ihres Mannes oder nach ihrer Scheidung von demselben gewaltsam geschändet, so ist er zwar frei von der Todesstrafe, aber das Gericht hat dann zu bestimmen, ob ihn Geld- oder Geißelstrafe treffen solle"[5]). Ferner über Buhlerinnen: „Bei uns darf eine Hetäre nicht einmal am Leben bleiben, sondern es ist für eine solche der Tod als Strafe bestimmt". „Eine Buhlerin duldet dem heiligen Worte gemäß der Staat nicht; als Schmach und Schaden und öffentlicher Schandfleck soll sie gesteinigt werden". „Der

[1]) מדרש תנאים z. St. (S. 156) bemerkt: „Wenn die Zurücknahme der Geschiedenen das Land verunreinigt und die Schechina (Gott) entfernt, umsoeher Götzendienst, Unzucht und Mord". „Sündigmachung des Landes" bezeichnet also die schwersten Verbrechen.

[2]) II 229 (Ritter 72 ff.). Siehe weiter unten S. 69.

[3]) Ab. sara 36 b.

[4]) II 304 bei Ritter 71.

[5]) II 310 bei Ritter 90.

Staat vertreibt nicht nur die Buhlerinnen, sondern auch die von einer solchen gebornen Kinder"[1]). Ritter konstatiert schon, daß das Gesetz über die gewaltsame Schändung und gegen die Buhlerinnen weder in der Bibel noch in der Halacha sich findet und vermutet, daß „Philo hierbei Verordnungen des alexandrinischen Gerichtshofes im Auge gehabt habe".[2]) Gegen diese Annahme spricht vor allem der Wortlaut: „Schrift und Staat", was auf Alexandria durchaus nicht paßt. Es wäre auch erst zu beweisen, daß der jüdische Gerichtshof in Alexandria Todesstrafen zu verhängen das Recht hatte. Viel näher liegt die Vermutung, Philo habe aus dem untergegangenen Gesetzbuch der Sadduzäer (ספר גזרתא) geschöpft, nach welchem der jüdische Staat zur Zeit Philos tatsächlich regiert wurde und welches im großen und ganzen das pentateuchische Gesetz enthielt. All diese Abweichungen vom mosaischen Gesetz sind bei einem priesterlichen Gesetzbuch, das auf die Reinheit der Abstammung großes Gewicht legte, gut verständlich.

Josephus äußert sich über die Ehescheidung an den folgenden zwei Stellen der Archäologie[3]): „Den Priestern hat Moses die Keuschheit doppelt eingeschärft. Ihnen insbesondere verbot er, solche Frauen zu nehmen, welche sich früher preisgegeben, welche Leibeigene oder Kriegsgefangene gewesen, welche in Kaufläden oder Wirtschaften gewesen, oder welche von ihren früheren Männern um irgend einer Ursache willen verstoßen worden sind." „Wer sich von seiner

---

1) II 48, 308, 261 bei Ritter 91.

2) S. 90. Vgl. 70, n. 1.

3) III 12, 2 § 276—77: Τῶν δ' ἱερέων καὶ διπλασίονα τὴν ἁγνείαν ἐποίησε· τούτων τε γὰρ αὐτοὺς ὁμοίως τοῖς ἄλλοις εἴργει καὶ προσέτι γαμεῖν τὰς ἡταιρηκυίας ἐκώλυσε, μήτε δούλην μήτ' αἰχμάλωτον γαμεῖν αὐτούς κεκώλυκε καὶ τὰς ἐκ καπηλείας καὶ τοῦ πανδοκεύειν πεπορισμένας τὸν βίον μηδὲ τὰς τῶν προτέρων ἀνδρῶν ἐφ' αἱσδηποτοῦν αἰτίαις ἀπηλλαγμένας. (277) τὸν ἀρχιερέα μέντοι οὐδὲ τεθνηκότος ἀνδρὸς ἠξίωσε γυναῖκα τοῦτο τοῖς ἄλλοις ἱερεῦσι συγχωρῶν, μόνην δ' αὐτῷ [δέδωκε] γαμεῖν παρθένον καὶ ταύτην φυλάττειν. (Auf den Schlußsatz kommen wir S. 69 noch zurück). Vgl. Jebam. 6, 5: אין זונה אלא גיורת ומשוחררת ושנבעלה בעילת זנות.

rechtmäßigen Gattin um irgend einer Ursache willen (solcher Ursachen kann es verschiedene geben) will scheiden lassen, der soll ihr schriftlich die Versicherung geben, daß er künftig an sie keinen Anspruch mehr machen wolle. Dadurch erlangt sie die Erlaubnis, sich mit einem anderen Manne zu verehelichen, was sonst nicht zulässig ist"[1]).

Josephus huldigt also ebenfalls der Anschauung der Schule Hillels, und zwar in ausdrücklicher Opposition zur schammaitischen Schule, denn er hält es für notwendig, hervorzuheben, daß es „viele solcher Ursachen geben könne". Indes hat auch Josephus lediglich den unmoralischen Wandel der Frau als gerechten und gebotenen Grund zur Scheidung betrachtet. Dies schimmert hervor aus der Erzählung über seine eigene Ehescheidung. Vita 76, § 427 sagt nämlich Josephus: „Um diese Zeit trennte ich mich von meiner Gattin, weil mir ihr Wandel nicht gefiel, obwohl sie schon Mutter dreier Söhne geworden war . . . Bald darauf nahm ich eine geborene Jüdin[2]) aus Kreta zur Frau, die Tochter sehr edler und angesehener Eltern[3]), die, wie ihr nachheriges

[1]) IV 8, 23 §. 253: γυναικὸς δὲ τῆς συνοικούσης βουλόμενος διαζευχθῆναι καθ' ἁσδήποτοῦν αἰτίας (πολλαὶ δ' ἂν τοῖς ἀνθρώποις τοιαῦται γένοιντο) γράμμασι μὲν περὶ τοῦ μηδέποτε συνελθεῖν ἰσχυριζέσθω. λάβοι γὰρ ἂν οὕτως ἐξουσίαν συνοικεῖν ἑτέρῳ. πρότερον γὰρ οὐκ ἐφετέον. Auf diese Stelle werden wir bei der Fixierung der Formel des Scheidebriefes noch zurückzukommen haben.

[2]) Ein Priester darf keine Proselytin heiraten (Kidd. 77 a). Simon ben Jochai will die Ehe mit einer Proselytin, deren Übertritt vor Vollendung ihres dritten Lebensjahres erfolgt ist, gestatten (ebenda 78 unt.). Doch sagt Josephus Vita 76: „Das Geschlecht der Priester ist unvermischt und rein erhalten. Denn wer des Priestertums teilhaftig ist, darf nur mit einer Landsmännin Kinder zeugen". (Vgl. auch Arch. XI 5, 3 Anf.) Ploß, Das Weib, 9. Aufl., I, 680: „Die herrschende Klasse bleibt aber bisweilen bei der Endogamie, bei der Heirat unter den Stammesgenossen, um das edle Blut unvermischt zu erhalten. Und das kann sich soweit steigern, daß es selbst zu Heiraten unter Bruder und Schwester kommt". Die Priester hatten strengere Ehegesetze als diejenigen, welche die nichtpriesterlichen Schriftgelehrten für sie vorschreiben. Josephus war in diesem Punkte wahrscheinlich Sadduzäer.

[3]) Siehe Kidduschin 4, 4: Man untersuche die Ahnenreihe der Frau

Leben bewies, sich durch reine Sitten vor vielen Weibern auszeichnete“[1]). Anfang und Schluß dieses Zitates zeigen deutlich, daß Josephus sein Vorgehen mit dem unsittlichen Lebenswandel seiner Frau rechtfertigt.

Wenn auch das Recht „viele Gründe“ für die Scheidung als zulässig anerkannte, so galt im Leben dennoch lediglich Unkeuschheit der Frau als zureichender Scheidungsgrund. Dies war die Rechtsanschauung des Volkes. Bei Ehebruch darf auch nach Josephus der Mann die Frau nicht behalten. Er sagt nämlich in der Darstellung des Gesetzes über die Jungfrau, die der Mann anschuldigt, sie wäre nicht als Jungfrau in die Ehe getreten (Deut. 21, 13—21): „Wenn nun das Urteil gefällt ist, daß das Mädchen nicht Unrecht getan, dann soll es die Gattin des Anklägers bleiben und es ist jenem das Recht benommen, sich von ihr zu trennen, es sei denn, daß sie ihm große Gründe dazu gibt, gegen welche sie keinen Widerspruch zu erheben vermag“[2]). Ritter hat die gesperrten Worte richtig durch Kethubot 3, 5 erklärt, wonach das Gebot, die verdächtigte Frau für Lebenszeit zu behalten, für den Fall des Ehebruchs nicht in Geltung bleibt. Hieraus folgt, daß der Mann mit einer ehebrecherischen Frau auch nach Josephus die Ehe nicht fortsetzen darf. Wie es indes scheint, will Josephus auch andere Gründe gelten lassen, denn sonst hätte er die Sache beim Namen genannt. Man könnte auch an die Nichtbeobachtung der Reinheitsgesetze

---

bis zur Urgroßmutter. Josephus betont (Vita 75): er habe eine Gefangene auf Vespasians **Befehl** geheiratet, die ihn verließ, als er befreit wurde. Er will damit sagen, als freier Priester habe er mit keiner Gefangenen in ehelicher Gemeinschaft gelebt (dies wäre gegen das Gesetz gewesen, siehe oben 42).

[1]) μετὰ ταῦτα ἠγαγόμην γυναῖκα κατῳκηκυῖαν μὲν ἐν Κρήτῃ, τὸ δὲ γένος Ἰουδαίαν, γονέων εὐγενεστάτων καὶ τῶν κατὰ τὴν χώραν ἐπιφανεστάτων, ἤθει πολλῶν γυναικῶν διαφέρουσαν, ὡς ὁ μετὰ ταῦτα βίος αὐτῆς ἀπέδειξεν.

[2]) Arch. IV 8, 23, § 247: Καὶ κριθεῖσα μὲν ἡ κόρη μὴ ἀδικεῖν συνοικείτω τῷ κατηγορήσαντι μηδεμίαν ἐξουσίαν ἔχοντος ἐκείνου ἀποπέμπεσθαι αὐτήν, πλὴν εἰ μὴ μεγάλας αἰτίας αὐτῷ παράσχοι καὶ πρὸς ἃς οὐδ' ἀντειπεῖν δυνηθείη. (Siehe oben 38, n. 3.)

der Frauen denken oder an andere, besonders bei Priestern schwerwiegende Verfehlungen.

3. Die Ehescheidung im Neuen Testament.

Die Aussprüche der Evangelien über die Ehescheidung haben welthistorische Bedeutung, denn sie bildeten bei den zivilisierten Völkern der Gegenwart etwa anderthalb Jahrtausende lang die Grundlage des Eherechts und gelten zum Teil auch heute noch als maßgebende Norm. Ihrer Bedeutung entsprechend beschäftigt sich mit diesen Aussagen eine unübersehbare Literatur, die ihren Anfang mit den Kirchenvätern nimmt[1]) und ihr Ende noch lange nicht erreicht hat. Man kann sich des Eindrucks nicht erwehren, daß, mit geringen Ausnahmen, auch die neueren Forscher bewußt oder unbewußt mehr oder weniger von dogmatischen Anschauungen beeinflußt sind. Unser Standort befindet sich natürlich außerhalb der Parteien und ist ein ganz neutraler. Wir stehen diesen Texten ohne jede vorgefaßte Meinung gegenüber und sehen in ihnen lediglich Äußerungen des jüdischen Volksgeistes in einer durch äußeren Druck und inneren Zwiespalt zerklüfteten, aber hochbedeutsamen Zeitepoche. Wir stellen die betreffenden Texte voran.

Texte.[2])

1. Matth. 5, 31. 32.

Ἐρρέθη δέ ὃς ἂν ἀπολύσῃ τὴν γυναῖκα αὐτοῦ, δότω αὐτῇ ἀποστάσιον. ἐγὼ δὲ λέγω ὑμῖν ὅτι πᾶς ὁ ἀπολύων τὴν γυναῖκα αὐτοῦ παρεκτὸς λόγου πορνείας ποιεῖ αὐτὴν μοιχευθῆναι, καὶ ὃς ἐὰν ἀπολελυμένην γαμήσῃ, μοιχᾶται.	Es ist aber gesagt: Wer sich von seinem Weibe scheidet, der soll ihr geben einen Scheidebrief. Ich aber sage euch: Jeder, der sich von seinem Weibe scheidet, es sei denn um Unzucht willen,

[1]) Siehe die oben p. 7, n. 1 genannte Schrift von Ott.

[2]) Die Texte geben wir griechisch nach E. Nestle, Novum Testamentum graece, 3. Aufl., Stuttgart 1901, und deutsch nach B. Weiß, Das Neue Testament, Leipzig 1909.

der macht, daß sie die Ehe bricht; und wer eine Geschiedene freit, der bricht die Ehe.

2. Matth. 19, 3—10.

Καὶ προσῆλθον αὐτῷ Φαρισαῖοι πειράζοντες αὐτὸν καὶ λέγοντες. εἰ ἔξεστιν ἀπολῦσαι τὴν γυναῖκα αὐτοῦ κατὰ πᾶσαν αἰτίαν, ὁ δὲ ἀποκριθεὶς εἶπεν. οὐκ ἀνέγνωτε ὅτι ὁ κτίσας ἀπ' ἀρχῆς ἄρσεν καὶ θῆλυ ἐποίησεν αὐτοὺς καὶ εἶπεν ἕνεκα τούτου καταλείψει ἄνθρωπος τὸν πατέρα καὶ τὴν μητέρα καὶ κολληθήσεται τῇ γυναικὶ αὐτοῦ, καὶ ἔσονται οἱ δύο εἰς σάρκα μίαν, ὥστε οὐκέτι εἰσὶν δύο ἀλλὰ σάρξ μία ὃ οὖν ὁ θεὸς συνέζευξεν ἄνθρωπος μὴ χωριζέτω. λέγουσιν αὐτῷ τί οὖν Μωϋσῆς ἐνετείλατο δοῦναι βιβλίον ἀποστασίου καὶ ἀπολῦσαι; λέγει αὐτοῖς ὅτι Μωϋσῆς πρὸς τὴν σκληροκαρδίαν ὑμῶν ἐπέτρεψεν ὑμῖν ἀπολῦσαι τὰς γυναῖκας ὑμῶν· ἀπ' ἀρχῆς δὲ οὐ γέγονεν οὕτως. λέγω δὲ ὑμῖν ὅτι ὃς ἂν ἀπολύσῃ τὴν γυναῖκα αὐτοῦ μὴ ἐπὶ πορνείᾳ καὶ γαμήσῃ ἄλλην, μοιχᾶται. λέγουσιν αὐτῷ οἱ μαθηταὶ εἰ οὕτως ἐστὶν ἡ αἰτία τοῦ ἀνθρώπου μετὰ τῆς γυναικός, οὐ συμφέρει γαμῆσαι.

Und es traten zu ihm Pharisäer, die versuchten ihn und sprachen: Ist es erlaubt, daß man sich scheide von seinem Weibe um jeder Ursache willen? Er antwortete aber und sprach: Habt ihr nicht gelesen, daß der Schöpfer von Anfang an machte, daß sie sein sollten Mann und Weib, und sprach: „Darum wird ein Mensch Vater und Mutter verlassen und an seinem Weibe hangen, und es werden die zwei ein Fleisch sein?“ So sind sie nun nicht mehr zwei, sondern ein Fleisch. Was nun Gott zusammengefügt hat, das soll der Mensch nicht scheiden. Da sagen sie zu ihm: Warum hat denn Moses geboten, einen Scheidebrief zu geben und sich scheiden? Er sagt zu ihnen: Moses hat erlaubt, euch von euern Weibern zu scheiden eurer Herzenshärtigkeit wegen; von Anbeginn aber ist es nicht also gewesen. Ich sage euch aber: Wer sich von seinem Weibe scheidet, es sei denn um Unzucht willen, und freiet eine andere, der bricht die Ehe. Da sagen zu ihm die Jünger: Steht die Sache eines Menschen mit seinem Weibe also, so ist es nicht gut, ehelich zu werden.

3. Mark. 10, 2—12.

Καὶ προσελθόντες Φαρισαῖοι ἐπηρώτων αὐτὸν εἰ ἔξεστιν ἀνδρὶ γυναῖκα ἀπολῦσαι, πειράζοντες αὐτόν. ὁ δὲ ἀποκριθεὶς εἶπεν αὐτοῖς. τί ὑμῖν ἐνετείλατο Μωϋσῆς; οἱ δὲ εἶπαν. ἐπέτρεψεν Μωϋσῆς βιβλίον ἀποστασίου γράψαι καὶ ἀπολῦσαι. ὁ δὲ Ἰησοῦς εἶπεν αὐτοῖς πρὸς τὴν σκληροκαρδίαν ὑμῶν ἔγραφεν ὑμῖν τὴν ἐντολὴν ταύτην. ἀπὸ δὲ ἀρχῆς κτίσεως ἄρσεν καὶ θῆλυ ἐποίησεν αὐτούς. ἕνεκεν τούτου καταλείψει ἄνθρωπος τὸν πατέρα αὐτοῦ καὶ τὴν μητέρα, καὶ ἔσονται οἱ δύο εἰς σάρκα μίαν. ὥστε οὐκέτι εἰσὶν δύο ἀλλὰ μία σάρξ. ὁ οὖν ὁ θεὸς συνέζευξεν ἄνθρωπος μὴ χωριζέτω. καὶ εἰς τὴν οἰκίαν πάλιν οἱ μαθηταὶ περὶ τούτου ἐπηρώτων αὐτόν. καὶ λέγει αὐτοῖς. ὃς ἂν ἀπολύσῃ τὴν γυναῖκα αὐτοῦ καὶ γαμήσῃ ἄλλην μοιχᾶται ἐπ' αὐτήν. καὶ ἐὰν αὐτὴ ἀπολύσασα τὸν ἄνδρα αὐτῆς γαμήσῃ ἄλλον, μοιχᾶται.	Und es traten Pharisäer herzu und fragten ihn, ob es recht ist für einen Mann sich vom Weibe zu scheiden, indem sie ihn versuchten. Er aber antwortete und sprach zu ihnen: Was hat euch Moses geboten? Sie aber sprachen: Moses hat gestattet, einen Scheidebrief zu schreiben und sich zu scheiden. Jesus aber sprach zu ihnen: Um eurer Herzenshärtigkeit willen hat er euch dieses Gebot geschrieben; aber von Anfang der Schöpfung her hat er sie geschaffen als Mann und Weib. Darum wird ein Mensch seinen Vater und die Mutter verlassen, und es werden die zwei zu einem Fleisch. So sind sie also nicht mehr zwei, sondern ein Fleisch. Was nun Gott zusammengefügt hat, soll ein Mensch nicht scheiden. Und im Hause befragten ihn die Jünger wiederum darüber. Und er sagte zu ihnen: Wer sich von seinem Weibe scheidet und freiet eine andere, der bricht die Ehe mit jener; und wenn sie sich scheidet von ihrem Manne und freiet einen andern, so bricht sie die Ehe.

4. Luk. 16, 18.

Πᾶς ὁ ἀπολύων τὴν γυναῖκα αὐτοῦ καὶ γαμῶν ἑτέραν μοιχεύει,	Jeder, der sich scheidet von seinem Weibe und freiet

καὶ ὁ ἀπολελυμένην ἀπὸ ἀνδρὸς γαμῶν μοιχεύει.

eine andere, der bricht die Ehe; und wer eine vom Manne geschiedene freiet, der bricht die Ehe.

5. I. Korinth. 7, 1—17.

Auf das aber was ihr mir geschrieben habt (antworte ich): Es ist dem Menschen gut, kein Weib zu berühren. Aber um der Unzuchtvergehungen willen soll ein jeglicher sein eigenes Weib und eine jegliche ihren eigenen Mann haben. Der Mann leiste dem Weibe die schuldige Pflicht, desselbengleichen aber auch das Weib dem Manne. Das Weib hat des eigenen Leibes nicht Macht, sondern der Mann; desselbengleichen hat der Mann nicht Macht über den eigenen Leib, sondern das Weib. Entziehet euch einander nicht, es sei denn aus beider Einwilligung eine Zeitlang, daß ihr Muße habt zum Gebet und dann wieder zusammenkommt, damit euch der Satan nicht versuche um eurer Unenthaltsamkeit willen. Solches sage ich aber aus Nachsicht und nicht als Gebot. Ich wünsche aber, daß alle Menschen wären wie auch ich selbst; aber ein jeglicher hat seine eigene Gabe von Gott, einer so, der andere so.

Den Ledigen aber und den Witwen sage ich: Es ist ihnen gut, wenn sie bleiben, wie auch ich. Wenn sie aber unenthaltsam sind, so sollen sie heiraten, denn es ist besser heiraten, als Brunst leiden.

(10) Τοῖς δὲ γεγαμηκόσιν παραγγέλλω, οὐκ ἐγὼ ἀλλὰ ὁ κύριος γυναῖκα ἀπὸ ἀνδρὸς μὴ χωρισθῆναι — ἐὰν δὲ καὶ χωρισθῇ μενέτω ἄγαμος ἢ τῷ ἀνδρὶ καταλλαγήτω — καὶ ἄνδρα γυναῖκα μὴ ἀφιέναι. τοῖς δὲ λοιποῖς λέγω ἐγὼ, οὐκ ὁ κύριος· εἰ τὶς ἀδελφὸς γυναῖκα ἔχει ἄπιστον, καὶ αὕτη συνευδοκεῖ οἰκεῖν μετ' αὐτοῦ, μὴ ἀφιέτω αὐτὴν. καὶ

Den Ehelichen aber gebiete nicht ich sondern der Herr, dass das Weib sich nicht scheide vom Manne — so sie sich aber scheidet, dass sie ehelos bleibe oder sich mit dem Manne versöhne — und dass der Mann das Weib nicht entlasse. Den andern aber sage ich, nicht der Herr: So ein Bruder ein

γυνὴ ἥτις ἔχει ἄνδρα ἄπιστον, καὶ οὗτος συνευδοκεῖ οἰκεῖν μετ' αὐτῆς, μὴ ἀφιέτω τὸν ἄνδρα ἡγίασται γὰρ ὁ ἀνὴρ ὁ ἄπιστος ἐν τῇ γυναικί, καὶ ἡγίασται ἡ γυνὴ ἡ ἄπιστος ἐν τῷ ἀδελφῷ ἐπεὶ ἄρα τὰ τέκνα ὑμῶν ἀκάθαρτά ἐστιν, νῦν δὲ ἅγιά ἐστιν. (15) εἰ δὲ ὁ ἄπιστος χωρίζεται, χωριζέσθω. οὐ δεδούλωται ὁ ἀδελφὸς ἢ ἡ ἀδελφὴ ἐν τοῖς τοιούτοις. ἐν δὲ εἰρήνῃ κέκληκεν ὑμᾶς ὁ θεός.

ungläubiges Weib hat und dieselbe lässt es sich gefallen bei ihm zu wohnen, der soll sie nicht entlassen. Und ein Weib, das einen ungläubigen Mann hat, und er lässt es sich gefallen bei ihr zu wohnen, die soll ihn nicht verlassen. Denn der ungläubige Mann ist geheiligt durch das Weib, und das ungläubige Weib ist geheiligt durch den Mann; sonst wären ja euere Kinder unrein, nun aber sind sie heilig. So aber der Ungläubige sich scheidet, so lass ihn sich scheiden. Es ist der Bruder oder die Schwester nicht geknechtet in solchen Fällen. In Frieden aber hat uns Gott berufen. Denn was weist du, Weib, ob du den Mann werdest selig machen? Oder was weist du, Mann, ob du das Weib werdest selig machen? Nur, wie einem jeglichen der Herr hat zugeteilt, wie ihn Gott berufen hat, also wandle er. Und also verordne ich es in allen Gemeinden.

6. Römer 7, 1—6.

Ἢ ἀγνοεῖτε, ἀδελφοί, γιγνώσκουσιν γὰρ νόμον λαλῶ, ὅτι ὁ νόμος κυριεύει τοῦ ἀνθρώπου ἐφ' ὅσον χρόνον ζῇ. ἡ γὰρ ὕπανδρος γυνὴ τῷ ζῶντι ἀνδρὶ δέδεται νόμῳ. ἐὰν δὲ ἀποθάνῃ ὁ ἀνήρ, κατήργηται ἀπὸ τοῦ νόμου τοῦ ἀνδρός. ἄρα οὖν ζῶντος τοῦ ἀνδρὸς μοιχαλὶς χρηματίσει ἐὰν γένηται ἀνδρὶ ἑτέρῳ. ἐὰν δὲ ἀποθάνῃ ὁ ἀνήρ, ἐλευθέρα ἐστὶν ἀπὸ τοῦ νόμου τοῦ μὴ εἶναι αὐτὴν μοιχαλίδα γενομένην ἀνδρὶ ἑτέρῳ.

Oder wisst ihr nicht (liebe) Brüder — denn ich rede zu solchen, die Gesetzeskenner sind —, dass das Gesetz herrscht über den Menschen, so lange er lebt. Die verheiratete Frau ist an den Mann gebunden, so lange er lebt; so aber der Mann stirbt, ist sie los vom Gesetz, das den Mann betrifft. Wenn sie nun bei Lebzeiten des Mannes einem andern Manne zu eigen wird, heisst sie eine Ehebrecherin; wenn aber der Mann gestorben, ist sie frei vom Gesetz, dass sie nicht eine Ehebrecherin ist, wenn sie einem Manne zu eigen wird. Also seid auch ihr, meine Brüder, getötet dem Gesetz mittels des Leibes Christi, auf daß ihr einem andern zu eigen würdet, nämlich dem, der von den Toten erweckt ist, damit wir Gott Frucht bringen. Denn, da wir im Fleische waren, da waren die Leidenschaften der Sünden, die durchs Gesetz erregt wurden, kräftig in unsern Gliedern, dem Tode Frucht zu bringen. Nun aber sind wir von dem Gesetz los, weil wir abgestorben dem, worin wir gefangen gehalten wurden, also daß wir nun dienen im neuen Wesen des Geistes, nicht im alten des Buchstabens.

Wir wollen vorerst der Reihe nach jede einzelne Stelle nach dem textus receptus für sich allein betrachten, also zunächst Matth. 5, 31. 32.

Es kommen 4 Punkte in Betracht. 1. Der Scheidungsgrund. 2. Ob die Geschiedene sich wieder verheiraten darf? 3. Ob man eine Geschiedene heiraten darf? 4. Ob der Mann, der sich von seiner Frau geschieden, eine andere Frau heiraten darf? Was nun Punkt 1 betrifft, so ist zunächst klar, daß nach dem vorliegenden Text die Ehescheidung nicht überhaupt perhorresziert, sondern bloß eingeschränkt wird. Wegen λόγος πορνείας ist die Scheidung gestattet. Dieser Ausdruck ist wohl das Äquivalent von דבר ערוה (Deut 24, 1), es ist aber darunter Ehebruch (nicht etwa schon unsittsames Betragen) zu verstehen. Diese Auffassung indiziert der Zusammenhang, der ein fest bestimmtes, greifbares Vergehen fordert, wie denn auch der voraufgehende Ausspruch den Ehebruch zum Gegenstande hat (5, 27—30). Faßt man jedoch λόγος πορνείας als jeden Verstoß gegen die Sittlichkeit auf, so stimmt dies mit der anderen Erklärung von דבר ערוה, ändert aber nicht das mindeste an der Interpretation der ganzen Stelle. Hat der Mann die Frau ohne den gedachten Grund entlassen, dann ist die Scheidung ungiltig und die Frau bleibt nach wie vor eine Ehefrau. Geht sie nun eine neue Ehe ein, so begeht sowohl sie als auch der neue Mann Ehebruch (Punkt 2 und 3). Der Mann, der sich von seiner Frau geschieden, darf ohneweiteres zu einer neuen Ehe schreiten, da ja der Mann mehrere Frauen besitzen darf. Punkt 4 wird darum gar nicht ins Auge gefaßt. In ihrer vorliegenden Gestalt vertritt unsere Stelle voll und ganz den schammaitischen Standpunkt, wie wir ihn oben dargelegt haben (31 ff.). Gemäß der schammaitischen Ansicht ist es gestattet, eine wegen Ehebruchs beziehungsweise wegen unsittlichen Betragens entlassene Frau zu heiraten, aber keine, die um irgend einer anderen Ursache willen entlassen worden. Demnach müßten die Worte: „und wer eine Geschiedene freit, der bricht die Ehe" lediglich auf den letzten Fall bezogen werden. Die zwei Sätze stehen mit einander in engstem Zusammenhange: In dem Falle, wo der Mann „macht, daß sie die Ehe bricht", bricht auch der neue Mann, der sie heiratet, die Ehe. Statt „wer eine Geschiedene freit," müßte es also heißen: „wer diese (d. h. ohne λόγος πορνείας) Geschiedene freit, der bricht die Ehe." Das Absolute: „wer eine Geschiedene freit," läßt jedoch diesen Sinn kaum zu.

Ferner ist noch das folgende zu bedenken: In der ganzen Spruchgruppe 5, 17—48 will Jesus im Sinne der einleitenden Sentenz: „Ich bin nicht gekommen [das Gesetz oder die Propheten] aufzulösen, sondern zu erfüllen" über den Wortlaut des mosaischen Gesetzes hinausgehen, die einzelnen Vorschriften weiter entwickeln, damit „der kleinste Buchstabe und jedes Strichlein vom Gesetze geschehe." Diese seine Absicht gibt sich deutlich auch in der sich wiederholenden einleitenden Formel kund. In welcher Weise das Gesetz „erfüllt werden" soll, beleuchtet am lehrreichsten der unserer Stelle unmittelbar voraufgehende Ausspruch: „Ihr habt gehört, daß zu den Alten gesagt ist: „Du sollst nicht ehebrechen." Ich aber sage euch: Jeder, der ein Weib ansieht aus Begierde nach ihr, der hat schon die Ehe mit ihr gebrochen in seinem Herzen. Ärgert dich aber dein rechtes Auge, so reiß es aus' usw. (5, 27—30). Wenn nun der Autor über die Ehescheidung lediglich die schammaitische Ansicht, die im damaligen Palästina als die echt mosaische galt und in der Praxis die herrschende war, vorgetragen hätte, wäre das pathetische „Ich aber sage euch" nicht am Platze gewesen. Er hätte nichts anderes gesagt, als was alle Welt für richtig hielt. Es muß demnach in unserer Stelle etwas stecken, was über die landläufige Ansicht hinausging.

Betrachten wir nun die zweite Matthäus-Stelle.

Die Kenntnis des Streites der zwei Schulen, der Schammaiten und Hilleliten, schimmert schon aus der Fragestellung hervor: „Ist es erlaubt, daß man sich scheide von seiner Frau um jeder Ursache willen?" Die beiden Schulen blühten gerade um die Zeit Jesus und die „Pharisäer versuchten" den Volksprediger mit einer alle Welt beschäftigenden aktuellen Frage, wie sie es bei einer anderen Gelegenheit mit der Frage nach dem Hauptgebot taten[1]. Jesus erste Antwort enthält ein absolutes Verbot der Ehescheidung, die zweite die Zulässigkeit bei Ehebruch der Frau. Betrachten wir erst die zweite Antwort. „Wer sich von seinem Weibe scheidet, es sei denn um Unzucht willen, und freit eine andere, der bricht die Ehe" (19, 9). Jesus vertritt hier den schammaitischen Standpunkt nur bezüglich des Scheidungsgrundes, insofern er als solchen lediglich Ehebruch anerkennt, weicht aber von den Schammaiten darin ab, daß der Mann die Ehe bricht, wenn er eine andere heiratet. Dies ist der Standpunkt der Monogamie auch für den Mann. Fraglich ist nur, ob gemeint ist, der Mann darf überhaupt keine andere Frau heiraten, oder nur in dem Falle nicht, wenn er sich von seiner Frau nicht wegen Ehebruchs, sondern um irgendeiner anderen Ursache willen getrennt hat. Der scharfsinnige Tertullian faßt die Stelle in letzterem Sinne. Er meint: „Die Ehe besteht zurecht, wenn sie nicht *rite* gelöst wurde. Wenn aber die Ehe weiter besteht, dann ist die Eingehung einer neuen Ehe Ehebruch"[2]. Er interpretiert die Worte Jesus folgendermaßen:

[1] Matt. 22, 34 ff. (Mark. 2, 28; Luk. 10, 25).

[2] Tertullian, Adv. Marcionem IV, 34 (bei Ott p. 26): dico enim illum condicionaliter nunc fecisse diuortii prohibitionem, si ideo quis dimittat uxorem, ut aliam ducat: qui dimiserit, inquit, uxorem et aliam duxerit, adulterium commisit, et qui a marito dimissam duxerit aeque adulter est. manet enim matrimonium quod non rite diremptum est manente [autem] matrimonio nubere adulterium est ita si

„Wer sich von seiner Frau scheidet, nicht wegen Ehebruchs, sondern um eine andere zu heiraten, der bricht die Ehe." Es wäre also hier die Akiba'sche Ansicht, wonach man sich auch scheiden darf. wenn man lediglich eine andere Frau heiraten will, bekämpft, eine solche Scheidung für null und nichtig erklärt, dagegen der schammaitische Scheidungsgrund anerkannt. Aber selbst nach dieser Auslegung der Stelle, steht sie mit Matth. 5, 31. 32 insofern in Widerspruch, als dort von Ehebruch des seine Frau entlassenden Mannes durch Wiederverheiratung nicht die Rede ist, ja dies durch die Erklärung, der Mann „verursache, daß sie die Ehe bricht", geradezu ausgeschlossen wird.

Doch spricht gegen die Tertullianische Interpretation auch der einfache Wortsinn: „und heiratet eine andere," was nicht „um eine andere zu heiraten" bedeutet. Die Erklärung, daß der Mann bei Wiederverheiratung die Ehe bricht, ist der Standpunkt der Monogamie, den weder die Schammaiten noch die Hilleliten vertreten. Daß in unserer Stelle die Wiederverheiratung absolut verboten wird, folgt auch aus der Fortsetzung: „Da sagen zu ihm die Jünger: Steht die Sache eines Menschen mit seinem Weibe also, so ist es nicht gut ehelich zu werden". Wenn ihr Meister gemeint hätte, daß man sich von der ehebrecherischen Frau wohl trennen und dann eine andere heiraten dürfe, so hätten ihre Worte: „es sei nicht gut zu heiraten" keinen Sinn. Warum? Dieses Argument gebrauchten die Hilleliten tatsächlich nicht in ihrer Bekämpfung der Schammaiten, weil es eben kein Argument ist. Ganz anders verhält es sich, wenn die Ehescheidung und Wiederverheiratung absolut verboten ist. Dann ist es tatsächlich nicht gut „ehelich zu werden", weil im Ehebruchsfalle gar kein Heilmittel mehr vorhanden ist. In der Antwort auf die Bemerkung der Jünger wird offenbar die Ehelosigkeit

---

condicionaliter prohibuit dimittere uxorem, non in totum prohibuerit, et quod non prohibuit in totum, permissit alias ubi caussa cessat, ob quam prohibuit . . . habet itaque et Christum adsertorem iustitia diuortii iam hinc confirmatur ab illo Moyses ex eodem titulo perhibens repudium, quo et Christus: si inuentum fuerit in muliere negotium impudicum.

angeraten, was in diesem Zusammenhange gleichfalls nur dann Sinn hat, wenn Scheidung und Wiederverheiratung überhaupt unmöglich ist.

Für diese Interpretation des Ausspruchs spricht auch die erste Antwort: „Was nun Gott zusammengefügt hat, soll der Mensch nicht scheiden," was doch nur die absolute Unauflösbarkeit der Ehe bedeuten kann. Diese Ansicht widerspiegeln auch die Worte: „Moses hat erlaubt, euch von euern Weibern zu scheiden *eurer Herzenshärtigkeit wegen*". Wenn die Scheidung „Herzenshärtigkeit" ist, dann ist sie absolut unzulässig. *Jeder Widerspruch verschwindet und die ganze Stelle wird in sich harmonisch, wenn die Worte: „es sei denn um Unzucht willen" getilgt werden*. Es wird dann in unserer Stelle als Verschärfung des mosaischen Gesetzes die Ehescheidung überhaupt für unzulässig erklärt, was zu: „Ich aber sage euch" gut paßt. Schon in der Frage: „Ist es erlaubt, daß man sich scheide von seinem Weibe *um jeder Ursache willen*?" dürften die unterstrichenen Worte interpoliert sein. In der Antwort wird nämlich hierauf gar kein Bezug genommen, die ganze Frage dreht sich um die Zulässigkeit der Scheidung überhaupt. Wenn die fraglichen Worte, welche mit dem Zusatz „es sei denn um Unzucht willen" zusammenhängen, gestrichen werden, ist Frage und Antwort ganz glatt. Frage: Ist Scheidung erlaubt? Antwort: Nein. Einwendung: Moses gebietet einen Scheidebrief zu geben? Entgegnung: Wegen eurer Herzenshärtigkeit. Jünger: Wenn Scheidung unmöglich, ist es nicht gut, zu heiraten. Meister: Laßt es bleiben.

Man kann aber unsere Stelle, allerdings sehr gezwungen, *auch ohne jede Streichung* im Sinne der absoluten Unauflöslichkeit der Ehe fassen, wie es die alte Kirche tat. Die Fragesteller mit ihrem „um jeder Ursache willen" waren Hillelianer, die über den Streit der beiden Schulen Bescheid wünschten, dafür aber eine ganz unerwartete, auch die strengere schammaitische Anschauung perhorreszierende Ansicht zu hören bekommen. *Die Worte* „*es sei denn um*

Unzucht willen" wollen nur besagen, der Mann sei nicht gezwungen, mit einer Untreuen die Ehe fortzusetzen, aber nicht, daß er in diesem Falle eine andere Frau nehmen dürfe.

Der innere Widerspruch kann meines Erachtens nur so erklärt werden, daß der Verfasser des Matthäusevangeliums die Unauflöslichkeit der Ehe mit der landläufigen Ansicht der Schammaiten in Einklang bringen wollte. Er hatte hiezu guten Grund, denn mit der ehebrecherischen Frau darf die Ehe, wie wir gesehen haben, nicht fortgesetzt werden. Betont wird nicht die Scheidungsmöglichkeit, sondern das Verbot, die Ehe mit der Ehebrecherin fortzusetzen. Das rabbinische Gesetz, daß der Mann mit der treulosen Frau keinen ehelichen Verkehr pflegen darf, und das Prinzip der Unauflöslichkeit der Ehe können folgerichtig nur durch die Institution der Separation vereinigt werden. Dies mag Matth. gemeint haben, aber nur für die Frau, denn der Mann darf auch mehrere Frauen haben, darum sagt Matth. „er macht, daß *sie* die Ehe bricht"

Wie immer man die Matthäusstellen auffaßt, verbleibt ihnen der schammaitische Charakter, insofern beide Ehebruch als Scheidungsgrund anerkennen. Die erste Stelle kann in korrekt schammaitischem Sinne ausgelegt werden, die zweite spiegelt wenigstens ganz deutlich die Kontroverse der beiden rabbinischen Schulen wider. Dieser Schulstreit beschäftigte die Gemüter bloß in der Zeit vor der Tempelzerstörung, denn um 100 wird die schammaitische Anschauung schon ganz überwunden gewesen sein. Ich glaube daher, daß die Matthäusschrift (verfaßt 75—100) nicht interpoliert ist, sondern daß Matthäus selbst, der wahrscheinlich Levite gewesen und rabbinisch gebildet war[1]), den überlieferten Ausspruch Jesus von der Unauflöslichkeit der Ehe mit der gangbaren schammatischen Anschauung in Harmonie zu bringen trachtete. Daher die schammaitische Färbung.

---

[1]) Vgl. Prot. Realencyclopädie XII ^{3} 428.

Über den Sinn der **Markus- und Lukasstelle** besteht kein Zweifel: die Ehe ist für beide Gatten unauflöslich. Wer eine zweite Ehe auf Grund einer Scheidung eingeht, gleichviel ob Mann oder Weib, bricht die Ehe. Der Beweis, der für diese These beigebracht wird, findet sich auch in der rabbinischen Literatur. Es wird nämlich ein Unterschied gemacht zwischen dem mosaischen und vormosaischen Gesetz, mit dem rabbinischen Terminus, zwischen den „Söhnen Israels" (בני ישראל) und zwischen den „Söhnen Noahs" (בני נח). Diesen Unterschied betont Jesus mit den Worten: „von Anfang aber ist es nicht so gewesen" (Matth. 19, 8) und „aber vom Anfang der Schöpfung her hat er sie geschaffen als Mann und Weib" (Mark. 10, 6).

Wir wollen nun die rabbinischen Stellen durchgehen. „Jehuda ben Bethera (2. Jahrh.) sagte: Job deutete für sich: „Was ist der Teil Gottes von oben und der Besitz des Allmächtigen von den Höhen" (Job 31, 2, das will sagen): Wenn Adam gebührt hätten zehn Weiber, so hätte Gott sie ihm gegeben, es gebührte ihm aber nur ein Weib, so genügt mir auch mein Weib, mein Teil"[1]). Lemech wird getadelt, weil er sich zwei Weiber genommen (Gen. 4, 19), wie „alle Männer des Sündflutgeschlechts" und das zweite Weib wird ausdrücklich eine Buhlin genannt[2]). Von Elkana (I S. 1) heißt es: „Nach all diesem Lob steht bei ihm geschrieben: „Und er hatte zwei Frauen." Wozu nahm er zwei Frauen?" und er wird damit entschuldigt, daß Channa keine Kinder hatte und selbst wünschte, ihr Mann möchte eine zweite Frau nehmen[3]). Neben dieser allgemeinen Mißbilligung der Polygamie findet sich noch die ausdrückliche Erklärung, daß ein Noachide sich von seiner Frau überhaupt nicht scheiden kann.

---

[1]) Aboth des R. Nathan ed. Schechter, II. Version, S. 5a. Die Deutung geht von Job 31, 1 aus. Vielleicht war Jehuda b. B. der Ansicht, Job habe im Zeitalter der Erzväter gelebt (Seder Olam, Kap. 21; Baba B. 14b. Siehe Schwarz, תקות אנוש, hebr. Teil, S. 1 f.).

[2]) Genesis r. 23, 2, 222 Theodor.

[3]) Pesikta r. 43, 181 b. Friedmann.

Zu dem Schriftwort Gen. 2, 24: „Darum verläßt der Mann seinen Vater und seine Mutter und hängt sich an seinem Weibe und sie werden zu einem Fleische" wird vorerst bemerkt, daß ein Noachide nur durch den Vollzug der Ehe in den Besitz des Weibes gelange[1]). Die fleischliche Verbindung (Gen. 20, 3) bewerkstelligt die Ehe, auch wenn eine Eheschließung nicht beabsichtigt war. Es wird dann fortgesetzt: „Und woher entnehme ich, daß sie keine Scheidung haben? Juda b. Simon [und] Chanan im Namen Jochanans: Entweder sie haben keine Scheidung, oder sie vollziehen die Scheidung gegenseitig. Jochanan sagt: seine Frau scheidet ihn und gibt ihm den doppelten Kaufpreis (διφερνή) zurück. Chijja lehrte: Wenn ein Heide seine Frau entlassen hat und sie verheiratet sich an einen anderen, dann übertreten beide zum Judentum, so wende ich auf dieses (geschiedene) Ehepaar nicht das Schriftwort an (Deut. 24, 4): „Der erste Mann, der sie entlassen, darf sie nicht zurücknehmen" [denn die Scheidung war ungiltig]. Acha im Namen Chanina b. Papas: Im ganzen Buche Maleachi heißt es stets: „der Gott der Heerscharen", nur einmal in dem Satze: (2, 16) „denn hassenswert ist das Entlassen, so spricht der Gott Israels" heißt es „der Gott Israels", (damit ist gesagt): mein Name bestätigt nur für Israel die Ehescheidung"[2]). Der palästinische

[1]) Sanhedrin 57b unten (Jalkut I, 89 und Midrasch Hagadol ed. Schechter 299): דהני ר׳ חנינא בעולת בעל יש להן נכנסה לחופה ולא נבעלה אין להן.

[2]) Genesis r. 18, 5, 166 Theodor: זמנין שאין להם נירושין . . . בשם ר׳ יוחנן א׳ שאין להם נירושין או ששניהם מגרשין זה את זה. אמר ר׳ יוחנן אשתו מגרשתו ונותנה לו דיפורין. תני ר׳ חייה גוי שגירש את אשתו . . . איני קורא עליו לא יוכל בעלה הראשון אשר שלחה. בשם ר״ח ב״פ בכל ספר מלאכי כתיב ה׳ צבאות וכן כתיב אלהי ישראל שנא׳ כי שנא שלח אמר אלהי ישראל כביכול לא יחול שמו על הגירושין אלא לישראל בלבד. (Siehe Theodor z. St. und Bacher, Agada d. Am. II, 524). j. Kidduschin 58c: הרי למדנו גוים אין להם קידושין, מהו שיהא להם נירושין . . . ר׳ הונה דצפרין או שאין להם נירושין או ששניהם מגרשין זה את זה . . . ר׳ שמואל בר נחמן כי שנא שלח וגו׳ בישראל נתתי נירושין לא נתתי נירושין באומות העולם . . . מלתיה דר׳ חייא רבה אמרה גוים אין להם נירושין דתני ר׳ חייא בן נוי [בן נח] שגירש אשתו וכו׳ מעשה בא לפני ר׳ והכשיר. Zu Jochanans Meinung: „Die Frau (des Heiden) entläßt ihn und gibt ihm das doppelte Kaufgeld", finde ich

Talmud enthält gleichfalls diese Sätze und gibt außerdem noch den folgenden Kernsatz: „Israel habe ich (Got.) Scheidung erlaubt, den Völkern der Welt habe ich Scheidung nicht erlaubt“[1]). Es handelt sich um praktische Fragen, um eherechtliche Normen für Proselyten. Wie Paul, regulieren auch die Rabbinen die Ehescheidung. Häufig wird bei Heiden die Trennung wegen Judaisierens des einen Teils der Ehegatten erfolgt sein. Ein praktischer Fall wird tatsächlich erwähnt. Ein Heide entließ seine Frau und sie verheiratete sich mit einem anderen Manne. Den geschiedenen Ehegatten erlaubt der Patriarch Juda I (um 200) gegen das Verbot von Deut. 24, 4 die Wiederverheiratung mit einander[2]). Die Noachidenfrage ist in erster Reihe das Proselytenproblem. Die Hauptnorm, die Unauflöslichkeit der Heidenehe, ist uralt; es fragte sich nur, wo diese Norm in der Schrift ihren Stützpunkt hat. Hierüber entstehen unter den Amoräern des 3. Jahrhunderts Meinungsdifferenzen. Sie finden diese Norm wohl nicht in dem Schriftwort „sie werden zu einem Fleische“ ausgedrückt, weil sie das Schriftwort gemäß der talmudischen Regel, היה sei in der Bibel Terminus für das Sichverheiraten der Frau, auf die Eheschließung beziehen, doch verrät das Anknüpfen der ganzen Diskussion an diese Bibelstelle die ehemalige Existenz einer solchen Auffassung des gedachten Schriftwortes.

Wir sind jedoch gegenwärtig auf Schlüsse glücklicher-

---

eine merkwürdige Parallele in einem ägyptischen Ehekontrakt vom Jahre 492 (ante). Es heißt da: „Du hast mich zur Frau gemacht und mir 1/10 deben als mein Kaufgeld gegeben. Wenn ich dich als Gatten verlasse, so gebe ich dir 1/10 deben zu diesen 1/10 deben, welche du mir als Kaufgeld gegeben hast“ (zitiert bei Reitzenstein, Liebe und Ehe im alten Orient, 33). Zur Zeit Jochanans (nach 800 Jahren) muß also die alte Sitte noch existiert haben. Die Lesart דיפורין wird nach obigem beizubehalten und nicht mit Jastrow und Krauß (Lehnwörter II, 192) in ריפודין repudium zu emendieren und als Tautologie zu fassen sein. φερνή bedeutet in LXX und Talmud die Brautschenkung (מהר) und im j. Talmud den Ehevertrag (siehe Freund, Zur Gesch. des Ehegüterrechts 11, Anm. 3).

[1]) Siehe vorige Anm.

[2]) Ebenda. — Keth. 9 Ende: Wenn ein Heide zum Judentum übertritt und seine Frau folgt ihm, bleibt ihr Ehekontrakt (כתובה) in Kraft.

weise nicht mehr angewiesen. Aus einer hebräischen Schrift, die S. Schechter jüngst entdeckt und publiziert hat,[1]) fällt ungeahntes Licht auf das ganze Ehescheidungsproblem im Neuen Testament. Es fehlte bisher die jüdische Quelle für das absolute Ehescheidungsverbot trotz des mosaischen Gebotes über die Ehescheidung. Jetzt ist diese Quelle gefunden und man hat es nicht mehr nötig, einen außerjüdischen Einfluß monogamischer Völker anzunehmen.[2]) In der gedachten Schrift bildet die geschlechtliche Ausschweifung, wie in den Testamenten der 12 Patriarchen und dem Buch der Jubiläen, welche nebst anderen unbekannten Apokryphen in der neuen Schrift ausdrücklich zitiert werden,[3]) ein, man kann auch sagen das Hauptthema.[4]) Für unsere Frage kommen indes bloß drei Stellen in Betracht. „Die Erbauer von Zäunen ... sie fallen in zwei (Sünden): in Buhlerei, indem sie zwei Weiber nehmen bei ihren Lebzeiten, während es bei der Grundlage der Schöpfung [heißt]: „Mann und Weib hat sie [Gott] geschaffen"; auch bei denen, die in die Arche eingingen, [heißt es]: „je zwei kamen sie in die Arche". Vom Fürsten steht geschrieben (Deut. 17, 16): „Er nehme sich nicht viele Weiber". David las aber die versiegelte Tora nicht, welche in der Lade lag, denn sie wurde seit dem Tode Eleasars und Josuas nicht geöffnet"[5]). Hier wird die strengste Monogamie

---

[1]) Documents of Jewish Sectaries. Volumen I: Fragments of a Zadokite Work. Edited from Hebrew Manuscripts in the Cairo Genizah Collection ... with an English Translation, Introduction and Notes, Cambridge 1910.

[2]) Ich selbst habe in einer im April dieses Jahres erschienenen Abhandlung „über die Ehescheidung im Neuen Testament" („Magyar Zsidó Szemle" XXVIII, 122) die Vermutung ausgesprochen, daß die Unauflösbarkeit der Ehe eine volkstümlich-jüdische Auffassung repräsentiere.

[3]) Schechter, Introduction XV f.

[4]) 2, 1; 2, 16 (Sch. XXXIII, n. 4 und Lévi RÉJ. LXI 176, n. 5); 3, 4 (RÉJ. 177, n. 5); 3, 17.

[5]) 4, 19—5, 4: בוני החיץ ... הם ניתפשים בשתים, בזנות לקחת שתי נשים בחייהם ויסוד הבריאה זכר ונקבה ברא אותם, ובאי התיבה שנים שנים באו אל התיבה, ועל הנשיא כתוב לא ירבה לו נשים, ודויד לא קרא בספר התורה החתום אשר היה בארון כי לא נפתח בישראל וכו׳. Obwohl בחייהם und nicht בחייהן geschrieben ist, so besteht doch gar kein Zweifel darüber, daß es

gefordert und mit dem Ausdruck: „zwei Weiber bei ihren Lebzeiten nehmen“, die Ehescheidung unmißverständlich absolut verboten. Neben dieser Hauptstelle sind noch folgende zwei Äußerungen beachtenswert: „Es suche jeder das Wohl seines Bruders und es handle keiner treulos an seinem Weibe [das ist], man halte sich fern von Buhlerinnen, wie es recht ist“[1]). Ob man nun „Buhlerei“ (הזנות) oder „Buhlerinnen“ (הזונות) liest, gemeint ist, daß man der Frau nicht durch Ehelichung einer zweiten die Treue breche. Deutlicher tritt dieser Sinn in einer andern Stelle zutage[2]): „Sie sind alle Widerspenstige, weil sie nicht verlassen den Weg der Treulosen und sich wälzen in den Wegen der Buhlerei und des frevelhaften Vermögens und der Rache und des Grollens gegen seinen Bruder und des Hassens des Nächsten und sie wenden sich weg von ihren Frauen und treiben Blutschande“. Unsere Schrift ist das Grundbuch einer Sekte, die bezüglich der Ehe von der Allgemeinheit abweichende Anschauungen hatte. Wenn also in dieser Parteischrift den Gegnern Buhlerei,

---

sich auf נשים bezieht, denn auf die Männer bezogen, hätte der Satz keinen Sinn. Alles übrige (siehe Schechter XXXVI und Lévi 180) ist für unsere Frage irrelevant.

[1]) 7, 1: ולדרוש איש את שלום אחיהו ולא ימעל איש בשאר בשרו להזיר מן הזונות. Schechter (XXXIX, n. 36) emendiert mit Berufung auf 2, 16 und 4, 10 הזונות in הזנות.

[2]) 8, 4—7: כל[מו] מורדים מאשר לא סרו מדרך בוגדים, ויתגוללו בדרכי זונות ובהון רשעה ונקום ונטור איש לאחיו ושנוא איש את רעהו ויתעלמו איש בשאר בשרו ויגשו לזמה. Text B. Seite 19, Zeile 17—19: ולא סרו מדרך בוגדים, ויתעללו בדרכי זנות ובהון הרשעה וכו׳ ויתעלמו איש בשאר בשרו ויגשו לזמה. Sch. emendiert in Text A das Wort זונות nach Text B in זנות. Statt ויתעלמו möchte er וימעלו oder ויתעלטו lesen (XLI, n. 33), doch ist ויתעלמו neben der Übereinstimmung der beiden Texte auch durch Jesaia 58, 7 ומבשרך לא תתעלם gesichert. Lévi (RÉJ. LXI, 189) deutet diese Worte auf verbotene Ehen, was aber wohl זמה, aber nicht וימעלו בשאר בשרו bedeuten kann. Es wird nach Jesaia ויתעלמו איש משאר בשרו zu lesen sein. שאר בשרו bezeichnet, wie der Zusammenhang zeigt, die Ehefrau (nicht die Verwandten). Der Midrasch (Lev. r. 34 und Jalkut II, 492) deutet den Jesaiavers auf die geschiedene Frau. Zu זמה vgl. Lev. 18, 17 und Ezech 22, 11. Unser Autor mag damit die Ehe mit der Bruder- oder Schwestertochter meinen (Seite 5, Z. 8: ולוקחים איש את בת אחיהו ואת בת אחותו).

Unzucht vorgeworfen wird, kann damit nicht das gemeint sein, was die Gegner gleichfalls verurteilen. Es wird also unter „Buhlerei“ die Polygamie, unter „Wegwenden von seiner Frau“ die Scheidung und unter „Blutschande“ die Eheschließung mit der Nichte zu verstehen sein — die drei strittigen Punkte des Eherechts. Auffallend ist die Reihenfolge der Aufzählung der Sünden: an erster und letzter Stelle Verstöße gegen die Frau und in der Mitte gegen die Nächstenliebe. Es darf hiezu an R. Meirs Ausspruch erinnert werden, wonach jeder, der eine seiner unwürdige Frau heiratet, folgende 5 Verbote übertritt: Du sollst dich nicht rächen, du sollst nicht grollen, du sollst deinen Bruder nicht hassen, liebe deinen Nächsten wie dich selbst, und dein Bruder soll mit dir leben[1]). Es sei dem, wie ihm wolle, sicher ist, daß die Zadokiten die Ehescheidung absolut verboten und Bigamie auch beim Manne für Ehebruch gehalten haben.

Beides wird kurz und bündig mit „sie nehmen zwei Frauen bei ihren Lebzeiten“ ausgedrückt.[2]) Dieselbe Ausdrucksweise kehrt bei Paul wieder: „Ein Weib ist gebunden durch das Gesetz, so lange ihr Mann lebt; so aber ihr Mann entschläft, ist sie frei sich zu verheiraten, welchen sie will“[3]). An der ausführlicheren Parallestelle fügt Paul noch hinzu: „Wenn sie nun bei Lebzeiten des Mannes einem andern Manne zu eigen wird, heißt sie eine Ehebrecherin; wenn aber der Mann gestorben, ist sie frei vom Gesetz, daß sie nicht Ehebrecherin ist, wenn sie einem andern Manne zu eigen wird“[4]). Daß der Mann Ehebrecher wird, wenn er eine zweite Frau bei Lebzeiten der ersten nimmt, was unser Autor mit „Buhlerei“ meint, sagt Paul nicht und es bleibt fraglich, ob er in diesem Punkte die allgemeine Anschauung der Rabbinen

[1]) Tosefta Sota 5, 11; 302, 16: כל הנושא אשה שאינה הוגנת לו עובר משום חמשה לאוין לא תקם ולא תטר ולא תשנא את אחיך ואהבת לרעך כמוך (ויקרא י״ט, י״ז, י״ח) וחי אחיך עמך (שם כ״ה ל״ו).

[2]) So richtig von Schechter XXXIV, n. 3 aufgefaßt.

[3]) I Korinther 7, 39.

[4]) Römer 7, 3.

oder die spezielle von Markus und Lukas teilte, mit denen unsere Schrift und der oben (Seite 56) zitierte agadische Ausspruch übereinstimmen. Ich setze die weiteren Stellen her, aus denen über die Denkweise Pauls in dieser Frage ein Schluß gezogen werden kann: „Es ist dem Menschen gut, kein Weib zu berühren ... Ich wünsche aber, daß alle Menschen wären, wie auch ich selbst ... Den Ledigen aber und den Witwen sage ich: Es ist ihnen gut, wenn sie bleiben wie auch ich ... Den Ehelichen gebiete aber nicht ich, sondern der Herr, daß das Weib sich nicht scheide vom Manne — so sie sich aber scheidet, daß sie ehelos bleibe oder sich mit dem Manne versöhne —, und daß der Mann das Weib nicht entlasse... Bist du an ein Weib gebunden, so suche nicht los zu werden; bist du los vom Weibe, so suche kein Weib. Wenn du aber auch freist, so hast du nicht gesündigt“[1]). Während Paul dem geschiedenen Weibe die Wiederverheiratung ausdrücklich verbietet, sagt er beim Manne bloß, daß er das Weib nicht entlasse, nicht aber auch, daß er keine andere nehme. Es wird dies mit den Worten: „bist du los vom Weibe, so suche keine andere“ wohl empfohlen, aber nicht geboten. Paul hat in dieser Beziehung zwischen dem Manne und zwischen dem Weibe augenscheinlich einen Unterschied gemacht, indem er dem Manne die Wiederverheiratung im Scheidungsfalle gestattete. Paul hätte demnach lediglich von der Frau aber nicht vom Manne die Monogamie gefordert. Die Scheidung ist, wie er selbst betont, ein Herrnverbot (gegen das mosaische Gesetz) und infolgedessen ungiltig. Das Weib, das nur einem Manne angehören kann, darf deshalb bei Lebzeiten des Mannes nicht noch einmal heiraten, dem Manne aber, der mehrere Frauen besitzen darf, ist die Wiederverheiratung bei Lebzeiten der geschiedenen Frau gestattet. Bis auf den Ehescheidungspunkt vertritt demnach Paul die offizielle Ansicht der Pharisäer und nicht die des Markus und Lukas. Wohl aber stimmt er mit den letzteren bezüglich des abso-

[1]) I Korinther 7, 1 ff.

luten Ehescheidungsverbotes überein, da er eine Ausnahme nicht erwähnt, er wird also eine solche nicht für zulässig gehalten haben.

Wir kehren nun zu unserer Schrift zurück. Wie schon oben bemerkt worden, hat sie mit dem Buch der Jubiläen und mit dem Testament der 12 Patriarchen, welche sie auch namentlich anführt, vieles gemein, besonders die eindringende Warnung gegen geschlechtliche Vergehungen[1]). Das Buch der Jubiläen, das nicht müde wird, die Sündhaftigkeit der Ehe mit Heiden zu brandmarken, erweist sich durch diese Charakterzüge als ein Produkt priesterlicher Kreise, bei denen die Reinheit des Stammes im Vordergrunde des Interesses gestanden hat. Es ist demnach berechtigt, der neuen zadokidischen Schrift bei der Auslegung des Jubiläenbuches eine entscheidende Stimme zuzuerkennen. Wir denken an die Beschreibung der Erschaffung des Weibes, welche im Jubiläenbuch also lautet:

„Und Gott sprach zu uns: Es ist nicht gut, daß der Mann allein sei, laßt uns ihm einen Helfer machen, der wie er ist. Und der Herr, unser Gott, legte einen Schlaf auf ihn, und er schlief. Und er nahm das Weib, mitten aus seinen Rippen eine Rippe, und diese Seite ist der Ursprung des Weibes mitten aus seinen Rippen, und er baute statt ihrer Fleisch [hinein] und er baute das Weib. Und er weckte Adam aus seinem Schlafe auf ... und er brachte sie zu ihm, und er erkannte sie und er sprach zu ihr: Dies jetzt ist Bein von meinem Beine und Fleisch von meinem Fleische; diese wird mein Weib genannt werden, denn von ihrem Mann ist sie genommen. Deswegen sollen Mann und Weib eins sein, und deswegen soll der Mann seinen Vater und seine Mutter verlassen, und mit seinem Weibe vereint werden, und sie werden ein Fleisch sein"[2]). Im Wesen ist dies der biblische Bericht,

---

[1]) Siehe z. B. 22, 20 und 30, 7. 11—16.

[2]) 3, 3—7 (Kautzsch, Apokryphen II, 44). In der Fortsetzung wird aus der Schöpfung des Menschenpaares die Dauer der Unreinheit der Gebärenden abgeleitet. 40 Tage bei Geburt eines Männlichen und 80 Tage bei Geburt eines Weiblichen (so auch das rabbinische Gesetz). Adam wurde

und doch hört ein scharfes Ohr aus ihm mehr heraus. Die gesperrten Worte sind erweiternde Zutaten zum Bibeltext und stellen eine schärfere Betonung der Zusammengehörigkeit von Mann und Weib dar. Während nach dem Bibeltext Gott vorerst die Rippe herausnimmt und diese dann zum Weibe baut, nimmt er nach Jubiläen das Weib unmittelbar „mitten aus seinen Rippen eine Rippe“; daß Adam „sein Weib erkannte“ und daß er die Worte: „Dies jetzt ist Bein von meinem Bein“ usw. *zu ihr sprach* fehlt im Bibeltext. Ganz besonders zu beachten ist ferner der überschüssige Satz: „Deswegen sollen Mann und Weib eins sein“ und die kleine, aber wichtige Änderung: „diese wird *mein* Weib genannt werden, denn von *ihrem* Mann ist [illegible] genommen,“ während der Urtext nur sagt: „darum wird sie Männin (אישה) genannt, denn sie ist vom Mann (איש) genommen.“ Jubiläen hat כי מאיש לקחה זאת in כי מאישה לקחה זאת geändert, und der Stelle den Sinn untergelegt, daß nicht das Weib im allgemeinen von der Rippe des Mannes gebaut wurde, sondern jedes einzelne Weib von der Rippe ihres eigenen Mannes. Ist dies der Fall, dann ist eine Scheidung durchaus unstatthaft. Tatsächlich hat Bachrach aus unserer Stelle das Verbot der Ehescheidung herausgefühlt[1]). *Auf Grund obiger Darlegung, ganz besonders aber des neuen Zeugen glauben wir die in Rede stehende Darstellung der Erschaffung des Weibes als Mißbilligung der Ehescheidung auslegen zu dürfen.*

Wir haben nun in der zadokidischen Schrift die Quelle des Ehescheidungsverbotes und in dem Buch der Jubiläen auch die Ableitung desselben aus Genesis 2, 24 gefunden. Wenn man noch die angezogenen rabbinischen Äußerungen dazu nimmt, wird man den Ursprung des evangelischen Ver-

---

daher nach 40, sein Weib nach 80 Tagen in den Garten Eden gebracht. „Denn der Garten Eden ist heiliger als die ganze Erde, und jeder Baum, der in ihm gepflanzt ist, ist heilig“ (3, 12). „Eine Gebärende soll nichts heiliges berühren und in das Heiligtum nicht kommen.“ Eine Priesterschrift.

[1]) Jareach Lemoadim 49 a bei Schechter XXXVI, n. 3. Vgl. noch Introduction XVII und XIX.

botes der Ehescheidung und des darin implicite enthaltenen Gebots der Monogamie nicht mehr außerhalb des Judentums suchen dürfen[1]. Die Mißbilligung der Witwenehe ist aber nicht genuin jüdisch. Merkwürdigerweise findet diese im syrischen Kirchenrecht kodifizierte Anschauung[2] einen Widerhall im jüdischen Babylonien insofern, als Rechtslehrer des 4. u. 5. Jahrhunderts große Anstrengungen machen, um aus der Schrift zu beweisen, daß die Frau durch den Tod des Mannes von ihm frei werde, d. h. heiraten dürfe[3], was nach den einschlägigen Bibelstellen eigentlich als selbstverständlich gelten sollte und in Palästina tatsächlich auch gegolten hat. Wegen der Nachbarschaft wäre eher als an römischen, noch an indischen Einfluß zu denken[4]. Doch dies nur beiläufig. In der Hauptsache stimmt Markus und Lukas mit den Zadokiten. Dies konstatiert schon der Karäer Kirkisani, der in seinem im Jahre 937 verfaßten Werke „Kitab al-Anwar wal-Marakib" von den Zadokiten sagt, daß sie gegen die Schrift die Ehescheidung absolut verbieten und in dem Kapitel „über die Nazarener" hervorhebt: „Jesus hat die Ehescheidung verboten, wie es die Zadokiten verbieten"[5].

Es ist nun noch die eine Frage zu erledigen, ob die Sekte der Zadokiten älter ist als das Evangelium des Markus?

---

[1] Krauß, Talmudische Archäologie II, 54 (nach Thönes, Die christl. Ansch. d. Ehe, S. 114) glaubt, das junge Christentum habe das Verbot der Wiederverheiratung einer Witwe den Römern entlehnt, „denen *univira* gleich war mit *castissima* und bei denen selbst das Gesetz *secundae nuptiae* bekämpfte". Es müßte aber erst bewiesen werden, daß das junge Christentum den Witwen das Wiederheiraten verboten hat. Die Evangelien reden lediglich von den Geschiedenen und zwar nur bei Lebzeiten des Ehegatten. Noch Hermas IV, 4, 1 f. wird die zweite Ehe nach dem Tode des einen Gatten für keine Sünde erklärt (Ott 11).

[2] Aptowitzer, Die syrischen Rechtsbücher, 22. Nach kanonischem und syrischem Recht ist Ehescheidung infolge von Ehebruch und Zauberei gestattet (ebenda 63, n. 1 und 2).

[3] Kidduschin 13 b.

[4] In Indien ist die Ehe mit einer Witwe bis auf den heutigen Tag unmöglich. Siehe im allgemeinen Ploß-Bartels, Das Weib[8] I 691 und II 666.

[5] Schechter, Introduction XIX. Obadja von Ispahan (Abu Isa) hat gleichfalls die Ehe für absolut unauflöslich gehalten.

Schechter[1]) setzt die Entstehung der Sekte auf zirka 290 vor unserer Zeitrechnung an, Chajes[2]) auf 174—171, Lévi[3]) und Bacher[4]) in eine von der Tempelzerstörung mehr oder minder entfernte Zeit. D. biblische Chronologie unserer Schrift ist bis jetzt wohl nicht erforscht, doch ist aus der Angabe „390 nach Nebukadnezar", welche bei der großen Rolle, die die Zeitrechnung bei unserer Sekte spielt[5]), als ein präzises Datum anzusehen ist[6]), soviel mit Sicherheit zu entnehmen, daß die Sezession dieser Priester, mithin die Festlegung ihrer Hauptlehren zumindest vor dem Auftreten Jesu stattgefunden hat.

Es soll hiermit nicht behauptet werden, daß Jesus oder der Evangelist seine Lehre von der Unauflösbarkeit der Ehe dem Zadokiten- oder Jubiläenbuch entnommen habe. Die „Lehre" war in jenen Zeiten noch nicht zur Literatur erkaltet, sie war noch ein lebendiges Gebilde, das Geist und Seele

---

1) Introduction XII. Sch. geht richtig von der Angabe aus: „390 Jahre nach der Auslieferung Israels in die Hand Nebukadnezars". Dies ist aber selbst nach unserer Chronologie (586—390) rund 190 (nicht 290). Seite XXII f. kommt Sch. auf die Datierungsfrage zurück und meint, wir haben kein bestimmtes Datum.

2) Rivista Israelitica VII, 205.

3) RÉJ. LXI, 171.

4) ZfHB. XV, 17 f.

5) Schechter XXIII ff.

6) Die Mischna (Gittin 8, 5) zählt als Beispiele der im Scheidebrief unzulässigen Aeren auf: die medische (persische), griechische (seleucidische), die der Erbauung und Zerstörung des Tempels. Unter חורבן הבית wird hier die Zerstörung des ersten Tempels zu verstehen sein, denn die Zerstörung des zweiten Tempels bildete tatsächlich die gebräuchliche Aera (Ab. sara 9a: מכאן ואילך צא וחשוב כמה שנים אחר חורבן הבית). Die Mischna wird demnach aus der Zeit des Tempelbestandes stammen (wofür ja auch „die Aera der Tempelerbauung" spricht) und mit לחורבן הבית die Aera Nebukadnezars bezeichnen. Es sei dem, wie ihm wolle, sicher ist allenfalls, daß unsere Schrift nach einer Nebukadnezar-Aera rechnet, zu welcher die „medische Aera" der Mischna eine willkommene Analogie bietet. Hat aber die zadokitische Sekte noch eine Nebukadnezar-Aera gebraucht, so kann sie nicht knapp vor der Tempelzerstörung entstanden sein. Seder Olam, Kap. 30 (p. 66, Neubauer) rechnet von Nebukadnezar bis zur Tempelzerstörung: 70 + 34 + 180 + 103 + 103 = 490 Jahre (dasselbe Aboda sara 9a und sonst.) Siehe auch II. Teil bei der Besprechung der Aera des Scheidebriefes.

der Menschen durchdrang. Die verschiedenen Schriften sind wohl Niederschläge von Geistesströmungen, aber die Männer des Lebens haben ihre Anschauungen nicht so sehr aus diesen Schriften, als vielmehr aus jenem lebendigen Quell geschöpft. Die Lehre war trotz Schriftstellerei eine „mündliche", wie bei den Rabbinen. Es handelt sich in diesen Zeitläuften überhaupt nicht um literarische Entlehnungen, sondern um Anschluß an lebendige Richtungen. Der Evangelist hat in bezug auf den Ehescheidungspunkt sich die Lehre der zadokitischen Priestersekte zu eigen gemacht, welche mit der herrschenden Lehre nicht nur der Pharisäer, sondern auch der Sadduzäer, ja sogar des mosaischen Gesetzbuches in Widerspruch steht. Wie die Zadokiten, haben auch die Anhänger Jesu allen anderen, sowohl Pharisäern als Sadduzäern ohne Unterschied Unzucht vorgeworfen. Als sie ein Zeichen zu sehen wünschen, antwortet ihnen Jesu: „Ein böses und ehebrecherisches Geschlecht verlangt ein Zeichen" (Matth. 12, 39; 16, 4. Mark. 8, 12: dieses Geschlecht). Die Evangelien bekämpfen, ganz so wie die Zadokiten, gleichmäßig Pharisäer und Sadduzäer: „Hütet euch vor dem Sauerteig der Pharisäer und Sadduzäer" (Matth. 16, 7, 12; Mark. 8, 15). Beide Sekten betonen scharf die Nächstenliebe, wenn auch die Feindesliebe von den Zadokiten nicht gefordert wird.[1]) Das Verbot der Ehescheidung im Gegensatz zum Gesetz kann man sich aber nur, als in Priesterkreisen entstanden, gut vorstellen.

Es sind hier die folgenden Umstände in Betracht zu ziehen. Die geschiedene Frau ging für den Priesterstand ganz verloren, denn ein Priester durfte eine solche nicht heiraten. Ezechiel fordert im Gegensatz zu III Moses 21, 7 auch von den gemeinen Priestern, daß sie nur Jungfrauen heiraten,

[1]) G. Margoliouth hat in zwei mir unzugänglichen Artikeln, (zweiter Artikel in „Journal of Theological Studies" 1911 Mai), unsere Schrift für eine christliche angesprochen. Die Schrift macht indes keinen christlichen Eindruck. Besonders auffallend wäre bei dieser Annahme das Fehlen der Lehre von der Auferstehung, welche in den Evangelien einen Kardinalpunkt bildet (Matth. 22, 23—33; Mark. 12, 18—27; Luk. 20, 27—38), während bei einer sadduzäischen Sekte das Schweigen von dieser Lehre ganz natürlich ist.

gestattet ihnen aber dennoch Priesterswitwen. Den Priestern haben selbst die Pharisäer, die die Exklusivität des Priesterstandes in manchen Punkten bekämpften,[1]) die Ehescheidung erschwert.[2])

Wie in allem, so ist der Hohepriester natürlich auch in bezug auf die Ehe das Ideal der Priesterschaft; in den für ihn geltenden Vorschriften dürfen wir also die idealen Anschauungen der Priester von der Ehe im allgemeinen erblicken. Nun wird vom Hohenpriester die Monogamie gefordert, die Mischna Joma 1, 1 setzt wenigstens nicht voraus, daß er noch eine zweite Frau haben könnte.[3]) Philo meint, der Hohepriester soll eine Jungfrau heiraten, „die noch keines anderen Mannes Namen durch irgendwelche Übereinkunft trägt, selbst wenn sie in jungfräulichem Zustande geblieben ist". Philo betont dann noch besonders, daß die Jungfrau „eine Priesterin aus priesterlichem Geschlecht" sein muß.[4]) Das Ideal war also die Endogamie, welche neben der Un-

---

[1]) Kidd. 4, 6. 7: Die Tochter einer Entweihten und eines Israeliten, eines Israeliten und einer Proselytin, sogar eines Proselyten und einer Proselytin ist der Priesterschaft würdig. Ein oft zitierter Lehrsatz lautet: Die Töchter von Israeliten sind ein Reinigungsbad für Entweihte (Kidd. 64 a Parall.). Josua ben Gamala, ein pharisäischer Priester, hat seine Braut, die Witwe Martha, die Tochter des Boethos heimgeführt, obgleich er inzwischen zum Hohepriester ernannt wurde (Sifra 95 a Weiß). Die Priester werden von dieser Erlaubnis, wie aus Josephus (oben 43, n. 2) hervorgeht, in der Regel keinen Gebrauch gemacht haben.

[2]) Es wurde für sie der „gefaltete Scheidebrief" (גט מקושר) eingeführt (Baba B. 160 a b) oder wenigstens beibehalten.

[3]) Siehe Frankel, Grundlinien S. IX.

[4]) II 229, Mangey bei Ritter 72 f. Die letzte Forderung widerspricht der Ansicht der pal. Schriftgelehrten, wonach der Hohepriester sogar die Tochter eines Proselyten heiraten dürfe. Frankel (Einfluß der palästinischen Exegese auf die alexandrinische Hermeneutik, Leipzig 1851, S. 160) sieht in den klaren Worten Philos ein exegetisches Mißverständnis. Doch ist dies trotz Ritters Zustimmung abzuweisen; der der vornehmsten Familie angehörende Philo war über das praktische Eherecht der Hohepriester unzweifelhaft genau unterrichtet. Er referiert das geltende Recht, die pal. Schriftgelehrten dagegen ihre eigene Exegese, welche von dem Streben der möglichsten Einschränkung der Sonderstellung der Priester beeinflußt war.

möglichkeit der Wiederverheiratung der Geschiedenen mit einem Priester naturgemäß zur Erschwerung und endlich zur völligen Aufhebung der Ehescheidung führen mußte.

Noch entscheidender für unsere Frage ist, was Josephus Archäologie III 12, 2 über die Ehe des Hohepriesters sagt. Ich setze die schon oben S. 42 angezogene Stelle nochmals in extenso hieher: „Den Priestern hat Moses die Keuschheit doppelt eingeschärft. Ihnen insbesondere verbot er, solche Frauen zu nehmen, welche sich früher preisgegeben, welche Leibeigene oder Kriegsgefangene gewesen, welche in Kaufläden oder Wirtschaften gewesen[1]), oder welche von ihren früheren Männern um irgendwelcher Ursache willen verstoßen worden sind. Der Hohepriester soll auch die Frau eines verstorbenen Mannes nicht heiraten, nur eine Jungfrau hat das Gesetz ihm zu heiraten gestattet und diese zu behalten“.[2]) Ritter bemerkt hierzu: „Die letzten Worte haben gar keinen Sinn. Soll der Hohepriester gerade sich nie von seiner Frau trennen dürfen? Das Richtige dürfte wohl hier Mangey getroffen haben, wenn er (II 222, Note i) statt φυλάττειν zu lesen vorschlägt φυλετην, eine „Stammgenossin“. Es würde sich dann daraus ergeben, daß auch Josephus der Meinung war, der Hohepriester dürfe nur aus dem Priesterstamme heiraten“. Nach unseren Ausführungen bleibt man besser bei der überlieferten Lesart: der Hohepriester darf nur eine Frau, und zwar nur eine Jungfrau heiraten und darf diese nicht mehr entlassen. Die exzeptionelle Stellung des Hohepriesters in bezug

---

[1]) Diese zwei Kategorien sind meines Wissens im Talmud nicht erwähnt, wohl aber findet sich etwas ähnliches in dem Testament der zwölf Patriarchen IV, 23: „Eure Töchter werdet ihr zu Tänzerinnen und öffentlichen [Dirnen] machen und werdet euch vermischen mit den Greueln der Heiden“. Reitzenstein, Liebe und Ehe im alten Orient, S. 13: „Eine besondere Rolle spielten dagegen die Tänzerinnen und Kellnerinnen. Sie unterhielten in Wein- und Bierhäusern die Jünglinge mit Musik und Tanz, liebkosten und bekränzten sie“ usw.

[2]) μόνην δὲ αὐτῷ δέδωκε γαμεῖν παρθένον καὶ ταύτην φυλάττειν. Die Übersetzung dieses Satzes nach Ritter, S. 73, der aber selbst bemerkt, daß μόνην auch im Sinne von Eine gefaßt werden könnte. Ich halte dies für richtiger (siehe oben 68, n. 3).

auf die Ehe, welche das Gesetz statuiert hat, ist von den Späteren immer mehr entwickelt worden. Wenn die pharisäischen Schriftgelehrten ohne biblische Grundlage vom Hohepriester die Einehe fordern, so ist dies nur als Konzession an eine alte Institution verständlich. Über die Ehescheidung des Hohepriesters liegt von priesterlicher Seite keine Äußerung vor, doch kann die des Josephus, des Priesterpharisäers, als solche betrachtet werden. Die Hohepriesterehe wird den standesstolzen Zadoksöhnen bei der Statuierung der Einehe und ihrer Unauflösbarkeit vorgeschwebt haben. „Die ganze Gemeinde ist heilig." Diesem Prinzipe folgend, haben die Zadoksöhne neben dem Ehegesetze auch die Reinheitsvorschriften verschärft[1]), d. h. die höchsten Anforderungen auf alle Gläubigen ausgedehnt. Sie haben, wie ja auch die Pharisäer, die sich den levitischen Reinheitsgesetzen unterwarfen und sonstige Erschwerungen freiwillig auf sich nahmen, die Religion demokratisiert. Eine Folge dieser Demokratisierung ist die Ausdehnung der Einehe und ihrer Unauflöslichkeit vom Hohepriester auf alle Gläubigen, ob Priester oder Nichtpriester. Dasselbe tat Jesus, als er die Monogamie und die Untrennbarkeit der Ehe von jedem ohne Ausnahme forderte, wobei er sich auch auf das von den Pharisäern anerkannte Gesetz für die Noachiden stützte. Neu wird in der Begründung bloß die packende Wendung sein: „Was Gott zusammengefügt hat, soll der Mensch nicht scheiden."

Bis auf diese Wendung findet sich alles auch außerhalb des Neuen Testaments, sowohl das Wesen der Sache: die Untrennbarkeit der Ehe, wie auch die Ableitung aus der Schrift nebst der rabbinischen Begründung mit dem vormosaischen Gesetz. In der Priesterschaft ist auch das Milieu gefunden, in welchem die Anschauung von der Unauflösbarkeit der Ehe entstanden ist. In Anbetracht dieser Umstände wird man dem

---

[1]) Schechter hat den Gesetzen dieser Sekte eine eingehende Untersuchung gewidmet und Berührungspunke mit den Dosithäern gefunden (XXIII ff.).

einmütigen Bericht der Synoptiker — Lukas hat bloß die agadische Begründung weggelassen — für authentisch anerkennen und annehmen müssen, daß Jesus das absolute Ehescheidungsverbot tatsächlich verkündet hat. Dies wird auch von Paul bezeugt. Doch scheint nach seinen Worten sowohl I Korinth. 7, 10, als auch Römer 7, 2 (oben 48 f.) Jesus die Monogamie nur vom Weibe, nicht aber auch vom Manne gefordert zu haben. An letzterer Stelle sagt Paul von der Frau: „sie heiße eine Ehebrecherin, wenn sie bei Lebzeiten des Mannes einem andern Manne zu eigen wird", schweigt aber ganz vom Manne. Doch mag dies darin seine Erklärung haben, daß Paul zu seinem Gleichnis des Ehegesetzes des Mannes nicht bedurfte. Schwerer fällt die erste Stelle ins Gewicht, welche direkt die Ehescheidung zum Gegenstande hat, und dennoch lediglich von der Frau sagt: „so sie sich aber scheidet, daß sie ehelos bleibe oder sich mit dem Manne versöhne", während es vom Manne bloß heißt: „daß er das Weib nicht entlasse". Wenn Paul gemeint hätte, die Eingehung einer neuen Ehe sei auch dem geschiedenen Manne verboten, hätte er auch vom Manne fortsetzend sagen müssen: so er aber das Weib entläßt, bleibe er ehelos. Allem Anscheine nach hat Paul zwischen der Ehescheidung des Weibes und der des Mannes einen Unterschied gemacht. Er nimmt wohl dem Manne auf Grund des „Herrnwortes" das Recht der Scheidung, aber nicht das Recht der Wiederverheiratung. Der Mann darf nämlich auch mehrere Frauen nehmen, das Wiederverheiraten ist ihm also auch dann nicht verboten, wenn seine Scheidung ungiltig ist. Anders steht die Sache bei der Frau, die nur einem Manne angehören kann, somit darf sie infolge der Ungiltigkeit der Ehescheidung „bei Lebzeiten des Mannes einem andern Manne nicht zu eigen werden". Das paulinische Ehescheidungsgesetz verträgt, wie man sieht, wegen seiner allgemein gehaltenen Form keine exakte juridische, oder — rabbinisch gesprochen — keine halachische Prüfung.

Jedenfalls bezeugt auch Paul, daß Jesus die Ehescheidung verboten hat. Die Ausnahme „es sei denn wegen Unzucht" kennt er nicht und bestätigt somit gegen Matth. die Version des *Markus* und *Lukas*, *deren Richtigkeit wir aus inneren Gründen erwiesen zu haben glauben.*

III.

ZUSAMMENFASSENDER RÜCKBLICK.

Das souveräne Scheidungsrecht des Mannes und die absolute Unauflöslichkeit der Ehe sind die zwei Pole des Eheproblems und die zwischen ihnen liegenden mannigfachen Abstufungen bezüglich des zureichenden Scheidungsgrundes machen die Geschichte der Ehescheidung aus. Eine solche Geschichte hat die Ehescheidung auch beim israelitisch-jüdischen Volke, aber keine geradlinige Entwicklungsgeschichte von dem einen Pol zum anderen, weder von der beliebigen Lösbarkeit der Ehe zu ihrer absoluten Unlösbarkeit noch umgekehrt. Wohl fanden wir im Pentateuch das unbeschränkte Scheidungsrecht des Mannes und bei einem Teil der Priester sowie in den Evangelien das absolute Scheidungsverbot, doch ist letzteres bloß eine vorübergehende Einzelerscheinung, zu der sich das jüdische Volk in seiner Gesamtheit ablehnend verhielt, und, was die Hauptsache ist, die Unauflöslichkeit der Ehe hat für Nichtpriester nie als Gesetz bestanden. Aber auch innerhalb des Rechtes zur Ehescheidung hat keine Entwicklung in einer bestimmten Richtlinie stattgefunden, denn einerseits wechselten die Anschauungen mit den Zeiten nicht in gerader Richtung, anderseits bestanden auch in ein und derselben Zeit in verschiedenen Volkskreisen entgegengesetzte Strömungen hart nebeneinander. Wenn wir die Hauptmomente, die wir nun herausgreifen, genau betrachten, so finden wir, daß das altrabbinische Gesetz, wie es Akiba, sein größter Vertreter, fixiert hat, bezüglich des Scheidungsgrundes mit dem ältesten uns bekannten Gesetz über diesen Punkt (Deut. 24, 1—4) vollkommen übereinstimmt. *Das Ehescheidungsproblem kehrt nach tausendjähriger Irrfahrt zum Aus-*

gangspunkt zurück. Gewiß eine merkwürdige Erscheinung in der allgemeinen Rechtsgeschichte.

Im alten Israel hatte der Mann, wie bei den meisten alten semitischen Völkern, das bedingungslose Recht zur Scheidung, bei Einbuße des Kaufpreises konnte er die Frau ohne jede Angabe eines Grundes entlassen. Weder im mosaischen Gesetz, noch bei den Propheten findet sich eine Einschränkung dieses Entlassungsrechts oder die Forderung, daß der Mann irgendeinen Grund für die Scheidung geltend zu machen habe. Dementsprechend heißt es an allen drei Stellen, wo der Scheidebrief erwähnt ist, der Mann selbst schreibt, beziehungsweise übergibt den Scheidebrief,[1]) ohne Allusion auf Gemeinde oder Gericht. Der Mann gibt die Frau aus eigenen Stücken frei, wie der Herr seinen Sklaven. Wie die Freilassung des Sklaven, so war auch die Entlassung der Frau ein Privatakt, bei dem keine dritte Person zu intervenieren hatte. Die Bibel gebraucht tatsächlich für beide Akte denselben Terminus: שלח (Freilassung). Hatte ein Gericht nicht einzugreifen, so versteht es sich von selbst, daß der Mann die Scheidung nicht zu rechtfertigen brauchte, da es ja hiefür an einem kompetenten Forum fehlte. Der in der Bibel seltenere (im Talmud gewöhnliche) Terminus für die Scheidung: גרש, beweist schon durch seine einfache Bedeutung: *Verstossen*, daß nach dem Urrecht zur Scheidung weder ein Gericht noch die Angabe eines Grundes notwendig war.[2])

Wenn aber auch der Mann die Frau von Rechtswegen aus jedem beliebigen Grunde abscheiden durfte, so war doch das gewöhnliche Motiv die Untreue der Frau. Einen Zwang zur Scheidung bildete indes auch dieser schwerste Verstoß gegen die eheliche Pflicht nicht; der Mann konnte ihr verzeihen und die Frau behalten, bei bereits eingetretener

---

[1]) Deut. 24, 1—4; Jesaia 50, 1; Jeremia 3, 8.

[2]) Diese Rechtsauffassung existierte bei fast allen Völkern ohne Unterschied der Rasse. Die günstige Stellung, ja sogar Hochschätzung der Frau im alten Israel ist keine Gegeninstanz, denn es ist zwischen lebendiger Sitte und geltendem Recht scharf zu unterscheiden.

„Verstoßung" sie wieder zurücknehmen. War die Frau inzwischen einem anderen Manne zu eigen gewesen, so war die Wiederverheiratung mit ihr gesetzlich verboten. Ein Makel haftete an der geschiedenen Frau, aber nicht am Manne. Über die materielle Seite der Scheidung, welche im Gesetze Hammurabis eine genaue Regelung erfährt, enthält das mosaische Gesetz keine Bestimmung. Sicherlich deshalb, weil die Frau in der Regel keine Mitgift ins Haus brachte und außer der Überlassung des Kaufpreises auf eine Entschädigung keinen Anspruch hatte.

Dem mosaischen Gesetz eigen ist die Institution des Scheidebriefes, der meines Wissens sonst unbekannt ist. Das Gesetz Hammurabis stimmt im Punkte des Scheidungsrechts mit dem mosaischen Gesetz vollkommen überein, mit welchem es auch die Scheidungsformel gemein hat, aber einen Scheidebrief kennt es nicht. Den Scheidebrief vertrat offenbar der gerichtliche Bescheid. Die ägyptisch-jüdische Militärkolonie scheint nach Ausweis des Papyrus G. von Assuan bei Scheidung vor Gemeinde oder Gericht einen Scheidebrief ebenfalls nicht für notwendig gehalten zu haben. Da den Scheidebrief der Mann allein ausstellt und übergibt, kennzeichnet er den privaten Charakter der Scheidung. Der Mann bescheinigt durch ihn der Frau, daß er sie freigegeben und seinen Rechten auf ihr entsagt habe.

Das Vorstehende gibt ein Bild, infolge der trümmerhaften Überlieferung allerdings nur ein lückenhaftes Bild, von der Geschichte der Ehescheidung innerhalb des alten Israels. Ob schon in vorexilischer Zeit Stimmen gegen das souveräne Scheidungsrecht des Mannes laut wurden, wissen wir nicht. Eine solche läßt sich erst zur Zeit Esras, rund 150 Jahre nach dem babylonischen Exil vernehmen. Der letzte Prophet geißelt mit flammenden Worten die Scheidung, den an der Gattin der Jugend begangenen Treubruch. Wohl handelt es sich hier, wie schon der Talmud Ende Gittin bemerkt, um die Entlassung der ersten Frau und es spielt auch ein nationales Moment hinein, da die Männer die stammesgenössischen Frauen stammfremden zuliebe verstießen, doch macht das

Prophetenwort[1]) den Eindruck der entschiedenen Mißbilligung der Ehescheidung.

Die ersten Jahrhunderte des zweiten Staatslebens (von 450 bis etwa 200 vor unserer Zeitrechnung) sind in Dunkel gehüllt, doch wird man nicht fehlgehen, wenn man annimmt, daß die von Maleachi verkündete Anschauung die herrschende war. Dieselbe vertritt wenigstens der Sittenlehrer Jesus Sirach, der erste uns bekannte nachbiblische Schriftsteller, der lehrt: „Hast du eine Frau, so laß dich nicht von ihr scheiden"[2]). Er steht indes auf dem Standpunkte des mosaischen Gesetzes der Auflösbarkeit der Ehe. Er verdammt bloß die leichtfertige Scheidung, billigt hingegen die Scheidung wegen moralischer Defekte der Frau. Bei Ehebruch von ihrer Seite war Scheidung die Regel; ein behördlicher Zwang, wie später zur Zeit des Talmuds, hat aber sicherlich nicht bestanden. Der Mann du fte die Frau behalten und mit ihr das eheliche Leben fortsetzen. Die Frau konnte den Mann verlassen, aber keine Scheidung bewerkstelligen. Bis auf die Einschränkung des Scheidungsgrundes stimmt alldies mit der biblischen Anschauung überein. Es ist evident, daß schon im Zeitalter des Siraciden (um 200 vor) der Ausdruck דבר ערוה (Deut. 24, 1) als moralisches Vergehen aufgefaßt wurde.

Diese Auffassung, die der volkstümlichen Sitte und Anschauung aller voraufgegangenen Zeiten zusagte, entwickelte sich bald dahin, daß im Gesetze lediglich bewiesener Ehebruch als Scheidungsgrund anerkannt sei. Diese Meinung tritt für uns etwa 150 Jahre nach dem Zeitalter Sirachs (um 50 vor uns. Zeitr.) in die Erscheinung. Die Entstehung der Schule Schammais, welche diese Meinung vertritt, ist wohl erst um einige Jahrzehnte später anzusetzen, doch kann kein Zweifel darüber bestehen, daß schon der Begründer der Schule selbst, der bereits vor Hillel, also vor 30 ante, Schulhaupt war, dieser Auslegung des mosaischen

---

[1]) Siehe die Stelle oben S. 26.

[2]) Diesen Ausspruch hat Paul weitergebildet in I. Kor. 7, 27: „Bist du an ein Weib gebunden, so suche nicht los zu werden; bist du los vom Weibe, so suche kein Weib."

Gesetzes gehuldigt hat. Die Beschränkung der Ehescheidung machte seit Maleachi ständig Fortschritte, d. h. die volkstümliche Anschauung setzte sich immer mehr durch, bis sie durch Schammai mittels Schriftauslegung zum Gesetz erhoben wurde. Die Reduzierung des Scheidungsgrundes auf Ehebruch liegt am Ende der mit dem unbeschränkten Scheidungsrecht des Mannes beginnenden Entwicklungslinie, welche das Scheidungsproblem in Palästina durchlaufen hat.

Mit dem Babylonier Hillel setzt eine Opposition ein. Im Gegensatz zur Volksanschauung und zweifellos auch in Palästina zu der befolgten Praxis erkennt das neue Schulhaupt auch außerhalb der Sphäre der Moral liegende Scheidungsgründe an. Nur dies meint seine Schule mit dem Kraftwort von dem „Anbrennen der Speise", aber die Angabe eines Grundes hat auch sie für notwendig gehalten, sonst würde sie sich von Akiba, der schon „das Finden einer schöneren Frau" für genügend deklariert, in nichts unterscheiden. Der ein Menschenalter nach Hillel lebende Philo und sein jüngerer Zeitgenosse Josephus stehen auf dem Standpunkte der Hilleliten, indem sie einen Scheidungsgrund wohl fordern, diesen aber nicht auf moralische Defekte der Frau, viel weniger auf Ehebruch beschränken. Hillel und Philo sind Ausländer und Mitglieder des jüdischen Hochadels, Josephus vornehmer Priester. Diese Umstände legen den Schluß nahe, daß die leichtere Scheidungsmöglichkeit Anschauung und Praxis der babylonischen und hellenistischen Diaspora, sowie der oberen Volksschichte darstellt.

In dem heftigen Kampf, der um das Scheidungsproblem einige Dezennien vor unserer Zeitrechnung entbrannte und rund ein Jahrhundert währte, haben sich die zwei extremsten Ansichten über diese, das ganze jüdische Volk des heiligen Landes bewegende Frage ausgebildet, welche für die Folgezeit einerseits im Judentum und anderseits im Christentum maßgebend geblieben sind. Das eine Extrem finden wir bei Akiba. Er hat in unseres Erachtens richtiger Erfassung des pentateuchischen Gesetzes und in konsequenter Weiterbildung des hillelitischen Scheidungsprinzips den Scheidungsgrund juridisch ganz ausgeschaltet, die Scheidung dem Manne auch gegen den Willen der Frau frei gestellt. Dieses Scheidungsprinzip blieb Jahrhunderte lang in Geltung, bis es im Mittelalter aufgehoben und die Scheidung ohne Einwilligung der Frau verboten wurde. Das andere Extrem vertreten Priester, wahrscheinlich solche, die der niederen Priesterschaft angehörten. Die Priestersekte der Zadokiten verbietet ausdrücklich jede Ehescheidung ohne Ausnahme. Diese Ansicht vertritt höchstwahrscheinlich auch das aus Priesterkreisen hervorgegangene Jubiläenbuch. Bei beiden steht die Unauflöslichkeit der Ehe mit de Forderung der Monogamie auch für den Mann in enger Verbindung. Das Vorbild für diese Einehe und ihrer Unauflöslichkeit war die Ehe des Hohepriesters, der nach der Mischna nur eine Frau besitzen durfte und nach Josephus diese behalten mußte. Dieser priesterlichen Leh e hat sich Jesus angeschlossen, die er mit der geschickten Wendung: „Was Gott zusammengefügt hat, soll der Mensch nicht scheiden" homiletisch (agadisch) stützte. Die gesetzliche (halachische) Grundlage fand er in dem vormosaischen Gesetz, mit dem talmudischen Terminus, in dem Gesetz für die Noachiden, laut welchem jede Ehe unauflösbar ist. Eine Ausnahme besteht nicht, auch Ehebruch der Frau bildet keine solche. Was in diesem Falle zu geschehen habe, ob namentlich die Ehe mit einer solchen Frau fortgesetzt werden dürfe, ist eine Frage, auf die von Jesus keine Antwort überliefert ist. Matthäus[1]) steht auf dem rabbinischen Standpunkt, wonach in fraglichem Falle die eheliche Gemeinschaft aufzuheben ist.

---

[1]) Siehe außer der von uns behandelten Hauptstelle 1, 19: Josef will Maria im Stillen entlassen. Vgl. auch Vers 25.

STELLENREGISTER.

Bibel.

Kodex Hammurabi.

Apokryphen.

DIE

JÜDISCHE EHESCHEIDUNG UND DER JÜDISCHE SCHEIDEBRIEF

EINE HISTORISCHE UNTERSUCHUNG

Zweiter Teil

Mit Zwei Faksimilen

von

Prof. Dr. Ludwig Blau

Budapest 1912

Originally published in conjunction with
Jahresbericht der Landes-Rabbinerschule in Budapest für das Schuljahr 1911—1912

ISBN 0 576 80146 1
Republished in 1970 by Gregg International Publishers Limited
Westmead, Farnborough, Hants., England
Printed in Hungary

Inhalt.

Der älteste bekannte Scheidebrief, Fostat 1020.
Elkan N. Adler, London.

Scheidebrief, Fostat 1128.
Elkan N. Adler, London.

I.

SIEBEN SCHEIDEBRIEFE NEBST VORBEMERKUNG.

Bevor ich in die Untersuchung meines Gegenstandes eintrete, drucke ich, damit der Leser den zu behandelnden Text vor Augen habe, die folgenden sieben Scheidebriefe ab, von denen Nr. 1 und 5 wirkliche Originalurkunden sind, während dies von 6 und 7 nur zum Teil gilt. An die Spitze stelle ich den Scheidebrief von Fostat, weil er gegenwärtig die älteste einschlägige Urkunde bildet und als solche die größte Beachtung verdient. Zwar ist das Formular der Halachoth Gedoloth um 300 Jahre älter, es ist aber zumindest fraglich, ob es genau in der ursprünglichen Form erhalten ist. Wie wir weiter unten sehen werden, hat man schon um 1100 eine wichtige Korrektur an ihm vorgenommen. Dasselbe gilt von dem Formular Alfasis und Jizchakis. Im Großen und Ganzen wird man indessen die Überlieferung für treu ansehen und so das Material zu einer Vergleichung der Scheidungsurkunden in den verschiedenen Ländern verwenden dürfen. Kleinere Abweichungen werden sich namentlich zwischen den orientalischen und okzidentalischen Fassungen ergeben.

Im 11. Jahrhundert war die Alleinherrschaft des babylonischen Talmuds, der in den Gaonen, den im Gesamtjudentum sich hohen Ansehens erfreuenden geistigen Führern der jüdischen Bevölkerung des arabischen Weltreiches, offizielle Vertreter von weitreichendem Einfluß besaß, bereits ein halbes Jahrtausend alt. Eine natürliche Folge dieser Alleinherrschaft war die Verwischung der früher bestandenen Unterschiede im religiösen Leben überhaupt, und so sind auch beim Scheidebriefe, diesem religionsgesetzlichen Dokument κατ’ ἐξοχήν, von vornherein keine weitgehenden Abweichungen in der Textierung zu erwarten. Die eigentliche Geschichte dieser Urkunde hat sich im Altertum abgespielt, in jener Zeitepoche, in welcher das palästinische Judentum noch nicht ganz gebrochen war und der Scheidebrief neben der religionsgesetzlichen auch noch eine zivilrechtliche Seite besaß.

Das Formular (טופס Typus) hat im Laufe der Zeit eine feste Gestalt angenommen, doch verblieb, wie weiter unten gezeigt werden wird, auch dann noch eine Differenz zwischen Palästina und Babylonien bezüglich mancher technischer Ausdrücke, deren Spuren noch in den folgenden Scheidebriefen sichtbar sind. Anders lag die Sache bezüglich des Wesens des Scheidebriefes (תורף), d. h. bezüglich derjenigen Punkte, die von Fall zu Fall ausgefüllt werden mußten, zu welchem hauptsächlich die Formulierung und Schreibung der Personen- und Ortsnamen sowie des Datums gehören. Hierüber gab es keine bis in die kleinsten Einzelheiten festgelegte Vorschriften und konnte es auch keine geben. Es ist also nicht zu verwundern, daß über diese Fragen noch im späten Mittelalter, ja bis in die Gegenwart hinein viel gestritten wurde. Bei der Empfindlichkeit, welche Fragen bezüglich der Gültigkeit einer Ehescheidung im jüdischen Volke selbst auslösten, kam es nicht selten zu weitreichenden Zwistigkeiten, deren Geschichte ich ursprünglich gleichfalls darzustellen die Absicht hatte. Diesen Plan habe ich aus verschiedenen Gründen aufgegeben, so daß sich meine Arbeit nunmehr rein auf die Untersuchung der Geschichte der Urkunde selbst beschränkt, ohne die äußeren Wirkungen angefochtener Scheidebriefe zu verfolgen. Man wird auch eine Besprechung jener Punkte, welche in der Regel den Kern der Streitfragen bildeten, in meinen Untersuchungen vergeblich suchen, denn meine Arbeit ist kein halachisches Kompendium des Get, an welchen kein Mangel ist, sondern eine rein historische Darstellung, die mit der religionsgesetzlichen Praxis überhaupt nichts zu tun hat. Diesem Ziele entsprechend, habe ich auch außerjüdische Quellen herangezogen und ihre Daten als gleichberechtigte behandelt.

Was die Anordnung meiner Arbeit betrifft, so habe ich es für zweckdienlich gefunden, an erster Stelle den Inhalt des Scheidebriefes zu behandeln und die Geschichte der Form der Urkunde erst nachfolgen zu lassen. Auch bei der Behandlung des Inhalts habe ich nicht die Reihenfolge des Textes in der gegenwärtigen Urkunde befolgt, sondern, der Wichtigkeit entsprechend, zunächst den eigentlichen Inhalt, die Scheidungsformel, untersucht. Den Weg zu dieser Untersuchung habe ich mir durch die voraufgehende Zusammenstellung der Eheschließungs- und Ehescheidungsformeln angebahnt, wobei kleinere Wiederholungen nicht ganz zu vermeiden waren.

Für die Lesung einer Korrektur bin ich auch diesmal meinem Lehrer, Herrn Direktor Bacher, zu Dank verpflichtet.

*

1. Originalurkunde, Fostat 1088.

בתרין בשבה דהוא ארבעה יומי בירח אלול | דשנת אלפא וארבע מאה
שנין למניינא | דרגילیננא ביה בפסטאט מצרים דעל | נילוס נהרא מותבה
אנא ישראל בן ירמיה | וכל שום דאית לי צביתי ברעות נפשי כד | לא
אניסנא ושבקית ופטרית ותריכית | יתיכי ליכי דהית אנתתי דיני ברת שלמה
וכל שום | דאית ליכי דהות אנתתי מן קדמת דנה | וכדן תריכית יתיכי די
תיהויין רשאה | ושלטא בנפשכי למהך להתנסבא לכל | גבר די תיצביין
ואנש לא ימחא בידכי | מן יומא דנן ולעלם ודן די יהוי ליכי מני | ספר
תירוכין וגט פטורין ואגרת שבוקין | כדת משה וישראל
הלל החזן ב״ר עלי ז״ל
עלי הכהן ב״ר יחי ע״ו.

(Jewish Encyclopedia IV, 624. [Facsimile.] אוצר ישראל III, 270.)

2. Formular in Halachoth Gedoloth (um 750).

ביום פלוני דהיא כן וכן בירח פלוני דהוה כן וכן אמ׳ פלו׳ בר פלו׳ וכל
שום דאית לי צביתי ברעות נפשי כד לא אניסנא ושבקית ופטרית ותריכית

יתיכי ליכי אנת פלו׳ בת פלו׳ וכל שום דאית ליכי דהווית אינתתי מן
קדמת דנא וכדו תריכית יתיכי די תיהויין רשאה ושלטא בנפשכי למהך
לאתנסבא לכל גבר די תיצביין ואנש לא ימחי בידיכי מן יומא דנן ולעלם
ודן די יהוי ליכי מיני ספר תירוכין וגט פיטורין ואגרת שיבוקין כדת
משה וישראל.

(הלכות גדולות ed. Hildesheimer 339 a.)

3. Formular in Alfasis Halachoth (vor 1100).

גט כריתות

בכך בשבת בכך וכך לירח פלוני בשנת כך וכך לבריאת | עולם במניינא
דרגילנא למימני ביה בדוכתא פלוני איך | אנא פלוני בר פלוני וכל שום
דאית לי דמטתא פלוני | צביתי ברעות נפשי בדלא אניסנא ופטרית
ושבקית | ותרוכית יתיכי ליכי אנת פלונ׳ בת פלונ׳ וכל שום דאית | ליכי
דמטתא פלונית דהוית אינתתי מן קדמת דנא | וכדו תרוכית יתיכי ליכי
אנת פלניתא בת פלוני וכל | שום דאית ליכי דמטתא פלוני דיתהוויין
רשאה ושלטאה | בנפשיכי למהך להתנסבא לכל גבר דיתצביין ואינש | לא
ימחה בידיכי מן יומא דנן ולעלם והרי את | מותרת לכל אדם ודן די יהוי
ליכי מינאי ספר תירוכין | וגט פיטורין ואגרת שבוקין כדת משה וישראל

ראובן בן יעקב עד

אליעזר בן גלעד עד

(Alfasi Venezia 1522, II. fol. 600 a.)

4. Formular Salomon Jizchakis (vor 1100).

(זהו טופס הגט:) פטרית יתיכי ליכי אנת פלונית בת פלונית דהוית
אינתתי מקדמת דנא וכדו פטרית ושבקית ותרוכית יתיכי די תיהוין רשאה
ושלטאה בנפשייכי למהך לחתנסבא לכל מאן דיתיצביין ואינש לא ימחי
בידייכי מן יומא דנן ולעלם ודן די יהוי ליכי מינאי גט פטורין וספר
תירוכין ואגרת שבוקין כדת משה וישראל:.

(Raschi-Kommentar zu Gittin 85b ed. Frankfurt a. M. 1720.)

5. Originalurkunde, Paris 1308.

בששי בשבת בחמשה ימים לירח איר שנת המשת | אלפים וששים ושמנה
לבריאת עולם למנין שאנו מנין | כאן בפריש מתא דיתבא על נהר שינא
ועל נהר אישונא | אנא אליאב בר רבי יוסף הלוי העומד היום בפריש מתא |
דיתבא על נהר שינא ועל נהר אישונא צביתי ברעות נפשי בדלא | אניסנא

ושבקית ופטרית ותרוכית יתיכי ליכי אנת אנתתי רבקה | בת ר׳ אברהם
הכהן העומדת היום בפריש מתא דחוית אנתתי מן קדמת דנא וכדן פטרית
ושבקית ותרוכית יתיכי ליכי די תיהויין רשאה ושלטאה בנפשכי | למהך
להתנסבא לכל גבר די תצביין ואנש לא ימחה בידיכי מן | יומא דנן
ולעלם והרי את מותרת לכל אדם ודן די יהוי ליכי | מנאי ספר תרוכין
ואגרת שבוקין וגט פטורין
כדת משה וישראל
יחיאל בן החבר רבי שמעיה הלוי עד
עזריאל בן הרב הקדוש רבי חשמונאי הכהן עד

(Kodex München 575,
abgedruckt von S. Taussig in מלאכת שלמה 6a.)

6. Originalurkunde, München 1740.

בשני בשבת בשלשה ימים לירח פ׳ שנת חמשת אלפים וחמש מאית
לבריאת עולם למנין שאנו מנין כאן במינכן דמתקריא מינכען מתא דיתבא
על נהר איזער דמתקרי איזאר ועל מי מעינות אנא פ׳ דמתקרי פ׳ בן פ׳
העומד היום כאן במינכן דמתקרי מינכען מתא דיתבא על נהר איזער
דמתקרי איזאר ועל מי מעינות וכל שום וחניכה דאית לי ולאבהתי
ולמקומי ולמקום אבהתי צביתי ברעות נפשי בדלא אניסנא ושבקית ופטרית
ותרוכית יתיכי ליכי אנא אנתתי פ׳ דמתקריא פ׳ בת פ׳ דהוית אנתתי מן קדמת
דנא וכדן פטרית ושבקית ותרוכית יתיכי ליכי די תיהויין רשאה ושלטאה
בנפשכי למהך להתנסבא לכל גבר די תיצביין ואניש לא ימחא בידיכי מן
יומא דנן ולעלם יהרי את מותרת לכל אדם ודן די יהוי ליכי מנאי ספר
תרוכין ואגרת שבוקין וגט פטורין כדת משה וישראל.
פלוני בן פלוני עד
פלוני בן פלוני עד

(Kodex München 575, abgedruckt von S. Taussig in מלאכת שלמה 6a. In der Abschrift [Abdruck?] sind die Zeilen des Originals nicht beibehalten.)

7. Karäisches Formular, Fostat 1035.

זה ספר גיטים למצר לבני מקרא.

זה ספר כריתות שכתב פלוני בן פלוני לפלונית | בת פלוני שהתיה (sic)
איושתי
אשתי מקדמת דנה | [פלוני] בא ביום כן וכן בשבוע שהוא יום | כן וכן
מחדש [ויום] פלוני משנת אלף ושלש | מאות שנה ושבעה וארבעים שנים

למס[פר] | יונים בארץ מצרים במדינת פסטאט | שעל נהר פישון מושבה
לפני הזקנים | ויאמר אלהם (sic) ודעתו תמימה מישרת | עליו בלי אונֶס
[אש]תי
אנסו מו[דיע] אני לפניכם | כי גרשתי את פלונית בת פלוני שהיתה | לפני
ארושתי שבקתיה
זה ועתה שלחתיה מביתי והוצאתיה | מרשותי ואתן את הספר הזה ספר
כריתות | לה ואין לי עליה ממשלה ולא שלטון כי היא | לא אשתי ואנכי
לא אישה והנני אומר | לפניכם את פלונית בת פלוני שמֵך וכנוייך | שהיית
ארושתי
אשתי מקדם עתה מגורשת ממני | ומשלחת מֵאִתִי ומוצאת מתחת ידי ומרשותי

(E. N. Adler, Jewish Quarterly Review XII, 684 = About Hebrew Manuscripts, Oxford, 1905, p. 29; Eisenstein, Ozar Yisrael III, 270 b. Eisenstein liest ושבעים וארבע, demnach ist das Abfassungsjahr 1062.)

II.

DIE NAMEN DES SCHEIDEBRIEFES.

Die Scheidungsurkunde, neben welcher in der Bibel nur noch die Kaufurkunde[1]) erwähnt wird, heißt hebräisch סֵפֶר כְּרִיתוּת und wird an drei Stellen viermal genannt[2]). ספר bedeutet im Hebräischen und Aramäischen jedes Schriftstück, also auch die Urkunde ohne Rücksicht auf den Inhalt. כריתות ist ein Abstraktum[3]) „Scheidung", doch nicht in dem Sinne einer gegenseitigen Scheidung der Ehegatten, sondern lediglich in der Bedeutung: der Mann scheidet die Frau. Daher wird die Urkunde bloß in e i n e m Exemplar, und zwar von dem Manne, ausgefertigt, welches der Frau übergeben wird und ihr als Legitimation dient: es ist i h r Scheidebrief[4]). Wie

---

[1]) Jeremia 32, 11. 12. 14, סֵפֶר הַמִּקְנָה.

[2]) Deut. 24, 1. 3; Jes. 50, 1; Jer. 3, 8.

[3]) „Dasselbe gilt von Bildungen wie הֲרִיסוּת „Einreißung", שרירות „Verstocktheit", כריתות „Scheidung", deren Grundform qatil an sich ebenso gut Abstraktum (§§ 85; 54) wie Adjektiv und Particip (§§ 125; 28) sein kann: die Endung verdeutlicht hier den abstrakt. Charakter." (Barth, Die Nominalbildung in den sem. Sprachen 415).

[4]) Siehe die in Anm. 2 verzeichneten Bibelstellen.

die Eingehung der Ehe durch eine vom Manne ausgestellte Eheurkunde, so wird die Auflösung der Ehe durch eine vom Manne ausgestellte Scheidungsurkunde bewerkstelligt: ספר כריתות ist das Gegenstück von [ספר אנתו[ת[1]). Der hebräische Terminus für Scheiden ist indes nicht כרת, sondern שַׁלַּח, vollständig שַׁלַּח מִבֵּיתוֹ „aus seinem Hause wegschicken“, „entlassen“[2]), und manche haben daher שִׁלּוּחִים (Micha 1, 14) als Scheidungsurkunde gefaßt. Schon ein alter Tanna erklärt, Exodus 18, 2 sei mit אחר שלוחיה eine Entlassung mittels Scheidebriefes gemeint.[3])

Im Aramäischen gibt es für den Scheidebrief zwei Ausdrücke: סְפַר תֵּרוּכִין und גֵּט פִּטּוּרִין. Ersteren hat Pseudo-Jonathan, also das palästinische, letzteren Onkelos, also das babylonische Targum zu Deut. 24, 1 und 3. Jonathan (Propheten-Targum) hat dagegen Jes. 50, 1 אִגֶּרֶת פִּטּוּרִין, Jer. 3, 8 אגרת גט פטורין, Koheleth 7, 26 גט פטורין, Pseudo-Jonathan Ex. 21, 11 ebenfalls גט פטורין. Die Mischna hat an der entscheidenden Stelle (Gittin 9, 3 nach der richtigen Lesart) ספר תרוכין und אגרת שבוקין. Weiter unten werde ich nachzuweisen versuchen, daß גט פטורין die gangbare babylonische, ספר תרוכין die schriftgelehrte palästinische und אגרת שבוקין die volkstümlich palästinische Benennung des Scheidebriefes gewesen ist. Was die Etymologie betrifft, ist zu bemerken, daß תרך schon im Assyrischen „entzweireißen, zersprengen“ bedeutet[4]), was

[1]) Das aramäische אנתו ist auf babylonische Einwirkung zurückzuführen (Barth, Sprachwissenschaftliche Untersuchungen zum Semitischen II, 24—26). Hebräisch etwa אישות, was im Neuhebräischen oft gebraucht wird.

[2]) Außer den schon angeführten Bibelstellen noch Deut. 22, 29 u. sonst. Richter 12, 9 שלח החוצה — הביא מן החוץ; vom Sklaven Ex. 21, 26. 27; Deut. 15, 12. 18; Jes. 58, 6; Jer. 34, 9. 10. 16.

[3]) Mechilta z. St. 57b Friedmann: ר׳ יהושע אומר אחר שנפטרה ממנו בגט וכו׳ ר׳ אלעזר המודעי אומר מאחר שנפטרה ממנו במאמר. In Mechilta ed. Hoffmann 86 sind die Autoren verwechselt und statt der unterstrichenen Worte steht באגרת bezw. בדבר. Das palästinische באגרת (siehe weiter) scheint ursprünglicher zu sein als בגט.

[4]) Delitzsch, Assyrisches Handwörterbuch S. 714. Micha 2, 9 תגרשון übersetzt das Targum תתרכון. Der pal. aram. Terminus für Scheiden war תרך.

zu כריתות vorzüglich paßt. פטורין entspricht neuhebräischem גירושין. Sämtliche Ausdrücke für Schließung und Auflösung der Ehe sind pluralia tantum; außer den genannten noch קדושין, נשואין, אירוסין.

Das geläufige Wort ist aber גֵּט schlechtweg, ein babylonisches Lehnwort (gittu), das „schriftliche Urkunde" u. dgl. bedeutet[1]). Wenn eine Konjektur F. Perles' richtig ist, dann findet sich dieses Wort schon Esra 5, 17[2]). In der Mischna wie in der ganzen tannaitischen Literatur hat Get dieselbe Bedeutung wie im Babylonischen, d. h. es bezeichnet jede Urkunde[3]). Daher wurde die Scheidungsurkunde durch die Hinzufügung von פטורין (selten כריתות)[4]) näher bestimmt. Wie der Name des Traktats Gittin und zahlreiche Mischna- und Talmudstellen zeigen, hat Get im Laufe der Zeit die Bedeutung „Scheidungsurkunde" angenommen; sie ist die Urkunde κατ' ἐξοχήν. Doch gilt dies nur für den Sprachgebrauch des Alltags, nicht aber für den offiziellen Stil, der die schon erwähnten präzisen Bezeichnungen festhielt[5]).

Die LXX übersetzt an allen vier Stellen (Deut. 24, 1. 3; Jesaia 50, 1; Jeremia 3, 8) ספר כריתות mit βιβλίον ἀποστασίου. Ebenso wird der Scheidebrief genannt Matth. 19, 7 und Mark. 10, 4, während Matth. 5, 31 kurz ἀποστάσιον hat. Josephus nennt gelegentlich (Arch. XV 7, 10 Anf.) den Scheidebrief γραμμάτιον, in der Darstellung des Ehescheidungsgesetzes betont er dagegen bloß die Schriftlichkeit der Scheidung, ohne den Namen des Scheidebriefes zu erwähnen[6]). βιβλίον und γραμμάτιον sind treue Wiedergaben von סֵפֶר und bezeichnen

---

1) Delitzsch 196.

2) Perles, Analekten zur Textkritik des A. T's. 55 f. בית גנזיא בית גְּטַיָּא, Haus der Urkunden, Archiv.

3) Z. B. Baba Bathra 10, 1. 3: גט פשוט, גט מקושר, darauf כותבין גט לאיש אע"פ שאין אשתו עמו.

4) Keth. 9 b; Schabb. 26 a: ארשב"ג אמר ר' יונתן וכו' גט כריתות כותב לאשתו; Maimuni (Jibbum wa-chalizah 5, 1) גט חליצה — גט כריתות

5) Zu den Worten der Mischna כתבו גט ותנו לאשתי bemerkt Raschi: לשון בני אדם הוא כבר החזיקו בו לקרות לספר כריתות גט (Gittin 65 b).

6) Siehe die Stelle im ersten Teil, S. 43, Anm. 1 (γράμματα).

die Urkunde im allgemeinen, also auch die Scheidungsurkunde. Fraglich ist aber, wie ἀποστάσιον zu erklären ist. Preuschen[1]) bemerkt schon mit Berufung auf Hîbeh-Papyri Nr. 96, 3, ἀποστάσιον bedeute „eigentlich Abtretung“. Neben dem genannten Papyrus beruft sich Mitteis[2]) auf noch andere drei Papyrusurkunden, in denen unser Wort „eine Verzichtsurkunde im weiteren Sinne bedeutet“. Die eine Scheidungsformel lautete, wie weiter gezeigt werden soll, „ich bin nicht dein Mann“. Diese Formel ist eine wirkliche Verzichtleistung auch der Form nach. Josephus[3]) gibt den Inhalt des Scheidebriefes mit den Worten wieder, daß der Mann der Frau schriftlich erklärt, er werde künftig an sie keinen Anspruch machen. Wenn man nun bedenkt, daß der Terminus βιβλίον ἀποστασίου von den alexandrinischen Übersetzern des 3. Jahrhunderts ante herstamme, so wird man die Herleitung aus dem juristischen Sprachgebrauch der griechischen Papyri der Ptolemäerzeit nicht anzweifeln dürfen.

Bei jeder Scheidung gab es vermögensrechtliche Fragen, wie Rückgabe der Mitgift, Scheidungsgeld u. dgl., welche nach Ausweis der aramäischen und griechischen[4]) Papyri in der Scheidungsurkunde geregelt wurden. Pap. F 4 erwähnt den Ehekontrakt[5]) in einem vermögensrechtlichen Prozeß, den Pi mit seiner geschiedenen Frau hatte. Nachdem sie ihm einen Eid geleistet, stellt er ihr eine „Urkunde des Fernseins“ aus, in welcher er erklärt, er „entferne sich von ihr“ (ורחקת מנכי). Dieses aramäische ספר מרחק ist nichts anderes als die griechische ἀποστασίου-Urkunde[6]). Es ist also auch von dieser Seite betrachtet, gut verständlich, daß die LXX für den Scheidebrief den juristischen Kunstausdruck βιβλίον ἀποστασίου herüber-

[1]) Griechisch-deutsches Handwörterbuch zum Neuen Testament S. 150.

[2]) L. Mitteis und U. Wilcken, Grundzüge und Chrestomathie der Papyruskunde (Leipzig-Berlin 1912) II, 1, S. 167, Anm. 1.

[3]) Arch. IV 8, 23.

[4]) Siehe Mitteis II, 2. S. 329—335.

[5]) ספר אנתו. Cowley möchte ספר אנתן lesen; Staerk (Jüdisch-aramäische Papyri², S. 22) konstatiert, daß אנתו geschrieben ist, bemerkt aber: „Schreibfehler?“

[6]) Siehe meinen Nachweis in der Cohen-Festschrift S. 215 f.

nahmen, zumal in ihrer Zeit (und auch noch später) der Scheidebrief neben dem Scheidungsakt in der Regel auch die Ordnung seiner materiellen Seite enthalten hatte. Der rabbinisch gebildete Josephus vermeidet vielleicht gerade wegen dieser Bedeutung des Wortes absichtlich den Terminus ἀποστάσιον. Er hielt den Scheidebrief nicht mehr lediglich für eine zivilrechtliche Urkunde, sondern wie die Rabbinen für ein religionsgesetzliches Schriftstück, durch das allein eine Scheidung bewirkt werden könne. Er bemerkt ausdrücklich: „Dadurch erlangt sie die Erlaubnis, sich mit einem andern Manne zu verheiraten, was sonst nicht zulässig ist“[1].

In einer Papyrusurkunde sagt der Mann zur Frau, von der er sich scheidet: Es sei ihr gestattet ἀποστῆναι καὶ γαμηθῆναι ᾧ ἐὰν βουληθῇ[2]) „wegzugehen und zu heiraten, wen sie will“. Von diesem ἀποστῆναι, das die Scheidung ausdrückt, möchte Herr Prof. Dercsényi, der mich bei der Lesung der griechischen Scheidungsurkunden freundlichst unterstützt hat, den Terminus ἀποστάσιον ableiten.

III.

DIE FORMELN DER SCHLIESSUNG UND SCHEIDUNG DER EHE.

Wie die Ehescheidung mit der Eheschließung, so hängt naturgemäß auch die Scheidungsformel mit der Schließungsformel als Akt und Gegenakt aufs engste zusammen. Wenn wir nun die Scheidungsformel finden wollen, müssen wir vorerst die Schließungsformel zu ermitteln trachten. Eine direkte Angabe findet sich hierüber in der Bibel wohl nicht, doch kann aus der biblischen Ausdrucksweise die Werbe- und Schließungsformel, wie ich glaube, mit Sicherheit erschlossen werden.

Bevor der Mann eine Frau heiratete, unterhandelte er mit der Familie, die über das Mädchen das Verfügungsrecht

---

[1]) Archäologie IV 8, 23. § 253 (I. Teil p. 43, n. 1).

[2]) P. Grenfell II, 76 (siehe weiter unten S. 20).

besaß. Wenn er selbst um das Mädchen anhielt, sprach er: „Gebet mir das Mädchen *zur* Frau"[1]); tat dies ein anderer (gewöhnlich der Vater), so sprach er: „Gebet ihm das Mädchen *zur* Frau"[2]); die Familie „gab ihm dann das Mädchen *zur* Frau"[3]). Diesem Umstande entsprechend, heißt es vom Manne gewöhnlich: er „nahm" eine Frau[4]), oder wenn ein anderer für ihn warb: er nahm für ihn eine Frau[5]). „Eure Töchter gebet uns und unsere Töchter nehmet euch" sagen die Sichemiten; „unsere Töchter geben wir euch und eure Töchter nehmen wir uns" sagen hierauf die Jakobssöhne (Gen. 34, 9. 16. 21). Von der Frau dagegen heißt es: „sie ward ihm zum Weibe"[6]). Dieser Ausdruck, der in den verschiedensten Variationen vorkommt[7]), bedeutet einerseits, daß der Mann das Weib nicht als Sklavin oder Kebse[8]), sondern als eine vollwertige Ehefrau heimführt. Dies ist in dem Worte (לאשה) „zum Weibe" enthalten[9]). Anderseits ist in dem Worte „sie ward" die Einwilligung der Frau angedeutet. Hosea sagt: „Warte auf mich lange Zeit, buhle nicht, und werde keines andern Mannes" (3, 3), womit offenbar gemeint ist: sie willige in keine Ehe mit einem andern Manne ein. Die

---

[1]) Gen. 34, 12: תנו לי את הנערה לאשה.

[2]) Gen. 34, 8: תנו נא אותה לו לאשה.

[3]) Deut. 22, 16; Richt. 1, 12. 13 (Josua 15, 16. 17); 21, 18: I Sam. 18, 17. 19. 27; I Kön. 2, 17. 21; 11, 19.

[4]) Gen. 25, 1; 26, 34; 28, 6; Lev. 20, 14; 21, 13. 14; Num. 12, 1; Deut. 22, 13; 24, 1. 5; I Kön. 16, 31; Jer. 16, 2; I Chron. 7, 15 und sonst. Ruth 1, 4 (וישאו); 4, 10 (קניתי); Exod. 22, 15 (durch Brautpreis zur Frau nehmen מהר ימהרנה).

[5]) Gen. 21, 20 (Mutter); 24, 3. 4. 7. 37—40 (ein Sklave); 38, 6 (Vater); I Sam. 25, 39. 40 (Bevollmächtigte).

[6]) Gen. 24, 67: „Isak nahm Rebeka und sie ward ihm zum Weibe" (ותהי לו לאשה); I Sam. 25, 42; II Sam. 11, 27; I Kön. 4, 11; II Kön. 8, 18; II Chron. 21, 6.

[7]) Gen. 20, 12 ותהי לו לאשה; Deut. 21, 13 והיתה לך לאשה; 24, 2 והיתה לאיש אחר (vgl. Jerem. 3, 1); 24, 4 (vgl. II Sam. 12, 10) להיות לו לאשה; 22, 19. 29 ולו תהיה לאשה. Vgl. noch Lev. 22, 12; Num. 30, 7; 36, 8. 19; Deut. 25, 5; Richter 14, 20; Ezech. 23, 2. 4.

[8]) Richt. 19, 1: Er nahm ein Kebsweib.

[9]) I Kön. 1, 4: Sie ward dem König eine Pflegerin.

Werbeformel des Mannes an die Frau wird demnach gelautet haben: „Werde mein Weib“. Diese Werbeformel schimmert noch hervor aus den Worten, mit welchen die Angehörigen ihre Einwilligung zur Verheiratung der Rebekka geben: „Sie werde das Weib des Sohnes deines Herrn“[1]). Der Talmud hatte das richtige Gefühl, daß die Bibel mit dem Worte „sie ward (des Mannes)“ die Eheschließung ausdrückt[2]). **Der aramäische Ehebrief hat tatsächlich die Formel: „Werde mir zum Weibe“**, eine Formel, die schon Hillel gekannt hat. Er fand sie in den Heiratsbriefen der Alexandriner, welche er wegen einer eherechtlichen Frage einforderte. Wie der Zusammenhang zeigt, war die fragliche Formel für ihn nicht etwas neues, sie war also zu seiner Zeit (um 30 vor) schon auf alle Fälle alt[3]).

Die Wortform אנתו kommt in der jüdischen Tradition lediglich in der Werbeformel vor, während sonst für „Weib“ אתת (אתתא) gebraucht wird. Das Wort ist so stark technisch, daß es auch in die *hebräische* Eheschließungsformel herübergenommen wird[4]). Wie alt diese Formel ist, sieht man aus Papyrus G 3, wo der Mann sagt: „Ich kam in dein Haus, damit du mir deine Tochter Mibtachja zur Ehe gibst“[5]). Noch ältere Belege finden wir bei den Babyloniern, welche ich Kohler-Peisers Werk „Aus dem babylonischen Rechtsleben“ I—IV (Leipzig 1890—1898) entnehme. I, S. 7: „Lat. deine Tochter gib mir, meine Frau soll sie sein“ (13. Jahr Nebu-

---

[1]) Gen. 24, 51: ותהי אשה לבן אדניך.

[2]) Kidd. 5a (und oft): מקיש הויה ליציאה.

[3]) j. Keih. 29 a, 1 (j. Jeb. 14 d): לכשתכנסי לביתי תהויין לי לאינתו; Tos. Keth. 4, 9 (265, 2): כשתכנס[י] לביתי תהא לי לאיתתו; Baba mezia 104 a: לכשתכנסי לחופה הוי לי לאינתו.

[4]) Kidd. 5 b: הרי את לאנתו; הריני לך לאנתו; 9 b: בתך לי לאנתו.

[5]) למנתן לי לברתך מבטחיה לאנתו. Dalman, Dialektproben 4 meint, weil sich die Formel im Talmud in Verbindung mit Hillel findet, daß sie erst aus Hillels Zeit stamme. Cowley bemerkt (Aramaic Papyri 44), לאנתו scheine ein Schreibfehler zu sein für לאנתתי oder לאנתתה. All dies habe ich schon in „Az assuani és elephantinei aram papyrusok“, Budap. 1908 (S. A. aus „Magyar Zsidó Szemle“ 1907), S. 24 f. berichtigt. Siehe jetzt Barth, an der oben p. 7, n. 1 zitierten Stelle.

kadnezars); III, 10: „Gigitim, deine jungfräuliche Tochter gib (mir) zur Ehe, meine Frau soll sie sein“ (Neriglissar, 1. Jahr, 1. Nisan); IV, 12: „Nadâ deine Tochter [zur Ehe] gib, meine Frau soll sie sein“ (4. Jahr Kyros'). Starcke zitiert (Assyrien und Babylonien 301) gleichfalls mehrere Ehekontrakte (teils dieselben). In einem kommt die gleiche Formel vor: N. sprach zu D.: „Gib mir deine Tochter B., die Sängerin, daß sie meine Frau werde.“ Diese Formeln stimmen vollkommen in der ersten Hälfte mit תנה לי לאשה und in der zweiten Hälfte mit ותהי לי לאשה und הוי לי לאנתו überein. Targum J. übersetzt Gen. 20, 12 ותהי לי לאשה (vgl. auch Gen. 12, 19) mit והות לי לאנתו und I Samuel 25, 42 ותהי לו לאשה mit והות ליה לְאִתּוּ[1]). Wir sehen also, daß die Werbeformel: sei mir zur Ehe (aram.), sei mir zum Weibe (hebr. und assyrisch-babylonisch) eine uralte Eheschließungsformel ist. Diese Formel können wir dann vom Talmud an bis auf die Gegenwart verfolgen[2]).

Die Frau wurde in der Regel um ihre Einwilligung befragt (Gen. 24, 57. 58), und es ist selbstverständlich, daß die Einwilligungsformel der Werbeformel entsprechend: „ich werde deine Frau“ lautete. Dies schimmert noch durch in den Worten: „die keines Mannes geworden“ (Lev. 21, 3; Ezech. 44, 25); „sie wird eines anderen Mannes“ (Deut. 24, 2) und „werde keines Mannes“ (Hosea 3, 3). An letzterer Stelle wird noch hinzugefügt: „Und so werde auch ich gegen dich sein.“ Die Ehe kommt durch die Werbung des Mannes und die Zustimmung der Frau zustande; sie schließen einen Bund[3]). Im Ehekontrakt folgt auf die Werbeformel des Mannes

---

[1]) אִנְתּוּ kommt nur zweimal und אִתּוּ nur viermal vor (nach Levy, Chald. Wörterbuch I 44 und 76, wo I, Sam. 25, 42 nicht angeführt ist).

[2]) Jehuda Barzilai, der die in Spanien unverständlich gewordenen aramäischen Dokumente ins Hebräische übersetzt hat (dies war ein Hauptzweck seiner Arbeit), behält die aram. Formel הואי לי לאנתו bei (ספר השטרות S. 10 im 2. שטר אירוסין); לכל חפץ (16. Jahrh.) Nr. 4, Anfang הֱוִי לי לאנתו und sonst.

[3]) Maleachi 2, 13 אשת בריתך; Ezech. 16, 8: ואבא בברית אתך נאם ה׳ ותהיי לי [לאשה].

(ויכן אמר לה: הוי לי לאנתו die Erklärung, die Frau habe eingewilligt והות ליה לאנתו[1]).

Eine andere Eheschließungsformel findet sich in dem schon erwähnten aramäischen Heiratsbrief Papyrus G 4, wo der Mann. nachdem er erklärt hatte: „Ich kam in dein Haus, damit du mir deine Tochter Mibtachja zur Ehe gibst“, fortfährt: „Sie ist mein Weib, und ich bin ihr Mann von heute an bis in Ewigkeit“[2]). Daß diese Formel auch im alten Israel üblich war, geht unzweideutig hervor aus Hosea 2, 4: „Hadert mit eurer Mutter, hadert, denn sie ist nicht mein Weib und ich bin nicht ihr Mann.“ Der Ehescheidungsformel היא לא אשתי ואנכי לא אישה entspricht die Eheschließungsformel היא אשתי ואני אישה, oder היא אשתי ואני בעלה[3]). Diese Formel war noch 1000 Jahre nach Hosea bekannt, wie aus den folgenden Bestimmungen der Tradition hervorgeht. „Hat der Mann zur Frau gesagt: הריני אישך, הריני בעלך, ich bin dein Mann, ich bin dein Herr, so ist dies keine gültige Eheschließungsformel; hat er gesagt: איני אישך, איני בעלך, ich bin nicht dein Mann, ich bin nicht dein Herr, so ist dies keine gültige Scheidungsformel“[4]). הרי את לי לאנתו „du sollst mir zum Weibe sein“, ist eine gültige Formel, הריני לך לאנתו „ich soll dir zum Weibe sein“, ist keine gültige Formel[5]).

In einem altbabylonischen Ehekontrakt findet sich das folgende: „Die Iltani ... hat Arad-Šamaš ... zur Ehe genommen. *Iltani ist seine Gemahlin* ..... [Wenn seine Gemahlin zu Arad-Šamaš: *„Nicht bist] du [mein Mann“* spricht], wird er ihr ein Mal machen und sie für Geld verkaufen; und wenn Arad-Šamaš zu seiner Gemahlin: *„Nicht bist du meine Gemahlin“* spricht, wird er ihr eine Mine Silber geben. Wenn beide aber zu Arad-Šamaš, ihrem Gemahle: *„Nicht bist*

---

[1]) Z. B. in den כתובות aus dem Jahre 1095 und 1164 (Fostat) bei Merx, Documents de Paléographie Hebraïque et Arabe, Leiden 1894, S. 36 und 40. Ittur (Venedig 24c unten): דצביתי למיהוי ליה לאנתו.

[2]) הי אנתתי ואנא בעלה מן יומא זנה ועד עלם.

[3]) Hosea 2, 18: „An jenem Tage wird es sein, spricht der Herr: תקראי אישי ולא תקראי לי עוד בעלי“.

[4]) Kidd. 5 b.

[5]) Tos. Kidd. 1. 1 (334, 27).

du unser Gemahl" sprechen, wird man sie erwürgen (?) und sie in den Fluß werfen"[1]. In einer anderen Urkunde heißt es genau so: Wenn die Frau zum Manne spricht: „*Nicht bist du mein Gemahl*"[2]. In diesen objektiven Urkunden werden die Bedingungen des Vertrages durch direkte Reden der Vertragsparteien festgestellt. Es ist also evident, daß die Auflösung der Ehe von seiten des Mannes mit den Worten: „Du bist nicht mein Weib"[3], und von seiten der Frau mit den Worten: „Du bist nicht mein Mann" erfolgte. Die Eheschließung wurde mit der der Auflösung genau entsprechenden Formel: „Sie ist sein Weib und er ist ihr Mann" ausgedrückt.

Bei den alten Babyloniern lautete also die Eheschließungsformel im Munde des Mannes gewöhnlich genau so wie in der jüdisch-aramäischen Papyrusurkunde: „Sie ist mein Weib und ich bin ihr Mann", und die Ehescheidungsformel wie bei Hosea: „Sie ist nicht mein Weib (und ich bin nicht ihr Mann)". Diese schon bei den Sumerern üblichen Formeln begegnen uns, wie wir oben gesehen haben, noch um 200 unserer Zeitrechnung bei den Juden Palästinas. Die jüdischen Schriftgelehrten kämpfen gegen uralte Formeln des Eherechts, indem sie diese für ungültig erklären und neue an ihre Stelle setzen. Eine merkwürdige Erscheinung, welche auch in anderen Sphären des talmudischen Rechts sich nachweisen läßt.

In einer Baraitha werden drei Formeln erwähnt, welche gültig sind, wenn sie vom Manne, ungültig dagegen, wenn sie vom Weibe gesprochen werden. Die Ehe kann nämlich nur durch den Mann bewerkstelligt werden, der sich die Frau zu eigen macht. Die Kaufehe der Urzeit wirkt in den Rechtsformeln fort, auch nachdem sie in der Wirklichkeit längst zu existieren aufgehört hatte. Rechtsgültige Formeln sind:

---

[1] Meissner, Beiträge zum altbabylonischen Privatrechte Nr. 89 (S. 70), angeführt bei Müller, Die Gesetze Hammurabis S. 124 und bei Ploss-Bartels, Das Weib, 9. Aufl., I, 732.

[2] Ebenda Nr. 90 (S. 71).

[3] „Gemahlin" dürfte dem aramäischen אנתו, „Gemahl" dem aramäischen בעל entsprechen.

1. הרי את מקודשת לי, 2. הרי את מאורסת לי, 3. הרי את לי לאנתו. Ungültig sind: 1. הריני מקודשת לך, 2. הריני מאורסת לך, 3. הריני לך לאנתו[1]). Man sieht hier, daß die älteste Formel הרי את לי לאנתו, welche dem aramäischen הוי לי לאנתו und dem (von uns vermuteten) hebräischen היי לי לאשה nachgebildet ist, an die letzte Stelle gerückt wurde. Eine andere Baraitha führt noch in zwei Gruppen je drei andere Formeln auf, welche sämtlich rechtsgültig sind. Es sind die folgenden: 1. הרי את אשתי, 2. הרי את ארוסתי, 3. הרי את קנויה לי. 4. הרי את שלי, 5. הרי את ברשותי, 6. הרי את זקוקה לי[2]). Hier steht an der Spitze eine Formel, welche ohne das rabbinische הרי mit dem aramäischen הי אנתתי des Papyrus G und mit dem aus Hosea 2, 4 gefolgerten היא אשתי bis auf den Unterschied der zweiten und dritten Person identisch ist. Nr. 2 ist gleichfalls einer von Hosea 2, 21 bezeugten Formel וארשתיך לי לעולם[3]) nachgebildet, während Nr. 3 das rabbinische Aequivalent des biblischen לקח ist[4]). Nr. 4 und 5 sind nur andere Ausdrücke für das Eigentums-, Besitzrecht des Mannes an der Frau. Die letzte Formel lautet: du sollst an mich gebunden sein[5]). Dieser Ausdruck ist technisch für das Gebundensein der kinderlosen Witwe (יבמה) an den Schwager und mag dorther entlehnt sein[6]). Diese Baraitha führt die Formeln in der Reihen-

---

[1]) Kidd. 5b; Tos. ib, 1, 1 (334, 25).

[2]) Ebenda 6a. Beide Baraithas werden mit תנו רבנן eingeführt. Es ist indes fraglich, ob sie aus ein und derselben Traditionssammlung stammen.

[3]) Vgl. Deut. 20, 7 מי האיש אשר ארש אשה; ib. 28, 30 אשה תארש ואיש אחר ישגלנה. Wie diese Stellen zeigen, bedeutet ארש Eheschließung, nicht Verlobung in unserem Sinne.

[4]) Deut. 24, 1 כי יקח איש אשה (kaufen). Eine Baraitha (Kidd. 6a) erwähnt tatsächlich die Formel [הרי את] לקוח לי als eine rechtsgültige.

[5]) זקק bedeutet auch Beiwohnung (Levy, Neuh. Wörterbuch I, 550).

[6]) Die Kidd. 6a mit איבעיא להו zur Diskussion gestellten Formeln sind nicht der Praxis entnommen, sondern Schulprobleme der babylonischen Amoräer, zu denen es tatsächlich keine außerjüdischen Analogien gibt. Gebräuchlich dürften dagegen die in der folgenden Baraitha erwähnten Ausdrücke gewesen sein: במתניתא תנא גט זה לא יועיל לא יתיר לא יעזיב לא ישלח ולא יגרש יהא חרס יהא כחרס דבריו קיימין אינו מועיל אינו מתיר אינו מעזיב אינו משלח אינו מגרש חרס הוא כחרס הוא לא אמר כלום איבעיא להו הרי הוא חרס מהו (גיטין 32 b).

folge ihrer zeitlichen Entstehung auf und darf als eine alte Zusammenstellung gelten.

Am instruktivsten ist aber ein Lehrsatz Samuels (gestorben 254 als Schulhaupt von Nahardea), der je drei Eheschließungs- und Ehescheidungsformeln für gültig und je drei für ungültig erklärt. Gültig sind: 1. הרי את מקודשת לי, 2. הרי את מאורסת לי, 3. הרי את לי לאנתו; ungültig sind: 1. הריני אישך, 2. הריני בעלך, 3. הריני ארוסך. Gültig sind: 1. הרי את משולחת, 2. הרי את מגורשת, 3. הרי את מותרת לכל אדם; ungültig sind: 1. איני אישך, 2. איני בעלך, 3. איני ארוסך[1]). Die Formeln: ich bin dein Mann, ich bin dein Herr, ich bin dein Versprochener, sind, wie wir gesehen haben, schon von Hosea (und zum Teil von Papyrus G) bezeugt; ebenso die Scheidungsformeln: ich bin nicht dein Mann, ich bin nicht dein Herr, ich bin nicht dein Versprochener. *Samuel bekämpft gerade die alten, im Munde des Volkes noch weiterlebenden Formeln, indem er sie mit einem starken Ausdruck für null und nichtig deklariert*[2]). *Er fordert die rabbinischen Formeln und stellt an die Spitze der Eheschließungsformeln die jüngste von allen:* הרי את מקודשת לי, *während er bei den Scheidungsformeln die dem Bibelwort entlehnten rabbinischen Formeln den rein rabbinischen vorzieht, ein Beweis, dass* הרי את מותרת לכל אדם *noch nicht allgemein durchgedrungen war*[3]).

Schon in biblischer Zeit ist der Ehe die Verlobung vorangegangen. In talmudischer Zeit wird zwischen Eingang und Vollzug der Ehe unterschieden. Die besprochenen Formeln bewirken den Eingang der Ehe (ארוסין), welchem dann durch die Heimführung (חופה) der Ehestand (נשואין) folgt

---

[1]) Kidd. 5b.

[2]) Er gebraucht den Ausdruck אין כאן בית מיחוש „Nicht ein Schatten von Rechtsgültigkeit ist da.“ Man kann im allgemeinen beobachten, daß der Talmud in der Regel nur dann sich hyperbolischer Ausdrücke bedient (wie אין לו חלק לעולם הבא, חייב מיתה, לא נחרב הבית אלא בשביל u. dgl.), wenn er zähe fortlebende Ansichten, Sitten usw. ausrotten will. Dasselbe Verfahren befolgt er, wenn er neue Sitten, Observanzen, Ansichten verbreiten will (לא נגאלו ישראל אלא, מובטח לו שהוא בן עולם הבא u. dgl.)

[3]) Vgl. weiter unten S. 23 ff.

Der Talmud hat nun bei Belassung des Ehebriefes dessen Eheformel auf den ersten Akt verlegt. Sie konnte aber, ganz wie die Kethuba, auch schriftlich der Frau übergeben werden[1]). Wir sind also durchaus berechtigt, die Kidduschin-Formeln als Eheschließungsformeln zu betrachten.

Fassen wir nun, bevor wir auf die Scheidungsformel des noch gangbaren Scheidebriefes eingehen, die Resultate unserer Untersuchung kurz zusammen. Im alten Israel gab es zwei Eheschließungsformeln: 1. Sie ist mein Weib und ich bin ihr Mann (היא אשתי ואני אישה) (Hosea). 2. Sei mir zum Weibe (היי לי לאשה) (Pent. und sonst). Diese zwei hebräischen Formeln haben wir allerdings nur erschlossen. Ausdrücklich bezeugt sind dagegen zwei aramäisch-jüdische Formeln: 1. Sie ist mein Weib und ich bin ihr Mann (היא אתתי ואנא בעלה) (Pap. G.), 2. Sei mir zum Weibe (הוי לי לאנתו) (Aram. Ehekontrakt). Die hebräischen und aramäischen Formeln stimmen vollkommen überein. Beide Formeln waren schon bei den alten Babyloniern üblich, sie sind gemeinsemitisch. Sie lebten bei den Juden im Kampfe mit anderen, von den Rabbinen eingeführten, zum Teil vielleicht unter fremden Einfluß entstandenen Formeln nachweisbar noch im dritten Jahrhundert, die zweite Formel lebt sogar noch heute in der Kethuba.

Die Scheidungsformel lautete um 800 vor unserer Zeitrechnung: „Sie ist nicht mein Weib und ich bin nicht ihr Mann“ (היא לא אשתי ואני לא אישה, Hosea 2, 4)[2]), was der 1. Eheschließungsformel genau entspricht. Eine andere Scheidungsformel ist in dem noch heute zu Recht bestehenden Scheidebrief aufbewahrt. Sie lautet: „Nun entlasse ich dich,

---

[1]) Kidd. 1, 1. בשטר. Tos. ib. 1, 2 (334, 29): בשטר... אפילי כתב על החרס ונתן לה ועל שטר פסול ונתן לה הרי זה מקודשת (j. Kidd. 58a, 33: על החרס או על נייר). Angelobung durch ein Ostrakon oder wertlosen Papyrus.

[2]) In dem oben abgedruckten karäischen Scheidebriefformular (Fostat 1035) heißt es: Ich entlasse sie usw. „denn sie ist nicht mein Weib und ich bin nicht ihr Mann“ כי היא לא אשתי ואנכי לא אישה. Auch die Karäer haben also in dem Prophetenvers eine Scheidungsformel gesehen, wie wir, bevor wir noch hievon Kenntnis hatten.

daß du das Recht habest *zu gehen, und dich zu verheiraten, an wen du willst*[1]). Das Wesen bilden die unterstrichenen Worte. Sie finden sich als solche schon in der Mischna[2]). Wenn man bedenkt, daß der Scheidebrief eine subjektive Urkunde ist, in welchem der Mann in direkter Rede zu seiner Frau spricht, wie dies ja tatsächlich noch in dem gegenwärtigen Scheidebriefe der Fall ist, und wenn man ferner in Betracht zieht, daß der Vordersatz variiert, während der Nachsatz konstant bleibt, wird man unwillkürlich auf den Gedanken geführt, die einfachere Form habe gelautet: „Gehe, wohin du willst". Diese Form findet sich tatsächlich in dem Papyrus G, dem Ehekontrakt aus dem Jahre 440 vor unserer Zeitrechnung[3]).

In einem neubabylonischen Ehekontrakt aus dem Jahre 593 wird die Scheidung mit „zu ihrem früheren Ort geht sie" ausgedrückt[4]). Der Kodex Hammurabi § 137 bestimmt über die geschiedene Frau: „sie wird den Mann ihres Herzens heiraten", in aramäischer Sprache würde dies lauten: sie heiratet, wen sie will. In den altbabylonischen Gesetzen in neubabylonischer Fassung bestimmt § 7 über die Witwe: „Wenn . . . diese Frau in eines anderen Haus einzutreten beschließt, so soll . . . . . der Mann ihres Herzens sie heiraten"[5]). In einem demotischen Scheidebrief lesen wir: „Ich entlasse dich heute. Ich verzichte dir gegenüber darauf, dir Gatte zu sein, von dem obigen Tage an. Ich kann nicht dagegen handeln an irgend einem Orte, zu welchem du gehst, von dem obigen Tage an bis in Ewigkeit"[6]).

---

[1]) וכדן תרוכית יתיכי די תהווין רשאה ושלטאה בנפשיכי למהך להתנסבא לכל גבר די תצביין.

[2]) Gittin 9, 3: ודין דיהוי ליך מיני גט פטורין ספר תרוכין ואיגרת שבוקין למהך להתנסבא לכל גבר די תצביין. Über diese Mischna siehe weiter unten (S. 23).

[3]) Zeile 24: ותהך להאן זי צבית, Zeile 28 יתהך לה אן זי צבית. Diese Bedingung wird stipuliert, wenn der Mann oder die Frau die Scheidung wünscht.

[4]) Kohler-Peiser, Aus dem babylonischen Rechtsleben I, S. 7 (auch bei Starcke, Babylonien und Assyrien, Marburg a. L. 1907, S. 301).

[5]) Starcke S. 297.

[6]) Nietzold, Die Ehe in Aegypten, Leipzig 1903, S. 79.

Sehr merkwürdig ist vom Gesichtspunkte des Get Papyrus Grenf II 76, 305—6, post, Große Oase: In dieser Scheidungsurkunde sagt der Mann: ἐνθεῦτεν ὁμολογῶ . . . ἀποπέμπεσθαι αὐτὴ[ν καὶ μηκ]έτι μετελεύσεσθαι μὴδε [l. μήτε] περὶ συμβιώ[σεως μή]τε περὶ ἕδνου, ἀλλ' ἐξεῖναι αὐτῇ ἀποστῆ[ναι καὶ] γαμηθῆναι ὡς ἂν βουληθῇ[1]. Nachdem der Mann erklärt hatte, er entlasse seine Frau und werde fortan keine Ansprüche an ihr machen, schließt er: „sondern es sei ihr gestattet, hinwegzuziehen und zu heiraten, wen sie will". Die griechische Scheidungsformel klingt wie eine Übersetzung der jüdisch-aramäischen: תריכת יתיכי די תהויין רשאה ושלטאה בנפשיכי למהך להתנסבא לכל גבר די תצביין und man ist versucht, an einen griechischen Get zu denken, zumal diese Urkunde „vereinzelt als Cheirographon steht", was der Get tatsächlich ist. Griechische Scheidebriefe waren, wie wir weiter sehen werden, sogar in Palästina selbst gang und gäbe.

Interessant ist auch der Scheidungsakt vom Jahre 123 (Tebtynis), in welchem die Scheidungsformel folgendermaßen lautet:

Θ μὲν καὶ Λ. συνῆρσθαι τὴν πρὸς ἀλλήλους συνβίωσιν, ἥτις αὐτοῖς συνεστήκι ἀπὸ συγγραφῆς ὁμολογίας γάμου . , .

καὶ ἐξῖναι ἑκατέρῳ κατὰ τὰ καθήκοντα οἰκονομῖν περὶ αὐτῶν ὡς ἐὰν ἐρῆται, τῇ δὲ Θ. ἐξαῦτις συναρμόζεσθαι ᾧ ἐὰν βούληται ἀνδρεὶ . . .[2])

„Th. und L. heben ihre Ehe auf, welche unter ihnen seit ihrem Ehekontrakte bestanden hat. . . Es ist jedem von beiden erlaubt, nach bestehender Sitte über sich zu verfügen,

---

[1]) Mitteis II, 2, Nr. 295, S. 333; Nietzold a. O., wo noch bemerkt wird: „ähnlich Berl. Griech. Urkunden 975 lin. 15 ff., Corpus Pap. Rainer I, 23 lin. 17—18, Pap. Leipz. 14 lin. 15 u. 19—21", von denen mir BGU. u. CPR. nicht zugänglich sind.

[2]) Mitteis a. O. Nr. 293 (S. 331). Die Aufhebung der Ehe lautet P. Leipz. 14 lin. 31: Συμφωνεῖ ἡμῖν πᾶσαν τὴν συμβίωσιν διαλύσασθαι πρός ἀλλήλους (Nietzold a. O.). Der pal. Gesetzeslehrer des 3. Jahrhunderts zeigt sich also gut informiert, wenn er behauptet, daß bei Nichtjuden die Scheidung nur durch beide Ehegatten bewerkstelligt werden kann. „Sie verstoßen sich gegenseitig" (Teil I, 57, n. 1).

wie ihm beliebt, Th. aber darf sich wiederverheiraten mit [jedem] Manne, den sie will". Bemerkenswert ist hier neben der Scheidungsformel auch der Umstand, daß lediglich bei der Frau die Erlaubnis zur Wiederverheiratung ausdrücklich betont wird.

Wie der Eingang der Ehe mit dem Ausdruck „in das Haus eintreten", so wird die Scheidung mit dem Ausdruck „aus dem Hause ziehen" bezeichnet. Den Begriff der Scheidung drückt noch die Bibel mit „Fortschicken aus dem Hause" oder mit „Verstoßen" aus[1]). Daher ist der Ausdruck: „Du kannst gehen, wohin du willst" schlechthin ohne להתנסבא (um zu heiraten) gleichbedeutend mit: Du bist geschieden und kannst wen immer heiraten. Das fragliche Wort fehlt tatsächlich in dem Scheidungsbrief (שטר חליצה) des Levirs[2]). Die zitierten außerjüdischen Formeln stimmen auch in der Erwähnung oder Unterdrückung der ausdrücklichen Erlaubnis der Wiederverehelichung mit den jüdischen Formeln überein.

Wenn man genau hinhorcht, hört man die in Rede stehende Formel auch aus dem mosaischen Scheidungsgesetze heraus. Es heißt da nämlich, der Mann „schreibt ihr einen Scheidebrief, gibt ihn ihr in die Hand, *schickt sie aus seinem Hause fort, sie zieht aus seinem Hause und geht und wird eines anderen Mannes*"[3]). Der hier beschriebene Vorgang würde in eine subjektive Urkunde gefaßt lauten: „Ich schicke dich fort und du kannst gehen, zu welchem Manne du willst". Im Hinblick auf die babylonischen Parallelen, zu welchen sich auch eine ägyptische gesellt, und in Erwägung des Umstandes, daß die fragliche Scheidungsformel seit 440 ante (jüdisch-aramäischer Papyrus) beim jüdischen Volke nachweislich lebt, halte ich die Vermutung, daß schon der althebräische Scheidebrief im Wesen dieselbe Scheidungsformel enthielt, für durchaus begründet.

---

[1]) Deut. 24, 1 und oft (ושלחה מביתו, kurz ושלחה); Gen. 21, 10; Lev. 21, 7 u. oft (גרושה, גרש). Im Talmud auch יוצא.

[2]) Z. B. Ittur (Venedig 56a unten): שרינוה לפלנית דא למהך לכל גבר דתצביין.

[3]) Deut. 24, 1. 2: ושלחה מביתו ויצאה מביתו והלכה והיתה לאיש אחר.

Aus der Ausdrucksweise des Josephus geht hervor, daß er unsere Scheidungsformel gekannt hat. Die Beschreibung der Zeremonie, welche statthatte, wenn der Bruder seine verwitwete Schwägerin nicht heiraten wollte, schließt er nämlich mit dem folgenden kurzen Satze: *„Die Witwe aber kann dann heiraten, wen sie will“*[1], eine Formel, welche im rabbinischen Gesetz noch heute lebt. Unmittelbar darauf reproduziert Josephus das mosaische Gesetz über die Ehe mit der Kriegsgefangenen, und sagt zum Schluß: „Wenn er aber, nachdem sie schon bei ihm gewohnt, sie nicht länger *zum Weibe haben will*[2], so soll er auch nicht Macht haben, sie zu seiner Sklavin zu machen; sondern *sie soll dann* nach ihrem freien Willen *hingehen dürfen, wohin sie will*“[3].

Die Ehescheidung beschreibt Josephus an derselben Stelle wie folgt: „Wer sich von seiner rechtmäßigen Gattin ... will scheiden lassen, der soll ihr schriftlich die Versicherung geben, daß *er künftig an sie keinen Anspruch mehr machen wolle. Dadurch erlangt sie die Erlaubnis, sich mit einem anderen Manne zu verehelichen,* was sonst nicht zulässig ist“[4]. Das Wesen der Scheidung ist hier mit dem Worte μηδέποτε συνελθεῖν „künftig kein Gattenrecht ausüben“ ausgedrückt. Dieser Ausdruck, der in den Papyrusurkunden in der Bedeutung „keinen Anspruch machen“ oft gebraucht wird, dürfte an unserer Stelle, so glaube ich, eine sinnliche Umschreibung des prophetischen: אִינִי אִישְׁךְ, oder noch eher von אִינִי בַּעְלֵךְ mit der neuhebräischen Nebenbedeutung (בעל beiwohnen) sein. „Die Erlaubnis sich mit einem anderen Manne zu verehelichen“ könnte wohl eine Umschreibung der aramäischen Formel: רשאה ושלטא[ה] בנפשיכי למהך להתנסבא לכל גבר די תצביין sein. Da aber Josephus hier, abweichend von den zwei ersten Fällen, das charakteristische

[1] Archäologie IV, 8, 23.

[2] Erinnert an להיות לו לאשה und an die Eheschließungsformel הוי לי לאנתו.

[3] Ebenda.

[4] Γράμμασι μὲν περὶ τοῦ μηδέποτε συνελθεῖν ἰσχυριζέσθω. λάβοι γάρ ἂν οὕτως ἐξουσίαν συνοικεῖν ἑτέρῳ. πρότερον γὰρ οὐκ ἐφετέον. Schon Winer, Bibl. Realwörterbuch I³, 301, n. 3 sieht in diesen Sätzen eine Wiedergabe des Inhalts des Scheidebriefes. Vgl. Teil I, 43, 1.

„gehen, wohin sie will“ oder „heiraten, wen sie will“ nicht gebraucht, ist es wahrscheinlicher, daß ihm die rabbinische Scheidungsformel הרי את מותרת [להנשא] לכל אדם „du hast die Erlaubnis dich zu verehelichen“ vorgeschwebt hat. Der Scheidebrief, dassen Inhalt Josephus hier wiedergibt, wäre demnach ein in hebräischer Sprache abgefaßter gewesen. Dies ist nicht auffallend, denn in priesterlichen und schriftgelehrten Kreisen gab es, wie weiter unten nachgewiesen werden wird, auch hebräische Scheidebriefe.

Josephus drückt sich präzis aus. Er betont, daß der Mann die Scheidung schriftlich vollziehen müsse. Bei einer anderen Gelegenheit sagt er hierüber: „Salome schickte Kostobar einen Scheidebrief: dies war nicht nach den Gesetzen der Juden, denn einem Manne ist es bei uns erlaubt, seine Frau zu entlassen; eine Frau aber, welche ihren Mann aus freien Stücken verlassen hat, darf nicht eher zu einer neuen Ehe schreiten, bis sie von ihrem Manne entlassen worden ist“ [1]).

Wir kommen nun zur rabbinischen Scheidungsformel, welche wir soeben erwähnt haben. Die Hauptstelle findet sich Gittin 9,3 und lautet: גופו של גט הרי את מותרת לכל אדם, ר' יהודה אומר ודין דיהוי לכי מיני גט פיטורין ספר תירוכין ואיגרת שבוקין למהך להתנסבא לכל גבר די תצביין [2]). „Der wesentliche Inhalt des Scheidebriefes ist: Es ist dir nun erlaubt, dich zu verheiraten an jeden (beliebigen) Mann. R. Jehuda sagt: Und dies ist dein Scheidebrief von mir, so daß du gehen kannst, dich zu verheiraten, an jeden Mann, den du willst“.

Wir haben schon bemerkt, daß die Formel zu הרי את מותרת [להנשא] לכל אדם zu ergänzen ist. Diese *volle* Formel wird in unseren Quellen wohl nicht mehr angetroffen, doch

---

[1]) Archäologie XV, 7, 10 Anf.: χρόνου δὲ διελθόντος ἐπισυνέβη τὴν Σαλώμην στασιάσαι πρὸς τὸν Κοστόβαρον, καὶ πέμπει μέν εὐθὺς αὐτῷ γραμμάτιον ἀπολυομένη τὸν γάμον οὐ κατὰ τοὺς Ἰουδαίων νόμους. Ανδρὶ μὲν γὰρ ἔξεστι παῤ ἡμῖν τοῦτο ποιεῖν (πέμπειν γραμμάτιον) κτλ. Ein Eheverbot erwähnt Josephus gelegentlich auch XVIII, 5, 4.

[2]) Ed. Lowe. Auf diese Mischna kommen wir S. 35 noch zurück.

schimmert sie noch aus manchen Wendungen hervor. So z. B. Tos. Gittin 9 (6), 1 (333, 5): המגרש את אשתו ואמר לה הרי את מותרת לכל אדם אלא לפלוני ר' אליעזר מתירה לינשא לכל אדם, חוץ מאותו האיש, ומודה ר' אליעזר שאם נישאת לאחר ונתארמלה או נתגרשה שמותרת לינשא לזה שנאסרה עליו... (שם 4) הלכה ונשאת לאחר ואמר לה הרי את מותרת לכל אדם היאך זה מתיר מה שאסר הראשון[1]. Unsere Mischna, welche im allgemeinen äußerste Kürze auszeichnet, hat auch hier kurz: ר' אליעזר מתיר (9, 1). Die Termini אסור und מותר sind überhaupt stets mit dem Hauptinhalt des Verbots oder der Erlaubnis zu ergänzen, zumeist mit לאכול. Beiläufig bemerkt, Schammai und Hillel dürften die fraglichen Termini noch nicht verwendet haben[2]. „Es ist dir gestattet, dich zu verheiraten an jeden Mann" ist das neue rabbinische Aequivalent des alten (und populären): „Du kannst gehen und dich verheiraten an jeden Mann, den du nur willst". Die palästinischen Schriftgelehrten der ersten zwei Jahrhunderte haben für die Scheidung ebenso eine eigene Formel geschaffen, wie für den Eingang der Ehe. Wie הרי את מקודשת לי die jüngste Eheschließungsformel[3], so ist הרי את מותרת לכל אדם die jüngste Ehescheidungsformel. Wie die erstere beim Schließungsakt, bei der Übergabe des Geschenkes, so wurde letztere sicherlich beim Scheidungsakt, bei der Übergabe des Scheidebriefes, vom Manne gesprochen[4].

---

1) Tos. Jeb. 6, 7 (247, 29): כיון שהגיע גט לידה מותרת להינשא מיד, Mischna Jeb. 2 Ende מותרות לינשא להן und sonst.

2) Beza 1, 1 sagen sogar ihre Schulen noch תאכל und לא תאכל, wo Tosafot die Frage stellt, warum sie nicht אסור und מיתר sagen und finden eigentlich keine befriedigende Antwort. An eine Entwicklung der Terminologie, eine Frage, die meines Wissens noch nicht einmal aufgeworfen wurde, konnten sie nicht denken.

3) Kidd. 2b bemerkt der Talmud האשה נקנית sei לישנא דאורייתא, האיש מקדש sei לישנא דרבנן, und setzt fort: דאסר לה אכולי עלמא כהקדש. Demnach schwebt über der Bindungsformel der Satz ואסורה לכל אדם, wozu הרי את מותרת לכל אדם eine passende Gegenformel bilden würde. Nach Tosafoth z. St. ist מקודשת = מזומנת oder מיוחדת „für jemand bestimmt".

4) Für diese Annahme sprechen die obigen Stellen (ואמר לה). Siehe noch j. Gittin 44 d, 21 (= 50 b) und b. Gitt. 84 b. Später sagte man הרי זה גיטך, was mit ודין... גט פטורין identisch ist.

Dieser Praxis entnahm man dann die Formel, als man an die Stelle des aramäischen Scheidebriefes den hebräischen zu setzen versuchte, worüber Kapitel V, 2 gehandelt werden soll. Es ist nämlich sicher, daß in der oben abgedruckten Mischna Gittin 9, 3 eine Kontroverse darüber vorliegt, ob der Scheidebrief hebräisch oder aramäisch ausgefertigt werden soll. Für diese Auffassung der Mischna spricht ihre Formulierung, ferner der pal. Talmud, der von einer Kontroverse über das Wörtchen ודין nichts weiß. Die Ansicht, das Wesen des Scheidebriefes sei הרי את מותרת לכל אדם, das an erster Stelle und als *allgemeine* Ansicht erscheint, ist in Wirklichkeit die jüngere, die vielleicht erst von Meir, dem Redaktor der ersten Mischna aufgestellt wurde. Die Kontroverse dreht sich nicht darum, ob man in den aramäischen Scheidebrief den gedachten Satz als Wesen einfügen soll, sondern darum, ob man den herkömmlichen Scheidebrief beibehalten oder an seine Stelle einen hebräischen Scheidebrief setzen soll. Beide Scheidebriefe sind zulässig doch meinte der Autor des jetzt anonymen Satzes, man möge auf das Hebräische übergehen, während Jehuda am Herkommen festhält.

In dem Get-Formular des Halachoth Gedoloth haben die Worte הרי את מותרת לכל אדם ursprünglich nicht gestanden, sind aber später hineinkorrigiert worden[1]. Sie fehlen in allen alten Scheidebriefen[2] und in den Fo:mularsammlungen noch im 12. Jahrhundert in Frankreich, wo die Einfügung dieser Formel von Jakob Tam angeordnet wurde[3]. Ein

[1]) Ittur an der S. 26, A. 1, anzuführenden Stelle. Fehlt tatsächlich in der Vatik. Handschrift (ed. Hildesheimer, oben S. 4).

[2]) So im גט von Fostat aus dem Jahre 1088, sowie in den anderen aus Fostat stammenden Scheidebriefen.

[3]) Tosafoth Gittin 26a: וצריך שיניח מקום הרי את מותרת לכל אדם, בכל דוכתי משמע שכותבין לשון זה בגט ובפרק בתרא (פ"ה.) נמי תניא [צ"ל תנן] גופו של גט הרי את מותרת לכל אדם, והנהיג ר"ת לכתוב לשון זה בגט אבל בטופסי גיטין לא היה כתוב ומ"מ אין להוציא לעז על גיטין הראשונים שהרי מאריכין לכתוב כמה לשונית בגט שכתוב כמו הרי את מותרת לכל אדם. Hagahoth Maimonioth zu Geruschin 4, 12: וכן כתב ס' התרומה שצריך לכתוב והרי את מותרת לכל אדם אע"פ שאין כתוב בטופס הקדמונים מ"מ מתוך ההלכה משמע שצריך לכתבו וכו' וכן ר' שמשון כתב שהנהיג ר"ת וכן עיקר.

jüngerer Zeitgenosse des Jakob Tam bemerkte: „die aramäische Formel bedeute dasselbe, was die hebräische, es sei demnach überflüssig, die letztere einzufügen; ferner sei eine Formel hebräisch und die andere aramäisch. Diese Formel sei also ein Zusatz, da sie sich im Formular nicht findet. R. Schelomo und Alfasi haben sie nicht geschrieben usw.“ [1]) In manchen Texten des Maimunischen Kodex (Geruschin 4, 12) fehlte die Formel; Nachmani (13. Jahrh.) entschied sich für sie, doch gab es auch gegenteilige Meinungen [2]) und Vidal de Tolosa macht Anstrengungen, um zwischen der hebräischen und aramäischen Formel einen Unterschied herauszubringen [3]). Im 16. Jahrhundert war die Sache ganz entschieden, Josef Karo findet es nicht mehr für notwendig, diesbezüglich eine Bemerkung zu machen, dagegen zitiert Isserls eine Ansicht, nach welcher die in Rede stehende Formel sogar in einer Zeile geschrieben werden muß [4]).

Jesaia di Trani (13. Jahrh.) meint, die aramäische Formel sei neben der hebräischen ganz überflüssig und gehöre garnicht zum Inhalt des Scheidebriefes. Übrigens meint er, jede Formel, welche die Scheidung ausdrückt, sei zulässig, die üblichen seien garnicht die deutlichsten. Ferner meint er,

[1]) Ittur, ed. Venedig 15 a oben: ומסתברא מדכתב ודן דהוו ליכי מינאי ולמהך להתנסבא לכל גבר דת׳צביין היינו את מותרת לכל אדם ולא צריך תו לאהדוריה . . . ותו לישנא דר״י בארמית ולישנא הרי את מותרת לכל אדם עברית אלא הרי את מותרת תוספת הוא ואינו בטופס ור״ש ורב אלפס לא כתבו והגהה היא בהלכות שלנו ושמעתי שה״ר הלל מרומניאה פוסלו וה״ר שבתי חולק עליו ואנן כתבינן מאי דסבירא לן. Unter הלכות שלנו sind die Halach. Gedoloth und nicht die Halach. des RIF. zu verstehen.

[2]) Nissim Gerundi (Ran) zu Alfasi z. St. schreibt: ונראה שהם (רש״י ורמב״ם) סומכים דכיון דכתוב ביה למהך להתנסבא לא צריך למכתב הרי את מותרת לכל אדם וכו׳ ולפי זה אין כותבין הרי את מותרת לכל אדם אלא לשופרא דניטא בעלמא ואין זו ראיה וכו׳ וכן כתב הרמב״ן ז״ל דצריך לכתוב הרי את מותרת לכל אדם.

[3]) Maggid zu Geruschin 4, 12. Er zitiert eine Ansicht: שבכלל להתנסבא אינו אלא התר נשואין אבל לא התר זנות.

[4]) Tur Eben Haeser 126 Anf. (דרכי משה) Siehe נחלת שבעה, ed. Fürth 1724, S. 97 a, col. b oben, daß dies nachträglich nicht zu beachten ist: דהא הראשונים לא היו כותבין אותו כלל אלא שר״ת הנהיגו לכתבו וגם לא הנהיגו בשטה אחת דוקא אלא שאנו הוששין לכתחלה לכתבו.

der Scheidebrief sei auch dann gültig, wenn er die Namen des Ehepaares garnicht enthält, die Worte: הרי את מותרת לכל אדם allein oder irgendein anderer Scheidungsausdruck genügen vollständig[1]). Indem ich die äußerst interessante Stelle in der Anmerkung wörtlich abdrucke, möchte ich nur bemerken, daß die Geschichte RJD Recht gibt. Gefordert wurde in ältester Zeit bloß, daß die Scheidung schriftlich gegeben werde, es gab aber keine feste Formel. Wie die Bindung durch eine wie immer geartete Formel ohne Nennung der Namen der Beteiligten, des Ortes und des Datums geschah, so geschah auch die Scheidung.

Wir haben festgestellt, daß die Formel הרי את מותרת לכל אדם bis zur Mitte des 12. Jahrhunderts in den Scheidebriefen nicht figurierte. Diese Tatsache ist nicht anders zu erklären, als daß diese Formel lediglich für den hebräischen Scheidebrief gefordert wurde, aber nicht für den aramäischen[2]); da nun aber dieser letztere das Feld behauptete, gab es für die fragliche Formel keinen Platz. Wenn Samuel fordert, daß in dem vorbereiteten Scheidebrief-Formular auch der Platz für

---

[1]) רי״ד in der Wilnaer Talmudausgabe zu Gittin 85 b: ופו של גט: וכו׳ ס׳ תרוכין ואגרת שבוקין וגט פטורין למדך להתנסבא לכל גבר דתיצביין וכו׳ פי׳ אע״פ שלא כתב בגט אנא פלוני מעיר פלוני פטרית יתיכי פלונית מעיר פלונית אלא הרי את מותרת לכל אדם בלחוד הוי גט כשר שאינו כותב כל זה אלא שיהא ראיה בידה היום ומחר שבעלה גירשה אבל אם העדים מעידים שהוא כתב זה הגט ונתנו לה אע״פ שאין שם שמו ושמה שם עירו ושם עירה כשר הוא ולא מיפסיל אלא בשינה שמו ושמה שם עירו ושם עירה וכו׳ והיה נמי אם כתב בגט לשון אחר של גירושין כשר הוא כדאמרינן בפרק ק׳ דקידושין נתן לה גט ואמר הרי את משולחת הרי את מגורשת הרי את מותרת לכל אדם הרי זו מגורשת והרי אמר לה כתב לה היא פירושו וכדמפרש המורה בהלכתין גבי אמר לה לאשה הרי את לעצמך שהוא כתב לה והכי נמי אם כתב לה אני פלוני גירשתי פלונית אנתתי אע״פ שלא כתב שם הרי את מותרת לכל אדם גט כשר הוא ומבואר יותר מהרי את מותרת לכל אדם כדתנן לקמן חמשה שכתבו כלל בתוך הגט איש פלוני מגרש את פלונית ופלונית והעדים מלמטה כולן כשרים וינתן לכל אחד ואחד: ונ״ל דהא דכתבינן בגט וכדו פטרית ושבקית יתיכי דיתהויין רשאה ושלטאה בנפשיכי למהך להתנסבא לכל גבר דתיצביין אינו מגופו של גט אלא רווחא דלישנא היא שאילו היה מגופי של גט שוב לא היה צריך לו עוד והרי את מותרת לכל אדם וכו׳.

[2]) So faßt die Ansicht Jehudas auch Eisenstein auf in der hebr. Encyklopädie אוצר ישראל III, 269.

הרי את מותרת לכל אדם frei gelassen werde[1]), so schwebt ihm ein hebräischer Scheidebrief vor. Es folgt daraus nicht, daß in Nahardea hebräische Scheidebriefe ausgestellt wurden[2]), denn Samuel erklärt lediglich die Mischna, welche ständig mit unserer Formel operiert[3]). Wenn Samuel aramäisch gesprochen hätte, würde er das aramäische Aequivalent dieser Formel erwähnt haben. Selbst der Talmud Gittin 85b dürfte nicht gemeint haben, daß Jehuda neben der aramäischen auch die hebräische Formel gewünscht habe, sondern bloß, daß er eine Formel fordere, in welcher ausgedrückt sei, daß der überreichte Scheidebrief die Scheidung bewirke, diese ist aber nur die (hergebrachte) aramäische, welche mit „dieser Scheidebrief" (ודין) beginne, während seine Kontroversisten auch die hebräische Formel, welche den Scheidebrief garnicht erwähnt, für genügend halten. Die talmudische Interpretation[4]) stammt auf alle Fälle aus sehr später Zeit, gewiß nicht aus der Zeit vor der Mitte des 4. Jahrhunderts.

Alles in Allem ein interessantes Beispiel für die Geschichte der talmudischen und rabbinischen Exegese, sowie für die Zähigkeit der Urkundenformulare. Die Praxis der Schreiber leistet der Theorie der Rechtsgelehrten hartnäckigen Widerstand.

IV.

INHALT DES SCHEIDEBRIEFES.

1. Kontext des Scheidebriefes.

Der Kontext des Scheidebriefes besteht nach den vorhandenen Urkunden aus den folgenden drei Sätzen.

---

[1]) Gittin 26a: צריך שיניח אף מקום הרי את מותרת לכל אדם.

[2]) Die zwei Scheidebriefe, welche gefunden wurden, sind aramäisch (Jeb. 116a, weiter unten 30).

[3]) 9, 1. 2.

[4]) Nedarim 5b kontroversieren Abaji und Raba über ידים שאין מוכיחות (cf. auch Kidd. 5b und Nasir 62a), wo auch von unserer Mischna die Rede ist. Die Gittin 85b vorliegende Interpretation ist vielleicht auf Grund dieser Kontroverse von den letzten Amoräern, oder von den Saboräern gegeben worden.

1. Ich entlasse dich, die du bisher mein Weib gewesen.

2. Nun entlasse ich dich, daß du dich verehelichen kannst, mit wem du willst.

3. Dies sei dir von mir der Scheidebrief[1]).

Der Scheidungsakt besteht aus zwei Punkten: 1. aus der Entlassung das Weibes aus dem Hause des Mannes, und 2. aus der Erlaubnis für es, sich mit einem beliebigen Manne wieder zu verheiraten. Diese zwei Punkte als Inhalt des Scheidungsaktes, sowie des Scheidebriefes sind schon im mosaischen Gesetz angedeutet, das in seiner gedrängten und signifikanten Sprache die Scheidung mit den Worten darstellt: „Er entläßt sie aus seinem Hause, und sie zieht aus seinem Hause und geht und wird eines anderen Mannes"[2]). Diese zwei Punkte gehören aber eng zusammen und können in einem Satze ausgesprochen sein. Neben diesem Hauptinhalt gehört in den Scheidebrief noch die Legitimation als Dispositivurkunde[3]), d. h. die Erklärung, daß die Scheidung durch diese Urkunde bewirkt wird. Man erwartet demnach im Scheidebriefe bloß zwei Sätze, einen, der die Scheidung, und einen anderen, der die Legitimation enthält. Auf unsere Urkunde angewendet, heißt dies soviel, daß Punkt 2 entweder mit Punkt 1, oder mit Punkt 3 zu vereinigen ist. Tatsächlich ist die Erlaubnis zur Wiederverheiratung mit einem anderen Manne in der Formel des R. Jehuda[4]) mit der Legitimation

---

[1]) Der Scheidebrief von Fostat aus dem Jahre 1088 gliedert sich laut diesem Schema wie folgt:

1. אנא ישראל בן ירמיה וכל שום דאית לי צביתי ברעות נפשי כד לא אניסנא ושבקית ופטרית ותריכית יתיכי ליכי אנתי דיני בת שלמה וכל שום דאית ליכי דהות אנתתי מן קדמת דנא.

2. וכדן תריכית יתיכי די תיהויין רשאה ושלטא[ה] בנפשכי למהך להתנסבא לכל גבר די תיצביין ואנש לא ימחא בידכי מן יומא דנן ולעלם.

3. ודן די יהוי ליכי מני ספר תירוכין וגט פטורין ואגרת שבוקין כדת משה וישראל.

[2]) Deut. 24, 1. 2; ושלחה מביתו ויצאה מביתו והלכה והיתה לאיש אחר

[3]) Siehe weiter unten V, 4.

[4]) Gittin 9, 3: ודין דיהוי לכי מנאי ספר תרוכין... למהך להתנסבא לכל גבר דתצביין. Die Worte למהך — דתצביין fehlen im Kodex München

verbunden. Der hebräische Scheidebrief, der bloß die entsprechende hebräische Scheidungsformel[1]) ohne Bezug auf die Legitimation des Scheidebriefes als Dispositivurkunde fordert, wird diese Formel mit dem 1. Punkte vereinigt haben. Bezeugt sind zwei wirkliche Scheidebriefe und auch ein gleichwertiges Zeugnis aus dem Anfang des 3. Jahrhunderts, einer aus Sura und ein anderer aus Nahardea, also aus den zwei Hauptsitzen der babylonischen Schulen. Der in Sura gefundene lautete: „Jch Anan, Sohn Chiijas aus Nahardea entlasse N. N. meine Frau“[2]); der in Nahardea gefundene lautete: „In der Stadt Kolonia ich Androlinai aus Nahardea entlasse N. N. meine Frau“[3]). Rab hat angeordnet, daß in den Scheidebrief eingeschrieben werde: „N. N. hat entlassen N. N. seine Frau, die früher seine Frau war, von diesem Tage an bis in Ewigkeit“[4]). Der erste Satz unseres Scheidebriefes ist demnach urkundlich gesichert; den zweiten Satz sichert die von Jehuda erwähnte Formel. Etwas anderes wird zwischen den beiden Sätzen nicht gestanden haben. Der Kontext des Scheidebriefes wird demnach im Altertum (zumindestens im 2. Jahrhundert) wie folgt gelautet haben:

Jch N. N. entlasse dich N. N. meine Frau. Und dies sei dein Scheidebrief, auf das du dich verheiratest an jeden Mann, den du willst.

In aramäischer Sprache: אנא ענן בר חייא נהרדעא פטרית ותרכית יתיכי דינה ברת שלמה אנתתי ודין דיהוי לכי מנאי ספר תרוכין למהך להתנסבא לכל גבר דתצביין.

---

95 (ed. Strack 228 b), doch werden sie bloß ausgefallen sein, da sie in allen anderen Texten vorhanden sind.

1) הרי את מותרת [להנשא] לכל אדם.

2) Jebamoth 116 a: ההוא גיטא דאשתכח בסורא וכתיב ביה. אנא ענן בר חייא נהרדעא פטרית ותרכית ית פלונית אנתתי.

3) Jeb. 115 b: ההוא גיטא דאשתכח בנהרדעא וכתיב ביה: בצד קולוניא מתא אנא אנדרולינאי נהרדעא פטרית ותרכית ית פלונית אנתתי. Über Kolonia siehe Neubauer, Géographie du Talmud, S. 397. בצד ist dunkel.

4) Gittin 85b: ראתקין רב בגיטא: איך פלוני בר פלוני פטר ותרך ית פלונית אנתתיה דהות אנתתיה מן קדם דנא מן יומא דנן ולעלם.

So etwa wird ein alter Scheidebrief gelautet haben, der nebst Datum nicht mehr als 2—3 Zeilen ausgemacht hat, was der Talmud für Palästina bezeugt[1]). Der Scheidebrief von Fostat erweist sich schon durch die Inkonsequenz als sekundär. In Punkt 1 gebraucht er nämlich für Scheiden drei Ausdrücke, während er in Punkt 2 nur **einen** hat. Wenn man diesen letzteren ausläßt, fließen Punkt 1 und 2 in einen zusammen und der Scheidebrief erhält folgende Fassung:

Ich N. N. entlasse dich meine Frau, auf daß du dich verheiratest an jeden Mann, den du willst. Und dies sei dein Scheidebrief.

In aramäischer Sprache: אנא ישראל בר ירטיה תריכית יתיכי דינה ברת שלמה אנתתי למהך להתנסבא לכל גבר דתצביין ודן די יהוי לכי מני ספר תרוכין.

Dieser Scheidebrief unterscheidet sich vom ersteren darin, daß in ihm die Scheidungsformel mit der Scheidungserklärung verbunden ist, während in der anderen Fassung die Scheidungsformel in die Legitimation der Urkunde aufgenommen ist. Beide Urkundenformen sind gleich gut denkbar. Wenn man indes bedenkt, daß einerseits die Urkunden ihre Form zäh bewahren und anderseits die Urkunde gegen die ausdrückliche Ansicht eines tannaitischen Gesetzeslehrers nicht geändert worden wäre, so wird man mit hoher Wahrscheinlichkeit annehmen dürfen, daß im gangbaren Scheidebrief die Scheidungserklärung mit der Scheidungsformel verbunden gewesen ist, wie das in allen noch sichtbaren Scheidungsurkunden der Fall ist.

Noch höher hinauf, hinter das Zeitalter der Tradition vermögen wir nur vermutungsweise mit Hilfe des Papyrus G. von Assuan und auf Grund des Sprachgebrauches des mosaischen Gesetzes vorzudringen. Wie wir schon bemerkten, enthalten die Worte des ersteren ותהך להאן די צבית eine Scheidungsformel, welche mit dem למהך לכל גבר די תצביין der Form und dem Wesen nach identisch ist. Die kürzeste Formel wäre demnach: אנא פב״פ תרכֵת יתך פב״פ אנתתי ותהך לכל גבר די תצביין.

[1]) Siehe weiter unten S. 33.

Diese Formel deutet an das mosaische Scheidungsgesetz mit den Worten ויצאה והלכה והיתה לאיש אחר, während in ושלחה מביתו der Scheidungsakt ausgedrückt ist. Mit denselben Worten beschreibt die Scheidung Jeremia 3, 1: (הן) ישלח איש את אשתו והלכה מאתו והיתה לאיש אחר und Vers 8: שִׁלַּחְתִּיהָ ואתן את ספר כְּרִיתֻתֶיהָ. Aus dem letzten Satze und noch deutlicher aus Jesaia (50,1): אי זה ספר כריתות אמכם אשר שִׁלַּחְתִּיהָ או מי מנושי אשר מכרתי אתכם לו הן בעונתיכם נמכרתם ובפשעיכם שֻׁלְּחָה אמכם schimmert der Inhalt des Scheidebriefes hervor. Die Frage: „Wo ist der Scheidebrief eurer Mutter, daß ich sie entlassen habe?“, zeigt deutlich, daß der Scheidebrief ein Zeugnis für die Entlassung ist, er muß folglich dieses Wort enthalten haben. Der Vergleich mit dem Gläubiger, dem man die Kinder verkauft, bietet gleichfalls einen Anhaltspunkt. Wie im Verkaufsbrief der Akt des Verkaufens neben dessen Objekt, so ist im Scheidebriefe der Akt der Scheidung neben deren Person verzeichnet. Das Bild des Propheten will besagen, Israel habe Gott ohne Recht verlassen und sich Götzen zu eigen gegeben, wie ein Weib, das eines anderen Mannes geworden ist, ohne das Recht hierzu durch einen Scheidebrief beweisen zu können. Der Scheidebrief diente der entlassenen Frau zugleich als Bescheinigung der rechtmäßigen Freilassung vor dem neuen Manne, der sie in sein Haus aufnahm, eben darum war der frühere Mann verpflichtet, ihr „den Brief ihrer Scheidung zu geben“. Auf Grund dieser Erörterung glaube ich behaupten zu dürfen, daß ein hebräischer Scheidebrief in biblischer Zeit etwa folgenden Wortlaut hatte:

אנכי עבדיה בן מיכה שלחתי אתך רחל בת ירמיה אשתי צאי מביתי ותהיי לאיש אחר כלבבך[1]) וזה ספר כריתתיך[2]). Noch kürzer, ohne

---

[1]) Oder כנפשך. Beide drücken die unbeschränkte Wahl des Weibes aus, wie das aramäische: „Gehe, wohin du willst“ und das babyl. „Den Mann ihres Herzens wird sie heiraten“ (Kodex Hammurabi § 137. Siehe oben S. 19).

[2]) Statt der zweiten Person kann auch die dritte Person gesetzt gewesen sein. Die letzten drei Worte müssen keinen Bestantdeil des Kontextes gebildet haben; vielleicht war ספר כריתת bloß die Aufschrift, wie z. B. ספר מרחק in den Assuan-Papyri.

Namen der Ehegatten und ohne Nennung der Urkunde: אני שלחתיך צאי מביתי ותהיי לאיש אחר כלבבך.

Wir nehmen sowohl für die vorexilische als auch für die nachexilische Zeit bis etwa zum Abschluß des Talmuds Scheidebriefe äußerst kurzen Inhalts an. Wortkarg sind alle alten Urkunden, die assyrisch-babylonischen ebenso wie die altaramäischen und hellenistischen. Bei den Japanern bildet noch heute der Ausdruck „drei und eine halbe Zeile geben" den Terminus der Scheidung[1]). Die schon erwähnten zwei Scheidebriefe aus der ersten Hälfte des 3. Jahrhunderts waren kurz gefaßt; den stärksten Beweis liefert aber der palästinische Talmud, der das Merkmal, der Scheidebrief habe im ganzen zwei oder drei Zeilen, zur Identifikation der Urkunde für ungenügend deklariert, weil dies nichts außergewöhnliches sei[2]). Es entsteht nun die Frage, wie eine solche Kürze erreicht wurde? Darauf gibt es nur eine Antwort: der Scheidebrief enthielt seiner Bestimmung gemäß lediglich die Scheidungsformel, und zwar in jener gedrängten Form, welche im Voraufgehenden ermittelt wurde, ohne jede Zutat. Diese Zusätze werden wir noch im einzelnen zu behandeln haben, hier sei nur von denjenigen Erweiterungen die Rede, welche die Scheidungsformel selbst im Laufe der Jahrhunderte erfahren hat. Um diese zu ermitteln, bietet sich als einziges Mittel die Nebeneinanderstellung der ältesten uns bekannten Scheidungsformeln dar. Aus Gründen, die sich später zeigen werden, wähle ich als solche aus 1. den Scheidebrief von Fostat, 2. den Scheidebrief, den der Talmud erwähnt, 3. den Scheidebrief, den Raschi in seinem Kommentar (Gittin 85 b) mitteilt.

1. Ägypten.	2. Babylonien.	3. Frankreich.
(a) שבקית ופטרית ותריכית יתיכי ליכי אנתתי	(a) פטרית ותרכית ית[יכי]	(a) פטרית יתיכי ליכי אנתתי

[1]) Ploss-Bartels, 9. Aufl., I, 735.

[2]) j. Jebam. 15 d unten, j. Gittin 44 d unten.

(b) וכדן תריכית יתיכי		(b) וכדו פטרית ושבקית ותרוכית יתיכי
(c) ודן די יהוי ליכי מני ספר תרוכין וגט פטורין ואגרת שבוקין		(c) ודן די יהוי ליכי מנאי גט פטורין וספר תרוכין ואגרת שבוקין

Zunächst fällt die Häufung der Ausdrücke für die Scheidung und den Scheidebrief auf[1]), von denen 1. und 3. alle drei und auch 2. mehr als einen hat. Ferner variiert auch die Reihenfolge der Ausdrücke. Bezüglich des letzten Punktes sind obendrein sowohl 1. als 2. inkonsequent. Bei der Scheidung ist nämlich die Reihenfolge in 1.: שבקית, פטרית. תריכית, beim Scheidebrief dagegen ס' תרוכין, גט פטורין, אגרת שבוקין; in 3. wieder פטרית, שבקית, תרוכית und גט פטורין, ס' תרוכין, אגרת שבוקין. Zur Lösung dieser Fragen empfiehlt es sich, von den sicheren Daten auszugehen. Sicher ist vor allem, daß der babylonische Scheidebrief nach Ausweis der zwei vom Talmud angeführten Scheidebriefe für die Scheidungsdeklaration bloß zwei Ausdrücke hatte, und zwar an erster Stelle פטרית. פְּטַר war der babylonische Haupttermini für s c h e i d e n. Die Mischna[2]) sagt: Schreibet einen Get für meine Frau, verstoßet sie, schreibet einen Brief (אגרת), sind Scheidungsausdrücke, nicht aber פטרוה usw. Eine Baraitha[3]) zählt als gültige Termini auf: שלחוה שבקוה תרכוה, als ungültige פטרוה usw., R. Nathan dagegen hält פטרוה für einen gültigen Ausdruck. Hiezu bemerkt Raba (um 350), R. Nathan sei

---

[1]) Schon von A. Friedmann (פתשגן כתב תשובה על דבר נוסח הגט הארמי הנהוג, Wien 1886, S. 7 f.) bemerkt; er hat aber keine historische Erklärung gegeben, sondern gemeint, man habe späteren Streitigkeiten über die Gültigkeit der Urkunde, wie sie seit dem Mittelalter so häufig sich ereigneten, von vornherein vorbeugen wollen.

[2]) Gittin 6, 7: האומר כתבו גט לאשתי גרשוה כתבו אגרת ותנו לה, הרי אלו יכתבו ויתנו, פטרוה פרנסוה עשו לה כנימוס עשו לה כראוי לא אמר כלום.

[3]) Gittin 65 b: ת"ר שלחוה שבקוה תרכוה הרי אלו יכתבו ויתנו פטרוה, וכו' לא אמר כלום; j. Gittin 48 a, 27 v. unten; האומר תרכוה כאומר גרשוה, פטרוה וכו' לא אמר כלום; Tos. ib. 6, 5 (329, 9): האומר תרכו את אשתי [כן צ"ל] כותבין ונותנין לה.

ein Babylonier, daher hält er פטרוה für einen richtigen Scheidungsausdruck, während „unser Tanna, der ein Palästinenser ist“, darunter etwas anderes versteht[1]). Die schon mehrfach zitierte Mischna Gittin 9, 3 lautet nach dem Vulgärtext: „Dies sei dir von mir ספר תרוכין ואגרת שבוקין וגט פיטורין“. Hiezu bemerken die Tosafisten: „In den Texten hat גט פטורין nicht gestanden, auch die Gemara, welche sagt, man schreibe in תרוכין ein langes Waw, erwähnt das Waw von פיטורין nicht. Doch steht es (im Paralleltext) Nedarim 5 b“[2]). Im Mischnatext des Kodex München 95 (ed. Strack 228 b), des Alfasi ed. Venedig 1522, sowie in dem des Jeruschalmi (ed. pr.; ed. Krakau) fehlt tatsächlich גט פטורין und in der ersten Ausgabe des Mischnakommentars Maimunis (Neapel 1492), sowie in der Mischnaausgabe von Lowe befindet es sich an anderer, nämlich an erster Stelle. Schon dieser Befund zeigt, daß גט פטורין in der Mischna sekundär ist. Dieser babylonische Terminus hat in der Mischna, einem palästinischen Produkt, nicht gestanden. An der Hauptstelle, Deut. 24, 1 und 3 übersetzt das palästinische Targum (Jonathan) das Textwort ספר כריתת mit ספר תרוכין, während das babylonische Targum (Onkelos) גט פטירין hat. Das Prophetentargum hat Jesaia 50, 1 אגרת פטורין und Jeremia 3, 8 אגרת גט פטורין. Letzteres zeigt noch deutlich die Interpolation; vom ursprünglichen אגרת שבוקין, das durch das geläufigere גט פטורין glossiert oder ersetzt werden sollte, ist אגרת noch stehen geblieben. Überhaupt kommt אגרת in der Bedeutung „Urkunde“ nur in palästinischen Quellen vor, die Zusammensetzung אגרת פטורין wird also sekundär sein, gleichwie גט פטורין in Ps. Jonathan Exod. 21, 11[3]).

Wie פְּטַר und גט פְּטוּרִין rein babylonisch, so ist שְׁבַק und אגרת שְׁבוּקִין rein palästinisch. Sie finden sich in dieser

---

[1]) Ebenda: תניא רבי נתן אומר פטרוה דבריו קיימין פיטרוה לא אמר כלום, אמר רבא רבי נתן דבבלאה הוא דייק בין פיטרוה לפטרוה, תנא דידן דבר ארץ ישראל הוא לא דייק. Raschi: פַּטְרוּה ist aramäisch, פיטרוה ist hebräisch (Kal). Vgl. B. B. 73 a דונית (Symmachus) = בוצית (Nathan).

[2]) Gittin 85 b s. v. ר׳ יהודה.

[3]) Mechilta z. St. (79 a Friedmann) hat das gewöhnliche גט: — אגרת בקורת Keth. 10, 5.

Bedeutung kein einzigesmal in babylonischen Quellen, dagegen mehrmals, wenn auch nicht oft, in palästinensischen. Besonders bemerkenswert ist, daß es eine volkstümliche Erzählung ist, in welcher das fragliche Wort in den verschiedensten grammatischen Formen vorkommt[1]). Der Held dieser Erzählung (vielleicht Legende) ist der berühmte Schriftgelehrte Jose der Galiläer, der gezwungen ist, sich von seiner bösen Frau zu scheiden, was auf galiläischen Ursprung hinweist. Außerdem wird שְׁבַק in dieser Bedeutung, soweit mir bekannt, nur noch dreimal im Jeruschalmi und zweimal im jerusalemischen Fragmenten-Targum angetroffen[2]). Wie es scheint, hat dieses Wort dem galiläisch-aramäischen Dialekt angehört, während תרך und תרוכין ein von den Schriftgelehrten angenommener Terminus war und darum sowohl von den Palästinern als von den Babyloniern gebraucht wurde. Während er aber bei den Palästinern den ersten Terminus bildete, bildete er bei den Babyloniern bloß den zweiten. Wir erhalten demnach als Resultat: die Palästiner gebrauchten für Scheidung 1. תָּרֵךְ, 2. שְׁבַק, die Babylonier 1. פַּטֵּר, 2. תָּרֵךְ.
Wie die Palästiner der Volkssprache, so haben anscheinend die Babylonier der Amtssprache der palästinischen Schriftgelehrten eine Konzession gemacht.

Kehren wir nun zum Ausgangspunkte unserer Untersuchung zurück, zur Häufung der Ausdrücke für die Scheidung und der Namen für den Scheidebrief. Am Ende der Entwicklung finden wir drei Ausdrücke: שבקית, פטרית, תריכית (Fostat); פטרית. שבקית, תרוכית (Frankreich); und drei Namen: ספר תרוכין, גט פטורין, אגרת שביקין (Fostat), גט פטורין. אגרת שבוקין, ספר תרוכין (Frankreich). Der ägyptische Scheidebrief hat im

---

1) j. Kethub. 34b, 16 v. unten (= Lev. r. 34, 14; Jalkut I, 660; II, 352; Gen. r. 17, 3, S. 152—154 Theodor): שְׁבַק, מְשַׁבֵּק, לִישַׁבְּקָהּ, לְשַׁבְּקוּתָהּ, מְשַׁבְּקָתֵּיהּ אנא. j. Keth. 29c, 38: הוא משבק לה und 30b, 10 v. u. דִּמְשַׁבֵּק אנתתיה; j. Gittin 45c unten: כהדא דושו אחוי דדודו הוה משבק אתתיה.

2) Zitat bei Aruch שבק (Kohut VIII, 18); Meturgeman שבק; Levy, Chald. Wörterbuch II, 451 a.

zweiten Satz (b) lediglich תריכית und unter den Namen des Scheidebriefes steht ספר תרוכין an erster Stelle. Der Kern, aus dem dieses Formular herausgewachsen, ist demnach ein palästinischer, denn die gedachten Ausdrücke sind die Termini des palästinischen Scheidebriefes. Ägypten hat mit Palästina zu allen Zeiten in enger Verbindung gestanden, es hat, wie so manch anderes, z. B. den dreijährigen Cyklus der Toravorlesung, auch das palästinische Scheidungsformular übernommen, in welches dann in nachtalmudischer Zeit unter dem beherrschenden Einfluß der Gaonen die babylonischen Termini einsickerten. Der abendländische Scheidebrief dagegen hat in allen drei Sätzen an erster Stelle den babylonischen Terminus: פטרית (a) und (b) und גט פטורין (c), er ist also aus einem babylonischen Formular hervorgegangen. Er hatte ursprünglich sicherlich bloß die zwei babylonischen Termini פטרית ותרוכית (b) und גט פטורין וספר תרוכין, denen dann שבקית und אגרת שבוקין angehängt wurden. ושבקית (b) erscheint jetzt fälschlich an zweiter Stelle, denn das ihm entsprechende אגרת שביקין steht an dritter Stelle. Man hatte in Europa, wo das Aramäische abgestorben war, kein richtiges Sprachgefühl mehr und war mit dem Grunde, der zur Vereinigung aller möglichen Scheidungsausdrücke Veranlassung gegeben, nicht im Klaren. Diese Bemerkungen gelten auch für die Anordnung der Termini im orientalischen (ägyptischen) Scheidungsformular, in welchem (a) mit (c) nicht harmoniert. An erster Stelle stand in dem palästinischen Urformular, wie noch in (b) תריכית und in (c) ספר תרוכין, worauf שבקית, beziehungsweise אגרת שבוקין folgte. Zu allerletzt wurde dann der babylonische Terminus פטרית bzw. גט פטורין eingefügt und zwar zwischen die beiden alten Termini.

Wenn wir nun die Geschichte des Scheidungsformulars aufwärts verfolgen, so drängt sich uns die Überzeugung auf, daß in talmudischer Zeit das Scheidungsformular in Palästina die zwei Scheidungsausdrücke תרכת ושבקת und die zwei Scheidebriefnamen ספר תרוכין ואגרת שביקין, in Babylonien dagegen פטרת ותרכת und גט פטורין וספר תרוכין enthalten hatte. Die zwei Scheidebriefnamen im Formular bezeugt die Mischna für die Mitte des 2. Jahrhunderts und die zwei Scheidungsausdrücke der babylonische Talmud für den Anfang des 3. Jahrhunderts. Galiläa tritt in der Geschichte der Traditionswissenschaft erst nach der Zeit des unglücklichen Bar-Kochba-Aufstandes in den Vordergrund, es ist daher nicht unmöglich, daß die Termini שבק und אגרת שבוקין tatsächlich erst um 150, zur Blütezeit R. Jehudas in die Scheidungsurkunde amtlich Aufnahme gefunden. Aus einer ähnlichen Erwägung heraus könnte angenommen werden, daß in die babylonische Scheidungsurkunde das palästinische תרכת und ספר תרוכין erst um die Zeit der Bezeugung seiner Existenz, etwa um 200, als der Mischnakodex des Patriarchen nach Babylonien gedrungen war, Eingang gefunden hat. Dies steht dahin. Sicher aber ist, daß die Scheidungsurkunde in einer früheren Epoche für denselben Begriff nicht zwei homogene Ausdrücke enthalten konnte, man schrieb entweder תרכת oder שבקת, ספר תרוכין oder אגרת שבוקין, aber nicht gleichzeitig beide zusammen in ein und demselben Scheidebrief. In ältester Zeit wird also sicher lediglich תרך und ספר תרוכין verwendet worden sein. Nachdem aber die Termini nach Zeit und Ort variierten, in Galiläa vielleicht שבק und אגרת שבוקין verwendet wurden, vereinigte man, um eine einheitliche und überall gangbare Urkunde zu schaffen, beide Ausdrücke, wie man dies später mit allen drei Ausdrücken tat. Diese Erscheinung, in die Urkunde alle möglichen Ausdrücke für das in ihr enthaltene Rechtsgeschäft aufzunehmen, zeigen alle jüdischen (auch nichtjüdischen) Rechtsurkunden. Diese Beobachtung darzulegen, würde uns von unserem Gegenstande weit abführen, ich muß mich daher mit einem Hinweis in der Anmerkung begnügen[1]).

Samuel, der die hebräischen Formeln vorzog, erwähnt

---

[1]) Die Gewährleistung (βεβαίωσις) wird ausgedrückt durch: א״א איקום ואשפי ואדכי ואמריק זביני אילין (Baba M. 15 a); der Sklavenstand durch: ופטיר ועטיר מן הרורי וכו׳ (Gittin 86 a). Im rabbinischen Freilassunngsbrief heißt es: ושחררית וחפשית ושבקית והררית יתך לך und zum Schluß: ודן דיהוו לך מינאי ספר תרוכין וגט שחרוריך ואגרת הרוריך (Sefer Haschetaroth, S. 29 f.). Allgemein ausgedrückt: כתבו בכל לשון של זכות und ähnlich (sehr oft bei Rechtsgeschäften).

neben הרי את מותרת לכל אדם noch die Formeln הרי את משולחת und הרי את מגורשת[1]). Er meint sicherlich, daß diese Formeln nicht nur bei der Übergabe des Scheidebriefes gesprochen, sondern auch in den Text desselben eingeschrieben werden dürfen. Ungewöhnlich ist hier bloß הרי את משולחת, doch hat Samuel auch diese Formel nicht erfunden, denn wir finden das Wort משולחת für die Geschiedene im Munde von Alexandrinern zur Zeit Josua ben Chananjas (etwa 130)[2]).

Die Freilassungsformel lautet: „Sei frei" oder „Sei für dich"[3]). Die altjüdische Formel ist unzweifelhaft die zweite. Es heißt nämlich im mosaischen Gesetz von der Kriegsgefangenen, nachdem der Mann sie zum Weibe genommen: „Wenn du dann kein Gefallen an ihr hast, entlasse sie für sich selbst, du darfst sie nicht um Geld verkaufen"[4]). Die unterstrichenen Worte bedeuten, wie der Kontext unzweideutig zeigt, die Freilassung, was mit ושלחה לנפשה ausgedrückt wird. Dies deckt sich aber wörtlich mit הרי את לעצמך „Sei für dich". Die Freilassungsformel schimmert noch in der Ausdrucksweise des Gesetzes durch. Es ist nun nicht

---

[1]) Kidd. 5 b, 6 a.

[2]) Von den 12 Fragen, welche „die Männer von Alexandria" an I. b. Ch. richteten, lautet eine: בת משולחת מה היא לכהן... אמר להן היא תועבה ואין בניה תועבין (Nidda 69 b). Zu תועבה vergleicht Raschi Deut. 24, 4. Zu erinnern wäre noch an Sirach 7, 26: אשה לך אל תתעבה, wo תעב für Scheiden gebraucht wird; die Antwort bedeutet demnach: sie ist ist eine Geschiedene, aber ihre Kinder sind keine Geschiedenen.

[3]) Gittin 9, 3: גופו של גט שהר״ר הרי את בן חורין, הרי את לעצמך (Kod. Münch. 95 והרי; Maimunis Mischnakomm. 1492: של עצמך).

[4]) Deut. 21, 14. — Zur Formel הרי את בן חורין vgl. die griechische Freilassungsformel bei Mitteis, Grundzüge der Papyruskunde II, 2, Nr. 361, 1. 7: Ὁμολογῶ . . . ἀφικέναι ὑμᾶς ἐλευθέρους . . . ἀπὸ τοῦ νῦν ἐπὶ τὸν ἅπαντα χρόνον (= מיומא דנן ועד עלם = מעתה ועד עולם, wovon noch die Rede sein wird). Ulp. tit. 2 § 7: Libertas et directo potest dari hoc modo: liber esto, liber sit, liberum esse iubeo. Siehe überhaupt Sohm, Institutionen[7], 163 ff. Tos. Baba B. 9, 14 (411, 18): האומר עשיתי פלוני עבדי בן חורין, עשיתיו בן חורין, עושה אני אותו בן חורין והרי הוא בן חורין, הרי הוא בן חורין, יעשה בן חורין ר׳ אומר זכה והכמ׳ אומר לא זכה (vgl. j. ib. 16 c und Gitt. 43 d, 27 etwas kürzer und mit der Bemerkung Jochanans, daß die Freilassung nur durch Urkunde erfolge).

uninteressant, daß der Talmud die fragliche Freilassungsformel auch bei der Ehescheidung für rechtsgültig anerkennt[1]).

2. Zusammmenfassung der Hauptergebnisse über die Scheidungsformel.

1. In der israelitischen Königszeit lautete die Ehescheidungsformel: „Sie ist (du bist) nicht mein Weib und ich bin nicht ihr (dein) Mann", welche der Eheschließungsformel: „Sie ist (du bist) mein Weib und ich bin ihr (dein) Mann" als Gegenakt vollkommen entsprach. Beide Formeln lebten als Rudimente noch im 3. Jahrhundert nach unserer Zeitrechnung[2]).

2. Eine zweite Formel lautete: „Ich entlasse dich, du kannst gehen, wohin (oder: zu welchem Manne) du willst"[3]).

3. Die Juden von Syene und Elephantine gebrauchten im 5. Jahrhundert vor unserer Zeitrechnung die kurze Formel: „Du kannst gehen, wohin du willst"[4]). Ob sie bei offizieller (öffentlich deklarierter) Scheidung noch eine einschlägige schriftliche Urkunde für nötig hielten, ist fraglich[5]).

4. Josephus kennt anscheinend sowohl die unter 1. erwähnte Scheidungsformel als auch diejenige, welche vom Talmud überliefert wird[6]).

5. Zur Zeit des Talmuds war der gangbare Scheidebrief aramäisch und seine Scheidungsformel lautete: „Ich entlasse dich und du hast das Recht und die Macht, dich zu verheiraten, an welchen Mann du willst"[7]).

6. Die Schriftgelehrten versuchten den Scheidebrief zu hebraisieren und führten eine Formel ein: „Du bist jedem

---

[1]) Gittin 85 b und Kidd. 6 b. Dagegen ist bei der Frau הרי את בת חורין, sowie bei der Sklavin הרי את מותרת לכל אדם eine ungültige Formel.

[2]) Oben 14, 18.

[3]) Oben 21 f.

[4]) Oben 19.

[5]) I. Teil 22.

[6]) Oben 22 f.

[7]) Oben 23.

Manne zur Ehe erlaubt“, welche im Wesen mit der gangbaren alten aramäischen Formel identisch ist[1]).

7. Die soeben erwähnte Formel war lediglich für den hebräischen Scheidebrief gedacht, nicht aber als Hinzufügung zum aramäischen. Letzterer behauptete das Feld und enthielt diese Formel bis zum 12. Jahrhundert nicht. Ihre Einfügung in den Scheidebrief verordnete Jakob Tam in Rameru um 1150[2]).

8. Der Kontext des Scheidebriefes hat zwei Bestandteile: 1. Die Scheidungserklärung, 2. die Deklarierung des Scheidebriefes als Dispositivurkunde. Die Dreiteilung dürfte nachtalmudischen Ursprungs sein[3]). Ob Punkt 2 schon in vorexilischer Zeit in der Urkunde selbst enthalten war, ist nicht auszumachen[4]).

9. In ältester Zeit stand im Scheidebrief für Scheiden wie für Scheidebrief lediglich je ein Ausdruck, der dialektisch variierte. In Judäa lauteten die Termini תרך und ספר תרוכין, in Galiläa (wahrscheinlich) שבק und אגרת שבוקין, in Babylonien פטר und גט פטורין. Spätestens im 2. Jahrhundert enthielt der palästinische Scheidebrief bereits die beiden ersten, und der babylonische etwa um 200 bereits die beiden letzten Termini. In nachtalmudischer Zeit vereinigte man dann alle drei Termini, damit kein einzig möglicher Ausdruck fehle. Soweit es uns heute bekannt ist, geschah dies außerhalb Palästinas und Babyloniens, also in Ländern, in denen das Aramäische nicht Landessprache gewesen. Man hat anscheinend alle Ausdrücke, welche in palästinischen und babylonischen Scheidungsformularen vorgefunden wurden, behufs unzweifelhafter Rechtsgültigkeit der Scheidung in den Text des Scheidebriefes aufgenommen. Derselbe Grund leitete später Jakob Tam, als er in den aramäischen Scheidebrief auch die tannaitisch-hebräische Formel einfügen ließ, wo sie dann auch in der Folgezeit verblieb[5]).

---

[1]) Oben 24 ff.
[2]) Oben 25—28.
[3]) Oben 29 f.
[4]) Oben 31—33.
[5]) Oben 34—38, 25—27.

10. Beide Formeln, sowohl die der Eheschließung als auch die der Ehescheidung, finden sich schon in uralter Zeit bei Assyrern und Babyloniern, sie sind also nicht spezifisch israelitisch-jüdisch, sondern allgemein altorientalisch[1]). Sie begegnen uns auch bei Ägyptern im 5. Jahrhundert (ante), die aramäische Scheidungsformel sogar in zwei griechischen Papyrus, in dem einen die ganze Formel, in dem andern die zweite Hälfte der Formel, beide in wörtlicher Übereinstimmung[2]).

Es zeigt sich hier an einem konkreten Beispiel, daß die Juden nicht bloß den Namen der Urkunde (גט, gittu) den Babyloniern entlehnten, sondern auch manche Formeln. Die Rechtsurkunden bieten hiefür viele Belege.

3. Alte Erweiterungen des Scheidebriefes.

Laut einer ausdrücklichen Angabe des Talmuds[3]) hat Rab verordnet, daß zu der Scheidungsdeklaration noch die Worte „von heute an bis in Ewigkeit" (מן יומא דנן ולעלם) hinzugefügt werden sollen. Diese Formel kommt in den aramäischen Papyrus in Privaturkunden oft vor. Bei Auflassung und überhaupt bei Verzichtleistung lautet der Schluß der Erklärung: „Von heute an bis in Ewigkeit". So z. B. F 7 וטיב לבבן בגו מן יומא זנה ורחקת מנכי מן יומא זנה ועד עלם; H 9 ועד עלם[4]). Auch abgekürzt: עד עלם, z. B. E 16 ורחקת מניה דילכי הו עד עלם[5]). Dieselbe Formel findet sich auch in der demotischen „Urkunde des Fernseins" (ἀποστασίου συγγραφή) und lautet in offiziellen griechischen Übersetzungen: ἀπὸ τῆς ἐνεστώσης ἡμέρας ἐπὶ τὸν σύμπαντα (oder ἅπαντα) χρόνον[6]). Die Formel lebt unverändert fort in den rabbinischen Urkunden

---

1) Oben S. 18, 19.

2) A. a. O.

3) Gittin 85 b: דאתקין רב בניטי איך פלניא בר פלניא פטר ותרך וכו' מיומא דנן ולעלם. Richtige Lesart Rab (nicht Raba).

4) Vgl. D. 9, H. 10, K. 9; Elephantine-Papyrus 33, 4; 73 Nr. 5, 3.

5) Vgl. D. 11, I. 8. 9.

6) Siehe L. Mitteis a. O. II, 1, S. 168 und meine Nachweisungen in Cohen-Festschrift 118.

des Mittelalters[1]). Wie man sieht, hat Rab eine zu seiner Zeit (um 230) nachweislich bereits 700 Jahre alte Formel in den Scheidebrief eingeführt. Was hat ihn hiezu veranlaßt? Eine Rechtsformel kann im Laufe der Zeit zu einer bloßen Phrase herabsinken, jedoch infolge der Macht der Gewohnheit ihr Leben in den Urkunden weiterfristen; undenkbar ist aber, daß ein Gesetzgeber, wie Rab einer war, eine hohle Rechtsformel neu einführt. Rab muß also für seine Neuerung triftige Gründe gehabt haben.

Beide Talmude erklären, Rab war im Gegensatz zu R. Jose, der das Datum der Urkunde für eine vollständig genügende Zeitangabe hielt, der Meinung, der Zeitpunkt der Scheidung müsse präziser ausgedrückt sein. Mit dem Ausdruck „bis in Ewigkeit" hinwiederum schloß Rab die Gültigkeit einer zeitlichen Trennung der Ehegatten aus[2]). Es kam tatsächlich vor, daß Scheidebriefe auf beschränkte Zeit gegeben wurden, die aber für ungültig erklärt werden[3]). Sachlich ist die traditionelle Interpretation gewiß zutreffend, doch dürfte noch ein historisch-formelles Moment mitgespielt haben. Im Pap. G. lautet nämlich die Eheschließungsformel: „Sie ist mein Weib und ich bin ihr Mann von heute an bis in Ewigkeit"[4]). Es ist evident, daß mit dieser Formel eine provisorische, sowie eine zeitlich begrenzte Ehe ausgeschlossen werden soll. Gerade in Ägypten gab es derartige Ehen. Neben der Schriftehe (ἔγγραφος γάμος), welche die Vollehe darstellt, blühte die schriftlose Ehe (ἄγραφος γάμος), welche häufig nur provisorisch, auf Probe abgeschlossen wurde[5]). „Als

---

[1]) יפה נוף 18a שטר כתובה; 19a unten שטר פקדון; 20a שטר פשרה; 28a שטר מתנה. Hebräisch lautet die Formel מעתה ועד עולם, z. B. Responsen der Gaonen ed. Harkavy Nr. 1; Machsor Vitry S. 795; diese findet sich gleichfalls in griechischen Papyrusurkunden: ἀπὸ τοῦ νῦν εἰς τὸν ἀεὶ χρόνον (Mitteis II, 2, Nr. 107, 23); ἀπὸ τοῦ νῦν ἐπὶ τὸν ἅπαντα χρόνον (ebenda Nr. 361, 8).

[2]) Gittin 85a und noch ausführlicher j. Gittin 48d: זמנו של שטר מוכיח עליו und היום אי את אשתי ולמחר את אשתי.

[3]) j. Kidduschin 63c Mitte: הרי זו ניטה שלושים יום אין זה גט כריתות.

[4]) הי אנתתי ואנה בעלה מן יומא זנה ועד עלם.

[5]) Nietzold, Die Ehe in Ägypten, S. 3 f.

Rab nach Darschisch und R. Nachman nach Schekhanzib kam, ließ er verkünden: Welche Frau will auf einen Tag mein Weib sein?"[1]). Die Häupter der Juden befolgten das Beispiel der persischen Fürsten, welche auf ihren Reisen Ehen auf eine Nacht eingingen[2]). Man sieht aus all dem, daß die Eheschließungsformel: „sie ist mein Weib von heute an bis in Ewigkeit" einen guten Sinn hat und keine pure Phrase ist. Ihre adaequate Gegenformel ist nun eben diejenige, die Rab in den Scheidebrief eingeführt hat: „Ich entlasse mein Weib von heute an bis in Ewigkeit". Sicherlich war diese passende Scheidungsformel lange vor Rab gebräuchlich, er wird lediglich den willkürlich sporadischen Gebrauch zu einem allgemein verpflichtenden erhoben haben.

In den uns bekannten Scheidebriefen ist die besprochene Formel stark heruntergerückt, so daß sie mit der Scheidungsdeklaration nicht unmittelbar zusammenhängt, sondern als Schluß des Satzes: „Es soll dir dies [die Wiederverheiratung mit einem beliebigen Manne] kein Mensch wehren"[3]) erscheint. Diese Formel kommt bald aramäisch, bald hebräisch in verschiedenen Variationen in den meisten zivilrechtlichen Urkunden des Mittelalters vor[4]). Man könnte also annehmen, daß dieser Satz aus jener Zeit stammt, in welcher in dem Scheidebrief neben dem Scheidungsakt auch die Regelung der vermögensrechtlichen Seite der Trennung der Ehegatten aufgenommen wurde, was in nachtalmudischer Zeit offenbar nicht mehr der Fall war. Der fragliche Satz kann indes auch anders erklärt werden, so daß er auch in seinem vorliegenden Zusammenhang einen befriedigenden Sinn erhält. Unter den Bedingungen, welche der Mann an die Scheidung knüpfen

---

[1]) Joma 18 b und Jebam. 37 b.

[2]) Nöldeke, Geschichte der Perser, 136, vgl. auch 145, n. j. Ausführlicher habe ich diese Sitte besprochen in „Magyar Zsidó Szemle" XXVIII, 201 ff.

[3]) ואנש לא ימחא בידיכי. Die Orthographie von ימחא schwankt, auch ימחה und ימחי (siehe Taussig מלאכת שלמה, München s. a., S. 11, נחלת שבעה, Fürth 1724, S. 96 d und Dalman, Aram. Dialektproben, S. 5).

[4]) Z. B. Sefer Haschetaroth, S. 4 (אדרכתא), S. 7 (אפטרופסותא דיתמי): ולא יהא כח בשום כל אדם בעולם למחות בידו, und sonst.

könnte, figuriert eine, welche von der Frau die Verheiratung mit einem bestimmten Manne fordert[1]). Hat der Mann diese Bedingung gestellt, darf die Frau den Betreffenden nicht heiraten, d. h. mit anderen Worten, derjenige, zu dessen Gunsten die Bedingung gemacht wurde, erwirbt gar keine Rechte auf die geschiedene Frau, „er darf sie in der Verheiratung mit einem beliebigen Manne nicht behindern". In der gegenwärtigen Fassung des Scheidebriefes kann unser Satz kaum einen anderen Sinn haben. Da aber derartige Bedingungen in nachtalmudischer Zeit nicht mehr gemacht wurden, wi d die in Rede stehende Formel noch aus dem Altertum stammen. Der Mann wollte seine Frau einem anderen Manne abtreten.

Wir haben schon erwähnt, daß in alter Zeit der Scheidebrief außer der Scheidung auch vermögensrechtliche Vereinbarungen oder sonstige Bedingungen enthalten konnte. Wir gründen diese Behauptung auf direkte Angaben des Talmuds. Der Mann kann nach Belieben die Scheidung an Bedingungen knüpfen, so z. B. kann er von der Frau fordern, daß sie ihm 200 Denare (eine Summe, welche einer Jungfrau von Rechtswegen gebührt) zahle, oder sein Kind säuge, seinen Vater bediene, seinen Mantel herausgebe[2]). Es gibt nun eine Meinungsdifferenz darüber, ob der Scheidebrief gültig sei, wenn die Bedingung in ihn hineingeschrieben (und nicht bloß mündlich gemacht) worden. Nur Juda I (um 200) hält einen solchen Scheidebrief für ungültig, während alle anderen Rechtslehrer alle Arten von Bedingungen, welche mündlich zu stellen gestattet sind, auch schriftlich gelten lassen. Ist die Bedingung nicht zurückgenommen worden, erkennt auch Juda I die Gültigkeit des sie enthaltenden Scheidebriefes an. Noch in der

---

[1]) Baraitha Gittin 84 a: הרי זה גיטך על מנת שתנשאי לפלוני. Tos. Gitt. 6 (4), 7 (329, 12): האומר ... על מנת שתנשאי לפלוני הרי זו לא תנשא ואם נשאת הרי זה גט, ע"מ שתבעלי לפלוני אם נבעלת הרי זה גט אם לאו אינו גט. Es kommen Bedingungen vor, welche Übertretungen des Religionsgesetzes zum Inhalte haben (Gitt. 84a unten).

[2]) Gittin 7, 5. 6. Die Scheidung bleibt bis zur Erfüllung der gestellten Bedingung in Schwebe (siehe die Kontroverse ib. 4). Hat die Frau die vom Manne gestellte Bedingung, z. B. Scheidungsgeld zu zahlen, nicht erfüllt, heißt der Scheidebrief ein „irrtümlicher" (Jeb. 106 a גט מוטעה).

zweiten Hälfte des 3. Jahrhunderts kamen solche Scheidebriefe vor[1]). Wir können also feststellen, daß der jüdische Scheidebrief des Altertums, genau so wie die Scheidebriefe der griechischen Papyri[2]), nicht selten vermögensrechtliche und sonstige Anordnungen enthalten hat.

Noch in einem anderen, sehr wichtigen Punkte gleicht die jüdische Scheidungsurkunde derjenigen der Papyri, über welch letztere Nietzold[3]) folgendes feststellt: „Bemerkenswert ist, daß in keiner Urkunde, weder demotischen noch griechischen, der Grund der Scheidung genannt ist. Nur P. Grenf. II 76 enthält in lin. 3 eine schwache Andeutung in den Worten: ἐκ τινὸς πονηροῦ δαίμονος“. Dasselbe gilt vom jüdischen Scheidebriefe. Es findet sich in der gesamten Literatur keine Spur davon, daß irgendein Scheidebrief den Scheidungsgrund genannt hätte. Ein solcher Fall wird nie zur Diskussion gestellt[4]).

Bedingungen, welche zu erfüllen Menschen nicht möglich sind, haben auf die Gültigkeit des Scheidebriefes gar keinen Einfluß. Als Beispiele solcher Bedingungen werden an einer Stelle genannt: wenn der Mann zu seiner Frau spricht: „Ich gebe dir die Scheidung unter der Bedingung, daß du in den Lüften fliegst, oder mit deinen Füßen das große Meer durchwandelst“[5]). In dem Paralleltexte wird an letzter Stelle das

---

[1]) j. Gittin 44d, 19 (b. Gitt. 84b): כל התנאין פוסלין בגט דברי רבי וחכמים אומרים את שהוא פוסל בפה פוסל בכתב ואת שאינו פוסל בפה אינו פוסל בכתב, הרי את מותרת לכל אדם חוץ מפלוני הוא״ל ופוסל בפה פוסל בכתב, הרי זה גיטך על מנת שתתני לי מאתים זוז הוא״ל ואינו פוסל בפה אינו פוסל בכתב. אמר ר׳ יודן מה פליגין בשביטל תנאו אבל לא ביטל תנאו אף ר׳ מודה וכו. Tos. Gittin 7 (5), 8 (331, 28): כללו של דבר תנאי המתקיים בפה מתקיים בשטר ושאינו מתקיים בפה אינו מתקיים בשטר.

[2]) Siehe Mitteis l. c. II, 2, S. 329—335 (Scheidungsakte).

[3]) Die Ehe in Ägypten, 79.

[4]) Siehe Teil I, 35, wo wir die Bedingung des Mannes, die zu scheidende Frau dürfe nach der Scheidung einen bestimmten Mann nicht heiraten, auf den Ehebrecher bezogen haben.

[5]) Tos. Gittin 7, 8 (331, 24): על מנת שלא תפריחי באויר ועל מנת שלא תעברי ים הגדול ברגליך הרי זה גט, על מנת שתפריחי באויר ועל מנת שתעברי ים הגדול ברגליך הרי זה אינו גט ר׳ יהודה אומר כזה גט כלל אמר ר

Wandeln auf der Meeresfläche, an erster Stelle dagegen das Aufsteigen in den Himmel erwähnt[1]). Ganz merkwürdige Bedingungen, sie erinnern an die Wunder der Evangelien.

„Das Schiff aber war schon weit weg vom Lande und litt not von den Wellen; denn der Wind war (ihnen) zuwider. In der vierten Nachtwache kam aber Jesus zu ihnen, über den See hin wandelnd. Und als ihn die Jünger sahen auf dem See wandeln, erschraken sie und sprachen: es ist ein Gespenst! und schrieen vor Furcht. Alsbald redete aber Jesus mit ihnen und sprach: Seid getrost, ich bin es, fürchtet euch nicht! Petrus aber antwortete ihm und sprach: Herr, wenn du es bist, so heiß mich zu dir kommen auf dem Wasser. Er aber sprach komm her! Und Petrus stieg aus dem Schiff und wandelte über das Wasser hin und kam zu Jesu. Da er aber den Wind sah, erschrak er und begann zu sinken; . . . Und als sie in das Schiff gestiegen, legte sich der Wind. Die aber im Schiff waren, fielen vor ihm nieder und sprachen: Du bist wahrlich Gottes Sohn!“[2]).

Die Himmelfahrt wird am Ende des Lukasevangeliums erwähnt: „Und es geschah, da er sie segnete, schied er von ihnen [und fuhr auf gen Himmel[3]). Sie aber beteten ihn an].“ Man könnte freilich auch an Moses denken. Ein Schriftgelehrter tat den merkwürdigen Ausspruch: „Gott ist nie auf die Erde herabgestiegen, Moses und Elia sind nie in den Himmel hinaufgestiegen“[4]). — Das Fliegen in der Luft wird wohl im Talmud nicht wörtlich erwähnt, doch ist es in dem folgenden Satze mit inbegriffen. „Wenn jemand dir sagt:

יהודה בן תימא כל תנאי שאי אפשר לה להתקיים והיתנה עמה לא נתכוון זה אלא להפליגה בין שאומר בפה בין שאומר בשטר.

1) Gittin 84a; Baba M. 94a (vgl. auch j. ib. 11 c. 15): ת״ר על מנת שתעלי לרקיע . . . על מנת שתעברי ים הגדול ברגליך.

2) Matth. 14, 24—33 (Übersetzung von B. Weiß). Kürzer Mark. 6, 47—50.

3) Vgl. auch 2. Kor. 12, 2—4: „Der entrückt ward in den dritten Himmel, . . . in das Paradies“.

4) Sukka 5a: אמר ר׳ יוסי מעולם לא ירדה שכינה למטה ומעולם לא עלה משה ואליהו למרום.

„Ich steige zum Himmel empor“, so hat er es gesagt und wird es nicht vollführen“ [1]). Gittin 84 a steht übrigens unter den unerfüllbaren Bedingungen tatsächlich an erster Stelle: „wenn du zum Himmel emporsteigst“. Der in späteren Quellen bezeugten jüdischen Überlieferung zufolge ist Jesus in den Lüften geflogen, ein Wunder, das nach altjüdischer Anschauung Zauberer zustande bringen können.

Der Kontext des Scheidebriefes beginnt mit der Erklärung des Mannes, daß er aus freien Stücken, ohne jeden Zwang handle. Ebenso beginnen rabbinische Rechtsurkunden verschiedensten Inhalts [2]). Die Konstatierung des freien Willens ist im Scheidebriefe wesentlich, denn „die Frau wird freiwillig und unfreiwillig geschieden, der Mann scheidet aber nur freiwillig“ [3]). Schon die griechischen Papyrusurkunden haben nicht selten genau dieselbe Formel. So z. B. heißt es in einer Freilassungsurkunde aus dem Jahre 360: Ὁμολογῶ ἑκουσίως καὶ αὐθαιρέτως καὶ ἀμετανοήτως ἀφικέναι ὑμᾶς ἐλευθέρους [4]).

---

[1]) j. Taanith 65b Ende. Strack, Jesus usw., Leipzig 1910, § 10 (S. 10 und 37*) verweist auf Matth. 16, 27; 26, 64; Joh. 14, 12. — Justinus Martyr (gest. um 165) im Namen der Juden; ἐπειδὴ ἐγνώκατε αὐτὸν . . . ἀνάβαντα εἰς τὸν οὐρανόν (ebenda 8).

[2]) צביתי ברעות נפשי כד לא אניסנא. Vgl. z. B. יפה נוף 24b, Z. 1 (שטר מ׳וי אפטרופום). Statt כד לא steht in unseren Scheidebriefen und in allen Urkunden-Formularen בדלא. In einem arabischen Vertrag von Fostat aus dem Jahre 1115 heißt es in Merx' Übersetzung: „en pleine possession de ma volonté, de bon gré, sans être forcé, ni contraint, ni à contre coeur“ usw. (A. Merx, Documents de Paléographie Hébraïque et Arabe, Leiden 1894, S. 20).

[3]) Jeb. 14, 1: א׳׳נ דומה האיש המגרש לאשה המתגרשת שהאשה יוצאת לרצונה ושלא לרצונה והאיש אינו מוציא אלא לרצונו. „Ohne ihr Wissen“, wie Krauß (Talmudische Archäologie II, 53) meint, kann aber die Frau nicht hingeschieden werden; dies wird j. Gitt. 43 d, 24 als ganz undenkbar hingestellt (והמגרש את אשתו שלא מדעתה שמא מגירשת היא?). Bei Zwang mußte der Mann die Erklärung abgeben: ich will (Jeb. 106 a בגיטי נשים כופין אותו עד שיאמר רוצה אני); sonst wäre der Scheidebrief ein ג׳׳נ מעושה und ungültig.

[4]) Mitteis II, 2, Nr. 361, l. 6. Manche Pachtverträge haben die in Rede stehende Formel, während sie in anderen fehlt. „Indessen, da diese Worte sich in der früheren römischen Zeit vorwiegend nur in Hermupolis finden, ist hier wohl eher eine bloß lokale Stilbesonderheit anzunehmen“.

Es ist nach alledem nicht unmöglich, daß palästinische Scheidebriefe sporadisch schon im Altertum die jetzt übliche Einleitungsformel besaßen.

Den Schluß der Scheidungsurkunde bilden die Worte: „Nach dem Gesetze Moses' und Israels"[1]). Einem glücklichen Zufall verdanken wir eine sehr alte Bemerkung, welche die Existenz dieser Worte im Scheidebriefe bezeugt. Ein „galiläischer Ketzer" tadelte nämlich die Pharisäer, daß sie den Namen des Herrschers mit dem des Moses in den Scheidebrief schreiben[2]). Da dieserwegen die Pharisäer getadelt werden, handelt es sich um eine pharisäische Gepflogenheit, man hat es also mit einer wohl alten, aber nicht mit einer überkommenen und allgemein üblichen Formel zu tun.

Den Schluß des Scheidebriefes hat indeß im Altertum nicht immer dieser Satz gebildet. Es konnten auch noch andere Dinge, vorzüglich ein freundlicher Gruß folgen. „Haben die Zeugen nach dem Gruß unterfertigt, ist der Scheidebrief nicht gültig, denn die Zeugenunterschrift bezieht sich auf den Gruß. Ist aber etwas vom Kontext wiederholt worden, ist der Scheidebrief gültig"[3]).

Die Schreibung der Namen, welche im späteren Mittelalter zu soviel Kontroversen Anlaß gab, war von selber gegeben. Die im Talmud erwähnten Scheidebriefe kennen den Zusatz „und alle Namen, die ich habe" nicht. Jakob Tam dürfte im Rechte sein, wenn er die Verordnung Gamliels I (um 30) dahin interpretiert, daß alle Namen, welche der Mann oder die Frau wirklich führen, ausdrücklich genannt werden sollen. Die Juden haben nämlich zu allen Zeiten die

(Mitteis II, 1, 196). Dieser Annahme widerspricht der allgemeine Gebrauch in den jüdischen Urkunden.

1) כדת משה וישראל. Siehe über diese Formel im Heiratsbrief Freund, Zur Gesch. d. Ehegüterrechtes bei den Semiten, Wien 1909, S. 7, Anm. 3 (Sitzungsberichte der kais. Akad. d. Wiss. in Wien, Phil.-hist. Klasse 162, 1).

2) אמר מין גלילי קובל אני עליכם פרושים שאתם כותבין את המושל עם משה בגט (Jadajim 4, 8.).

3) Tos. Gittin 9, 9 (331, 7): גט שחתמו עדים לאחר שאילת שלום פסול שלא חתמו אלא על שאילת שלום החזיר בו דבר אחד או שני דברים מעניני של גט כשר (vgl. b. Gitt. 87 a, j. ib. 50b unt.).

landesüblichen Namen angenommen; ein und derselbe Mann hatte je einen Namen für Judäa und Galiläa; die Juden der Diaspora übernahmen die „Namen der Völker“[1]. Den Aufenthaltsort des Mannes und der Frau während des Scheidungsaktes nennt der Scheidebrief von Fostat noch nicht. Schon die hebräische Fassung[2] in dem aramäischen Text verrät den mittelalterlich-europäischen Ursprung, zugleich auch das Wanderleben der Juden jener Zeiten. Diese kurzen Andeutungen genügen für unseren Zweck und wir wollen nun unser Augenmerk auf die Datierung und die Zeugen richten.

4. Datierung und Aeren.

Während in vorexilischer Zeit Datierungen in der Bibel nur sporadisch und bloß in allgemeiner Form vorkommen, werden sie bei den nachexilischen Propheten, namentlich bei Chaggai und Secharja zur Regel, wobei Jeremia[3] den Übergang in diesem Betracht bildet. Schon bei ihm erscheint die Datierung nach dem Regierungsjahre des babylonischen Königs[4] neben dem des israelitischen. Während aber Jeremia lediglich historische Zeitpunkte verzeichnet, geben Chaggai und Secharja wirkliche Datierungen, die mit dem betreffenden Inhalte ihrer Schriften in keinem kausalen Zusammenhange stehen. Sie datieren ihre Schriften, wie die Schreiber die Urkunden durch Tag, Monat und Regierungsjahr des jeweiligen

---

[1] Tos. Gittin 84 (322, 24); b. Gitt. 11b, 34b; j. Gittin 43 b oben. כל הגיטין הבאין ממדינת הים אע"פ ששמותיהם כשמות גוים כשרין מפני שישראל שבמדינת הים שמותיהם כשמות גוים. Von den Namen kann auf die Rasse nicht geschlossen werden (Plaumann, Ptolemais in Oberägypen, Leipzig 1910, S. 104).

[2] העומד היום כאן und העומדת היום כאן. Siehe Tosafot (Jakob Tam) Gittin 80a sub ושם, wo auch die Nennung des Geburtsortes im Scheidebrief erwähnt wird, All dies muß der Scheidebrief nicht notgedrungen angeben.

[3] Jeremia 1, 2; 28, 1; 32, 1; 35, 1; 36, 1. 9; 39, 1. 2; 41, 1; 45, 1 (46, 2); 51, 59; 52, 4. 12. 31. Es ist bemerkenswert, daß Daten in der ersten Hälfte des Buches außer 1, 2 überhaupt nicht vorkommen

[4] 32, 1 (10. Jahr Zidkijahus, d. i. 18. Jahr Nebukadnezars); 52 12 (10. des 5. Monats des 19. Jahres des Nebukadnezar).

Herrschers, wie wir sie jetzt in den Papyri von Assuan und Elephantine finden. Sogar der äußeren Form nach gleicht der Datierung der Papyri[1]) Sech. 1, 7: „Am 24. Tage des 11. Monats, d. i. der Monat Schebat des 2. Jahres des Darius", während in der Datierung von 7, 1: „Im 4. Jahre des Königs Darius am 4. des 9. Monats, d. i. Kislev" die Reihenfolge wohl eine andere ist, die Datenelemente aber ganz dieselben sind. Die erstere Reihenfolge wird ausdrücklich vorgeschrieben. „Der Text der Urkunde hat zu lauten: Am Tage x der Woche x des Monats x des Jahres der Regierung x"[2]) und ist in der Folgezeit bis auf die Woche konstant geblieben. Der Sabbat, d. h. der Tag der Woche wird bemerkenswerterweise im Datum aller uns bekannten Scheidebriefe genannt, ein Beweis, daß Erweiterungen durch akademische Vorschriften in die Praxis eingeführt werden konnten.

Wie weiter unten bei der Bestimmung des Charakters der Scheidungsurkunde gezeigt werden wird, hatte man noch im 3. Jahrhundert (post) das richtige Gefühl, daß das Datum im Scheidebriefe in vorexilischer Zeit zumindest nicht allgemein üblich war, es wird nämlich für rabbinisch (nicht mosaisch) gehalten. Indem wir auf unsere dortigen Erörterungen hinweisen, wollen wir hier bloß die Aeren des Scheidebriefes kurz besprechen. Aus der Zeit des ersten Staatswesens gibt

---

[1]) Papyrus A 1: „Am 18. Elul, d. i. der 28. Pachons des 15. Jahres des Xerxes". H 1 בירח אלול (ohne Tagangabe) erinnert an Sech. 1, 1 בחדש השמיני; es wird in beiden der Neumondstag gemeint sein, sonst wird nämlich das Wort ירח dem Monatsnamen nicht vorgesetzt. Siehe Chaggai 1, 1; 1, 15; 2, 1; 2, 10; 2, 20. Es ist bemerkenswert, daß Sech. 9—14 und Maleachi kein Datum mehr haben und sich schon durch dieses äußere Merkmal als zusammengehörige (anonyme) Stücke erweisen, welche der Prophetensammlung zum Schluß angehängt wurden.

[2]) Tos. Baba B. 11, 2 (413, 5): נופו של שטר ביום פלוני בשבת פלוני בחדש פלוני בשנת פלוני ובמלכות פלונית. Vielleicht ist בשבת פלוני eine alte Erweiterung und keine nachtannaitische oder gar nachtalmudische Glosse. Die Woche hat lediglich liturgische Bedeutung (Wochenabschnitt der Tora), sie kann also nicht uralt sein; sie ist überdies infolge der Variation der Perikopen (3jähriger Cyklus und dgl.) nicht genügend fixiert gewesen. (Höchstwahrscheinlich ist in der Toseftastelle פלוני nach בשבת irrtümlicher Zusatz. Bacher.)

es über diesen Punkt wohl keine direkte Angabe, von einer Originalurkunde gar nicht zu reden, doch kann kein Zweifel darüber bestehen, daß man nach Regierungsjahren der Könige datierte. Mit dem Untergange des jüdischen Staates ist dies natürlich anders geworden. Nach dem Zeugnis der letzten Propheten, sowie besonders der Papyrusurkunden von Assuan-Elephantine kann man mit ziemlicher Sicherheit behaupten, daß auch in Palästina nach der Aera der persischen Oberherren, d. h. nach den Regierungsjahren der persischen Großkönige datiert wurde.

Welche Aeren der Scheidebrief enthalten konnte, sieht man aus folgender Mischna: „Hat man datiert nach einer nicht passenden Aera: der medischen, griechischen, nach der Erbauung des Heiligtums oder seiner Zerstörung ... ist der Scheidebrief ungültig"[1]). Die medische Aera ist die persische, der Talmud nennt nämlich, wie schon das Esterbuch (1, 3), die Herrschaft der Achämeniden die medo-persische, was sich auch bei den Kirchenvätern findet. Die griechische Herrschaft ist die Seleukidenaera. Diese alten Datierungsarten haben sich zähe erhalten, sind aber von den Schriftgelehrten als nicht mehr bestehende für unzulässig deklariert worden. Sie sind „nicht passende Aeren". Es kann demnach nicht zweifelhaft sein, daß mit der bestehenden Aera diejenige der römischen Kaiser gemeint ist. Dies wird auch durch Jadajim 4, 8 bestätigt[2]). Die griechischen Papyrusurkunden der Ptolemäer- und römischen Kaiserzeit sind durchwegs nach den Regierungsjahren der betreffenden Herrscher datiert, wie dies bei den jüdisch-aramäischen, den national-ägyptischen und assyrisch-babylonischen Sitte war. Ein Amoräer (um 250) bemerkt zur mischnischen Vorschrift „wegen der Gefahr"[3]), es handelt sich also

---

[1]) Gittin 8, 5: כתב לשם מלכות שאינה הוגנת לשם מלכות מדי לשם מלכות יון לבנין הבית לחירבן הבית . . . תצא מזה ומזה וצריכה גט מזה ומזה.

[2]) Oben p. 49, n. 2.

[3]) j. Gitt. 49c, 47: ר' יוחנן בשם ר' ינאי עשו את הולד ממזר מפני הסכנה; b. Gitt. 80a wird eine mit den historischen Tatsachen in Widerspruch stehende Erklärung gegeben. Maimuni erklärt richtig, שאינה הוגנת bedeute eine nicht mehr gangbare Aera.

unzweifelhaft um die Kaiseraera. Wenn mehrere Kaiser um die Herrschaft stritten, war die Wahl frei. Auch die Statthalteraera war gestattet[1]).

Die Aera des Tempelbaues und der Tempelzerstörung bezieht sich offenbar trotz der in diesem Falle zu erwartenden umgekehrten Reihenfolge auf die Zerstörung des ersten Tempels und die Erbauung des zweiten Tempels. Mit der Zerstörung des zweiten Tempels begann eine neue Zeitrechnung[2]), welche in Palästina lange Jahrhunderte hindurch fortbestanden hat, es ist also nicht wahrscheinlich, daß diese Aera zu den streng verbotenen gezählt worden wäre. Die Möglichkeit sei indessen zugegeben. In der Diaspora herrschte ausschließlich die Seleukidenaera[3]), welche sich im Orient bis ins 16. Jahrhundert (in Südarabien bis auf den heutigen Tag)[4]) erhalten hat.

Die Aera der Weltschöpfung ist beim Scheidebrief im Talmud nicht genannt. Wenngleich der Talmud die Jahre, welche seit der Weltschöpfung verflossen sind, bereits erwähnt[5]), kann in jener Zeit eine Weltschöpfungsaera dennoch nicht existiert haben, denn Josephus sagt im Vorwort zu seiner Archäologie (3), in den biblischen Schriften sei „die Geschichte von 5000 Jahren niedergelegt“. Schon Asarja de Rossi hat die verhältnismäßige Jugend dieser Aera erkannt und ihren Anfang als gebräuchliche Aera um das Jahr 1000 angesetzt, weil er in Scheriras bekanntem Brief ein Welt-

---

1) Tos. Gitt. 8, 3 (330, 20) = Edujoth 2, 4 (457, 22): כתב לשום הפרכין ולשום הפרכיות או שהיו מלכים עומדין וכתב לשום אחד מהן כשר (s. Krauß, Lehnwörter 231).

2) Aboda sara 9a: (רבי יוסי ברבי) מכאן ואילך צא וחשוב כמה שנים אחר חורבן הבית.

3) Aboda sara 10a: א׳ רב נחמן בגולה אין מונין אלא למלכי יונים בלבד (auch eine Baraitha daselbst).

4) Prot. Realencyklopädie[3] XXI, 917, 14: „Die Juden rechneten nach ihr bis ins 11. Jahrhundert“; 924 „jüd. Weltaera hat seit dem 11. Jahrh. allmählich und seit dem 13. Jahrh. fast völlig bei den Juden die Rechnung der seleuk. Aera verdrängt“ widerspricht sich selbst und ist nicht genau.

5) Ab. sara 9a. Siehe den Kommentar des R. Chananel in der Wilnaer Talmudausgabe und die von ihm zitierten Talmudstellen.

schöpfungsdatum gefunden[1]). Der Grund zur Änderung der Aera liegt, so glaube ich, auf der Hand. Die seleukidische Aera hat in Europa sicherlich nie geherrscht. „Die meisten Schreiber sind in dieser Aera nicht bewandert, darum zählen wir nach der Weltschöpfung“, bemerkt ein französischer Dezisor um 1180[2]). Nachdem die christliche Aera in Europa sich durchgesetzt hatte, blieb den Juden nichts anderes übrig, als sich eine eigene Aera zu schaffen. Ersteres geschah um die Wende des 9. Jahrhunderts. „Mit dem zehnten Jahrhundert endlich wurde der Gebrauch der christl. Aera in Deutschland und Frankreich allgemein“[3]). Wann letzteres geschehen ist, entzieht sich unserer genauen Kenntnis. Bemerkenswert ist indessen, daß Jakob Tam (geb. vor 1100) von dem ehemaligen Gebrauche einer anderen als der Weltaera in Europa offenbar gar keine Kenntnis mehr hatte[4]) und daß diese Aera (946) schon von Schabbatai Donnolo erwähnt wird. Höchstwahrscheinlich ist demnach diese Aera in Europa in Scheidebriefen bereits vor dem Jahre 1000, der Blütezeit des in das Eherecht tief eingreifenden R. Gerschom, gebraucht worden[5]). Maimonides kodifiziert bemerkenswerterweise an erster Stelle die Weltaera und erst an zweiter Stelle die Seleukidenaera[6]).

5. Zeugen im Scheidebriefe.

Die Hauptfrage, ob nämlich Zeugen zur Gültigkeit des Scheidebriefes unbedingt notwendig sind oder nicht, werde

---

[1]) מאור עינים ed. pr. 95 f. (אמרי בינה c. 25); de Rossi ist irregeleitet worden, denn das Weltschöpfungsjahr ist in den Scherirabrief erst nachträglich hineinkorrigiert worden (Jew. Encyclopedia V, 199).

[2]) Ittur ed. Ven. 2b; vgl. ebenda 2a: והאידנא דלא כתבינן לשם מלכות ומנינן לבריאת עולם; 55a ob.: ואנן השתא דמנינן לבריאת עולם.

[3]) Ideler, Lehrbuch der Chronologie (Berlin 1831), 419.

[4]) Jebam. 91b מלכות und Gitt. 8a מפני.

[5]) Über die bei den Juden gebräuchlichen Aeren siehe JE. l. c. und die daselbst verzeichnete Literatur, ferner Ginzel, Handbuch der mathem. und technischen Chronologie II (Leipzig 1911) 62 f.

[6]) Geruschin 1, 27: וכבר נהגו כל ישראל למנות בגיטין או ליצירה או למלכות אלכסנדרוס מקדון שהוא מנין שטרות.

ich bei der Bestimmung des urkundlichen Charakters des Scheidebriefes behandeln. Tatsache ist, daß in der Regel Zeugen zugezogen wurden, wie denn auch Jeremia (Kap. 32) beim Kaufbrief Zeugen unterfertigen läßt. Es darf auch an Ruth Kap. 4 erinnert werden, wo der Kauf des Erbbesitzes samt der Witwe des ehemaligen Besitzers in Gegenwart der Gemeinde vor sich geht, dabei aber Vornehme direkt als Zeugen bestellt werden, die dann auf eine diesbezügliche Aufforderung laut antworten: Zeugen sind wir. Es werden zehn Zeugen bestellt. Wie zäh die Sitte sich im Orient hält, sieht man daraus, daß es noch im 3. Jahrhundert vorgekommen ist, daß der Mann zehn Zeugen zur Unterfertigung aufforderte[1]. Wenn also die Mischna den Fall behandelt: „Wenn jemand zu zehn Menschen spricht: Schreibet einen Scheidebrief meiner Frau, oder [er spricht]: Schreibet alle“, so ist nicht von Kasuistik die Rede, sondern von wirklichen Vorkommnissen des Alltags[2]. Im ersteren Falle macht einer den Schreiber und zwei die Zeugen — die Gesetzeslehrer reduzierten die Zahl der Zeugen auf zwei, wo die Partei nicht ausdrücklich mehr forderte —, im letzteren Falle müssen alle bis auf den Schreiber als Zeugen figurieren. Wenn der Auftraggeber die Anwesenden zählt, so galt dies so viel als „Ihr alle“[3]. Die Scheidungserklärung wurde laut Pap. G vor der Gemeinde (בעדה) abgegeben. 700 Jahre später ist in einer vom Scheidebrief handelnden, nicht ganz deutlichen Talmudstelle davon die Rede, daß dort, wo es keine Ἰουδαϊκή und auch keine Synagoge gebe, zehn Menschen zusammengebracht werden sollen. Dagegen meint ein Gesetzeslehrer: „Es sei besser, wenn der Scheidebrief durch die Unterschrift der Zeugen legitimiert

[1]) j. Gittin 44 a, 21 und 44 b, 5 eine Kontroverse zwischen Simon ben Lakisch und Jochanan über die Frage, wie es mit einem Scheidebrief zu halten sei, den von den bestellten zehn Zeugen ein Teil am selben und der andere Teil am nächsten Tage unterfertigt hat. Hernach folgt: ר׳ יעקב בר אידי בשם ר׳ יהושע בר לוי מעשה באחד שאמר לעשרה התמו בגט וחתמו מקצתן היום ומקצתן למחר אתא עובדא קומי רבנין וכשרון וחשון.

[2]) Gittin 6 Ende: אמר לעשרה כתבו גט לאשתו א׳ כותב ושנים חותמין כולכם כתובו אחד כותב וכולם חותמין לפיכך אם מת אחד מהן הרי זה בטל.

[3]) j. Gitt. 6 Ende (48 b).

wird, als daß zehn Menschen versammelt werden“[1]). Auch fünf Zeugen werden erwähnt, daneben auch fünf Zeugen, die einen in fünf Sprachen abgefaßten Scheidebrief in fünf Sprachen unterfertigt haben[2]). *Wir konstatieren, dass im Altertum beim Scheidebrief (wie bei allen Urkunden) die Anzahl der Zeugen variierte, mit anderen Worten, die altorientalische (auch antike) Sitte der Heranziehung mehrerer Zeugen lebte bei den Juden nachweisbar noch im 3. Jahrhundert (post), weiter fort.*

Daneben kam es aber auch vor, daß jede Zeugenunterschrift fehlte oder bloß ein einziger Zeuge unterfertigt war[3]). Die Art der Zeugenunterfertigung war nicht immer gleich. Der Zeuge unterfertigte bald seinen Rufnamen, bald mit „Sohn des N.“ (בן פלוני), bald beide zusammen „N. Sohn des N.“ In den ersten zwei Fällen mußte das Wort „Zeuge“ hinzugefügt sein, im letzten Falle war dies nicht notwendig; die Jerusalemer taten dies nie[4]). Merkwürdig ist, daß der Zeuge nicht selten lediglich „ich bin Zeuge“ (ohne Namensfertigung) unterfertigte, in welchem Falle die Schrift identifiziert werden mußte. Auch kam es vor, daß der Zeuge bloß einen Buchstaben seines Namens oder Zeichen als Unterschrift gebrauchte. Es bedurfte einer eigenen Verordnung, daß „die Zeugen ihre Namen auf den Scheidebriefen ausdrücklich nennen“[5]).

In den aramäischen Papyrusurkunden erscheint in der

---

[1]) j. Gittin 43 b, 7.

[2]) Tos. Gitt. 9, 11 (334, 13): גט שהתמו עליו חמשה עדים וכו׳ כתבו בחמשה לשונות וחתמו עליו חמשה עדים בחמשה לשונות. Vgl. weiter unten.

[3]) Siehe weiter unten. Tos. Gitt. 8, 8 (333, 4): הניתן גט לאשתי ולא שהדו. Beachtenswert ist der Ausdruck שהדו, der die aramäische Zeugenunterschrift der Papyri פב״פ שהד widerspiegelt. — 8, 6 פשוט שכתוב בו עד אחד וכו׳.

[4]) Gittin 9, 8: איש פלוני עד כשר, בן איש פלוני עד כשר, איש פלוני בן איש פלוני ולא כתב עד כשר, וכך היו נקיי הדעת שבירושלים עושין.

[5]) Tos. Gitt. 9, 13 (334, 17): אני עד והחתמתי עד או שהיה |צ״ל אם היה| כתב ידן יוצא ממקום אחר כשר אם לאו פסול רשב״ג אומר תקנה גדולה התקינו שיהו העדים מפרשין את שמותיהן בגיטין. Gitt. 87 b: רב צייר כוורא רבי חנינא חריתא רב חסדא סמ״ך רב הושעיה ע״ן רבה בר רב הונא צייר מכותא. j. ib. 50d, 11: ר׳ אבהו כתב אל״ף רב חסדא כתב סמך שמואל כתב חרותא

Regel eine ganze Anzahl von Zeugen, selten bloß zwei. Der Zeuge unterfertigt mit seltenen Ausnahmen seinen und seines Vaters Namen und setzt seiner Unterschrift das Wort „Zeuge" vor, ausnahmsweise nach. Z. B. Pap. A 16 שהד מחסה בר ישעיה. Mitunter fehlt bei manchem das Wort Zeuge, z. B. F und G hat es bloß je ein Zeuge. In Pap. B. fehlt der Vatersname bei הדדנורי בבליא. In der Regel werden die Zeugenunterschriften mit ושהדיא בגו „die Zeugen folgen" eingeleitet[1]). „Ich Zeuge", mangelhafte Namen oder Namenszeichen finden sich nie.

Wie aus mehreren Namen der Zeugen der Papyri zu schließen ist, haben die Juden in Elephantine Nichtjuden als vollwertige Zeuren anerkannt. In vorchristlicher Zeit werden sicherlich auch die Juden Palästinas die Zeugnisfähigkeit von Heiden nicht beanstandet haben. Wann in diesem Punkte ein Wandel der Anschauungen eingetreten ist, hat bisher den Gegenstand einer Untersuchung nicht gebildet und kann hier incidentaliter natürlich nicht geführt werden. Ich werde daher lediglich die einschlägigen Daten der Tradition über den Scheidebrief zusammenstellen, wobei ich das Eingreifen von nichtjüdischen Behörden in die jüdische Ehescheidung mitbehandle.

In der Hauptstelle heißt es: „Jede Urkunde, auf welcher ein Samaritaner als Zeuge unterfertigt ist, ist ungültig, mit Ausnahme von Scheidebriefen und Freilassungsurkunden. Es geschah einmal, daß man in dem Dorfe Uthnai einen Scheidebrief vor R. Gamliel (um 100) brachte, dessen Zeugen Samaritaner waren, und er erklärte diesen Scheidebrief für gültig. Sämtliche Urkunden, die in den Archiven der Heiden niedergelegt sind, sind gültig, obgleich die Zeugen Heiden sind, mit Ausnahme von Scheidebriefen. R. Simon sagt: alle sind gültig, [die Scheidebriefe] sind nur erwähnt worden, wenn sie von Privatpersonen angefertigt wurden"[2]). Aus der

[1]) Pap. Sachau Nr. 88 hat blos שהדיא, worauf vier Zeugen ohne שהד folgen, ein Analogon zu der Gepflogenheit der Jerusalemer.

[2]) Gittin 1, 5 (Lowe): כל גט שיש עליו עד כותי פסול חוץ מגיטי נשים ושחרורי עבדים מעשה בשהביאו לפני רבן גמליאל לכפר עתני גט אשה והיו עדיו

Parallelstelle[1]) geht hervor, daß die Frage nach der Gültigkeit der von nichtjüdischen Zeugen unterfertigten, in den Archiven aufbewahrten Urkunden in dem Zeitraume, welcher zwischen der Tempelzerstörung und dem Bar Kochba-Aufstand (70 bis 135) liegt, zur Verhandlung gelangte, bei welcher Akiba gegen die allgemeine Ansicht sich für die Scheide- und Freilassungsinstrumente einsetzte. Der Patriarch Simon ben Gamliel, der nach dem unglücklichen Krieg der Führer des jüdischen Volkes gewesen, erkannte ebenfalls die Gültigkeit von Scheide- und Freilassungsbriefen dort an, „wo Juden nicht unterfertigen". Derselbe Patriarch entscheidet gegen die frühere Praxis: „Von der Zeit der Gefahr an wird der Frau ihr Heiratsbrief auch ohne Vorweisung des Scheidebriefes, so auch dem Darlehengeber seine Forderung ohne Prosbol ausbezahlt"[2]). Die Parallelstelle sagt ausdrücklich, die Weisen haben „von der Zeit der Gefahr an angeordnet, daß der Scheidebrief vor dem Gerichtshof (gleich nach der Übergabe) zerrissen werde"[3]).

Wir können aus Vorstehendem feststellen, daß den Juden nach der Tempelzerstörung das Recht der Beurkundung genommen wurde. Während der Hadrianischen Religionsverfolgung durften auch Scheidebriefe nicht ausgestellt werden, die Scheidung vollzog die heidnische Behörde, in deren Archiv hierüber eine Urkunde niedergelegt wurde. Den von

---

עדי כותים והכשיר. כל השטרות העולים בארכיות של גוים אף על פי שחתומיהן גוים כשרים חוץ מגיטי נשים ושחרורי עבדים ר' שמעון [בן גמליאל] אומ' כולן כשרין לא הוזכרו אלא בזמן שנעשו בהדיוט. Über כפר עתני siehe Neubauer, Géographie 56. Der Vulgärtext hat ערכאות (nicht ארכיות).

[1]) Tos. Gitt. 1, 8 (323, 28): ר' עקיבא מכשיר בכולן וחכמים פוסלין בגיטי נשים ובשחרורי עבדים . . . רשב"ג אומר אף גיטי נשים וש"ע כשרין במקום שאין ישראל חותמי.

[2]) Kethub. 9 Ende: הוציאה גט ואין עמו כתובה גובה כתובתה, כתובה ואין עמה גט, היא אומרת אבד גיטי והוא אומר אבד שוברי . . . הרי אלו לא יפרעו רשב"ג אומר מן הסכנה ואילך אשה גובה כתובתה שלא בגט ובעל חוב גיבה שלא בפרוזבול.

[3]) Tos. Keth. 9, 6 (272, 5) (auch Gitt. 11 a): בראשונה היו אומרים המוציאה כתובה צריכה שתוציא עמו גט וחכמי' אומר' מן הסכנה ואילך התקינו שתהא מקרעתו בבית דין וגובה.

einer heidnischen Behörde ausgestellten Scheidebrief haben nach dem einfachen Sinne der Überlieferungen[1]) die jüdischen Gesetzeslehrer zeitweilig schon zwischen 100—135 für rechtsgültig anerkannt; so auch der Patriarch selber nach 150. Hadrian hat nach dem Freiheitskrieg den Juden Palästinas die Zeugnisfähigkeit genommen, „Juden unterfertigen nicht". Dagegen haben Schriftgelehrte noch im 3. Jahrhundert „einen in Skythopolis herausgekommenen Schuldschein mit heidnischen Zeugen" aus praktischen Gründen des Geldverkehrs für rechtsgültig erklärt[2]). Samaritanische Zeugen wurden vor 135 unbedingt zugelassen, ihre Scheidebriefe anerkannt[3]). Im 3. Jahrhundert haben die palästinischen Gesetzeslehrer auch die im Ausland ausgestellten Scheidebriefe für tadellos erklärt[4]).

Was nun das Archiv betrifft, so gibt es für Judäa aus der Zeit nach der Tempelzerstörung keine außerjüdischen historischen Angaben, dagegen wohl solche für Ägypten, welche wir als Analogie umso eher heranziehen dürfen, weil beide Länder als kaiserlicher Privatbesitz verwaltet wurden. Wir wollen dies durch einige Zitate aus L. Mitteis' jüngst erschienenem Werke[5]) tun, in welchem im Rahmen der juristischen Behandlung der griechischen Papyri auch das Urkundenwesen zusammenfassend dargestellt ist.

„Ein ganz neutraler Ausdruck endlich ist ἀρχή[6]) oder

---

[1]) Siehe b. Gitt. 10 b; j. ib. 43 d, 4: א״ר אחא קול יוצא בארכיים (j. Moed K. 81 b, 43 הגוי חותם ומעלה לארכיים). Die Stellen, wo ערכאות vorkommt, verzeichnet Büchler, Der galiläische Am ha-Arez 224, n. 3.

[2]) j. Gitt. 43 d, 10: שטר יוצא בבית שאן והיו עדיו עדי גוים.

[3]) j. Gitt. 43 c unten, 44 d, 1; b. Gitt. 10 a und b. Dagegen Kidd. 67 a לפי שאין בקיאין בתורת קידושין וגירושין. Die Schammaiten stimmen bei יבמה mit den Samaritanern überein (j. Jebam. 2 a, 35).

[4]) j. Gitt. 43 b, 24: אבל עכשיו שחברין מצויין בחוצה לארץ בקיאין הן, nämlich בדקדוקי גיטין.

[5]) L. Mitteis und U. Wilcken, Grundzüge und Chrestomathie der Papyruskunde. Zweiter Band. Erste Hälfte (Leipzig 1912).

[6]) ארכי und ערכי (Krauß, Lehnwörter 130 und 418 f.) gehen auf

ἀρχεῖον, welcher eigentlich die Behörde schlechthin, daher auch das Notariatsamt bezeichnen kann“ (60). „Die ptolemäische Regierung legte nach dem Vorgang der pharaonischen auf verschiedene Rechtsgeschäfte Verkehrssteuern, unter denen das ἐγκύκλιον für den Eigentumswechsel und die Verpfändung — in der periodisch schwankenden Höhe von 5 bis 10% vom Werte des Objektes — am wichtigsten ist. Dasselbe wird nach Errichtung des Kontraktes bemessen und bezahlt, und wir finden häufig Bestätigungen über die Bezahlung dieser Steuer ... Damit hängt nun ... das eigentümliche Institut der Registrierung zusammen ... Es bestand eine Vorschrift dahingehend, daß die nicht registrierten ägyptischen (d. h. in ägyptischer Sprache und Schrift verfaßten) Verträge kraftlos sein sollen. Wahrscheinlich wurde dies deswegen vorgeschrieben, damit nicht die ägyptischen Monographen Verträge ohne Wissen der Steuerbehörde beurkunden sollten“ (78 f.). „Auf diesem rein fiskalischen Gedanken gründet sich also das allgemeine auch die Kaiserzeit bis auf Diokletian noch beherrschende Prinzip, daß jede Urkunde um vollwertig zu sein, einregistriert sein muß“ (80). „Gläubiger, welche eine Urkunde gegen den Schuldner gerichtlich geltend machen wollen, unterziehen sie erst der Registrierung“ (84).

„Das Wesen der δημίωσις besteht in öffentlicher Registrierung, d. h. Hinterlegung von Urkundsexemplaren in alexandrinischen Archiven ... Und zwar bestehen zwei Archive: ἡ Ἀδριανὴ βιβλιοθήκη ... Erstere scheint, ihrem Namen nach zu schließen, eine Einrichtung des Kaisers Hadrian zu sein ... Des Näheren ist der Vorgang vor allem aus einem Statthalteredikt vom Jahre 127 ... zu ersehen“ (84). Es ist ein Beleg dafür vorhanden, daß auch ein Ehekontrakt im Archiv niedergelegt wurde. „Der Ehevertrag war vermutlich, wie so oft, mit der Exe-

---

diese Form zurück, es wird also j. M. K. 81 b, 43 ארכיים auch nicht Sing. für ארכיון = ἀρχεῖον sein, wie Krauß vermutet.

kutivklausel versehen und wurde dem Schuldner im Mahnverfahren zugestellt" (86, n. 1).

Schon durch diese kurzen Auszüge werden sämtliche Talmudstellen, in denen vom „Archiv der Heiden" in Palästina die Rede ist, in ein ganz anderes Licht gerückt, worauf näher einzugehen ich mir noch vorbehalte. Hier sei nur nachdrücklich betont, daß eben die jüdischen Gesetzeslehrer der Hadrianischen Zeit, Akiba und seine Genossen es sind, welche sich mit den „im Archiv niedergelegten Urkunden" zum erstenmal befassen. Sklaven wurden im Ägypten der Kaiserzeit rechtlich wie Immobilien behandelt; derselben Anschauung[1]) huldigt auch der Talmud, der übrigens die Scheidungsurkunde mit der Freilassungsurkunde in eine Reihe stellt[2]). Es ist nun ganz sicher, daß die Römer die Ehescheidung nicht für einen minder wichtigen Akt als die Sklavenfreilassung betrachtet haben. Schon aus diesem Gesichtspunkte wird es verständlich, daß sie die Ehescheidung ihrer Kompetenz vorbehielten. Aber auch von einem anderen Gesichtspunkte wird die Forderung der amtlichen Registrierung oder die freiwillige Einreichung zu diesem Zwecke verständlich. Die Scheidungsurkunden enthielten zuweilen, wie wir oben ausgeführt haben, Bestimmungen über Rückzahlung der Mitgift oder sonstige Bedingungen materieller Entschädigung der Frau, was in nichtjüdischen Scheidungsakten nie fehlt. Um diese gegebenenfalls geltend machen zu können, bedurften die Parteien des „Archivs". Es ist nicht unmöglich, daß im Jahre 127, dem Datum des ägyptischen Statthaltererlasses, auch in Judäa die Registrierung der Urkunden verordnet oder geregelt wurde. Wir verstehen jetzt auch den Unterschied, den die Schriftgelehrten zwischen von Amts- und Privatpersonen angefertigten Scheidebriefen machen. Die ersteren wurden von den jüdischen Gesetzeslehrern sicherlich darum anerkannt, weil sie wahrscheinlich nach einem von ihnen

---

[1]) Scheb. 42b: עבדים הוקשו לקרקעות.

[2]) Z. B. Tos. Gitt. 7, 3 (320, 15); חכמים אומרים שחרורי עבדים כגיטי נשים.

approbierten Formular angefertigt wurden, was beim Exemplar des Privatschreibers zumindest nicht sicher war.

Die Registrierung wurde behufs Einhebung der Verkehrssteuer eingeführt, die jüdischen Quellen erwähnen dementsprechend bei „Niederlegung der Urkunde im Archiv" Liegenschaften und Sklaven (einmal auch Vieh und Schuldschein). Die tief einschneidende neue materielle Belastung wird den wegen des Verlustes des Tempels und des Staates ohnehin tiefen Groll des jüdischen Volkes nur noch gesteigert und endlich zum Aufstand geführt haben. Doch dies nur nebenher.

V.

FORM DES SCHEIDEBRIEFES.

1. Der Scheidebrief als Schriftstück.

Bei der Beschreibung der äußeren Gestalt des Scheidebriefes kann ich mich auf urkundliches Material wohl nicht stützen, denn es ist bisher kein Papyrus zum Vorschein gekommen, und die einschlägige älteste Urkunde, die gegenwärtig bekannt ist, datiert erst aus dem Jahre 1088; sie ist in Alt-Kairo (Fostat) ausgestellt worden, in deren berühmt gewordenen Genizah sie auch gefunden wurde[1]). Aus gelegentlichen Äußerungen und gesetzlichen Bestimmungen der talmudischen Literatur läßt sich indeß noch ein deutliches Bild von der äußeren Gestalt dieser uralten Urkunde gewinnen.

Über den Scheidebrief des alten Israel wissen wir nur soviel, wieviel aus der hebräischen Benennung desselben entnommen werden kann. In der Bibel kommt nämlich bloß der Name ספר כריתות vor[2]), sonst nichts. Das nationale Schreibmaterial der alten Israeliten war die geglättete Tierhaut, auf welche sowohl Bücher wie alle Arten von Schriftstücken ohne Rücksicht auf Inhalt und Zweck geschrieben wurden[3]). Der Scheidebrief wird also in der Regel gleichfalls ein

[1]) Siehe den Abdruck oben S. 3. Ältere Urkunde Kap. VI.

[2]) Deuteronomium 24, 1. 3; Jesaia 50, 1; Jeremia 3, 8.

[3]) Siehe *mein* Althebräisches Buchwesen 11—15.

aus Tierhaut zubereitetes Schriftblatt gewesen sein, worauf auch der Name (Sefer) hinweist. Ob es dabei nicht auch Scheidebriefe gegeben hat, bei denen andere Beschreibstoffe, wie dies in nachbiblischer Zeit der Fall war, verwendet wurden, läßt sich nicht entscheiden. Im Hinblick auf die beschriebenen Tonscherben aus dem 9. Jahrhundert, welche die jüngsten Ausgrabungen in Palästina zutage gefördert haben, ist nicht einmal die ehemalige Existenz hiehergehöriger Ostraka von vornherein zu verneinen. Die unteren Schichten des Volkes können sich dieses billigen Materials beim Scheidebrief ebenso bedient haben, wie bei anderen Schriftstücken.

Reichlicher fließen die nachbiblischen Quellen, die den Scheidebrief in bunter Mannigfaltigkeit zeigen. Die Hauptstellen lauten folgendermaßen: „Wurde der Scheidebrief geschrieben mit geronnenem Blut, geronnener Milch auf Oliven-, Johannisbaum- oder Kürbisblättern oder auf irgendeinem anderen Gegenstande, der von Dauer ist, so ist er gültig. Wurde er aber geschrieben auf Lauchhaut, auf Zwiebel-, Spierlings-[1]) oder Grünzeugblättern oder auf irgendeinem anderen Gegenstande, der nicht von Dauer ist, so ist er ungültig; er muß mit einem dauerhaften Stoff auf einem dauerhaften Gegenstande geschrieben sein ... Er darf auch nicht geschrieben werden auf etwas, was noch mit dem Erdboden verbunden ist, sondern nur auf etwas, was vom Erdboden schon losgelöst ist. Schrieb man ihn auf Hirschgeweih, schnitt ihn dann ab, unterfertigte ihn und gab ihn der Frau, so ist er ungültig, denn laut Deut. 24, 1 „er schreibe und übergebe", muß wie bei der Übergabe so auch schon bei der Ausfertigung der Beschreibstoff vom Erdboden losgelöst sein. Schrieb man den Scheidebrief auf das Horn einer Kuh und übergab der Frau die Kuh, auf die Hand eines Sklaven und übergab der Frau den Sklaven, gehört die Kuh oder der Sklave der Frau und sie hat auf *einmal* Scheidebrief und Ehekontraktssumme erhal-

[1]) Tosafoth Gittin 21 b sub על liest ורדים (statt זרדים), demnach „auf Rosenblätter".

ten"[1]). Auch Rohr- und Nußbaumblätter werden genannt[2]). Gegen eine Einzelmeinung wird erlaubt abgelöschten Papyrus und rohes Leder (διφθέρα) zu verwenden, obgleich ein solcher Scheidebrief gefälscht werden kann[3]). Auch eine Goldplatte (טס של זהב) wird erwähnt, wobei die Frau, wie bei der Kuh und dem Sklaven, mit dem Scheidebrief gleichzeitig auch die ihr gebührende Ehekontraktssumme erhält[4]). Eine gewöhnliche Holztafel (טבלא τάβλα) wird ebenfalls genannt[5]).

Der Scheidebrief konnte auch ein Ostrakon sein. „Wenn man den Scheidebrief geschrieben hat auf der Tonscherbe eines durchlöcherten Napfes, ist er gültig"[6]). Dasselbe gilt vom Heiratsbrief: „Wenn die des Ehebruchs verdächtige Frau ihre Schuld eingesteht, zerbricht sie ihren Ehekontrakt"[7]), sowie vom Verlobungsbrief: „Schreibt der Mann auf Papyrus oder auf eine Tonscherbe: Deine Tochter sei mir angelobt, ist die Verlobung gültig, obgleich das verwendete Material keine Peruta (Heller) wert ist"[8]). Überhaupt werden bei Privaturkunden lediglich Papyrus und Tonscherben als Schreibstoff genannt. „Wie ist die Urkunde gemeint? Wenn der Eigentümer auf Papyrus oder Tonscherbe schreibt: Mein Feld sei dir verkauft, mein Feld sei dir geschenkt"[9]).

---

1) Tosefta Gittin 2, 3—5, p. 325, Zuckermandel. Kürzer Mischna Gittin 2, 3 und b. Talm. ebenda 20 b. Vgl. Alth. Buchwesen 16.

2) Sifre II 269 (122 a Friedmann); Midrasch Tannaim S. 154.

3) Gittin 2, 4.

4) j. Gittin 44 b 37; b. Gittin 20 b.

5) b. Gittin 20 b.

6) Gittin 21 b: כתבו על חרס של עציץ נקיב כשר... על עלה של עציץ נקוב פסול. In einer Baraitha (Gittin 32 b) heißt es: גט זה... יהא חרס, יהא כחרס... חרס הוא כחרס הוא, wo mit der Nichtigkeitserklärung des Scheidebriefes zugleich auf sein Schreibmaterial hingezielt ist.

7) Sota 1, 5: אם אמרה טמאה אני שוברת כתובתה. Abaje bemerkt hiezu: „lies: sie zerreißt" (מקרעת). Es ist aber evident, daß dem Verfasser dieses Lehrsatzes ein Ostrakon als Ehekontrakt vorgeschwebt hat. Raschi erklärt: sie schreibt eine Quittung (כותבת שובר על כתובתה).

8) Kidduschin 9 a; Jebamoth 52 a: בשטר כיצד, כתב לו על הנייר או על החרס וכו. Auch j. Kidd. 58 c, 33.

9) Kidd. 26 a; Baba Bathra 51 a: בשטר כיצד, כתב לו הנייר או על החרס שדי מכורה לך שדי נתונה לך וכו'... Tosafoth Kidd. 9 a sub כתב preßt Keth. 86 b (Unterschrift auf Tonscherbe) und behauptet gegen die

Der Scheidebrief konnte, wie wir sehen, aus vegetabilischen und animalischen Schreibstoffen verschiedenster Art bestehen, gewöhnlich war er aber eine Papyrusurkunde, denn am häufigsten wird der Papyrus erwähnt. Ein Amora bemerkt in einer Diskussion: „Wenn der Mann der Frau ein Stück Papyrus übergibt, wirst du da sagen, sie sei für einen Priester nicht mehr geeignet?“[1]). Ein zerrissener Scheidebrief wurde für gültig anerkannt; ging aber der Riß zwischen dem Text und der Zeugenunterschrift, so war dies ein Zeichen dafür, daß ein Gerichtshof diesen Scheidebrief für ungültig erklärt hat[2]). Ein glattes Papyrusblatt galt als Scheidebrief, wenn es der Mann der Frau als solchen übergeben hatte, denn es konnte mit unsichtbarer (sympathetischer) Tinte geschrieben sein[3]). Es kamen überhaupt verschiedene Schreibfarben und Schreibarten vor. „Man schreibt mit Tinte, Operment, Minium (rote Farbe), Gummi, Kupfervitriol und mit allem, was haftet, aber nicht mit Getränken und Fruchtsaft und anderen Dingen, die nicht haften“[4]). Zu letzterem gehören Blut und Milch, die bereits erwähnt wurden. Normale Schreibstoffe waren sicherlich schwarze, gelbe und rote Tinte (דיו, סם, סקרא), die eben darum an erster Stelle genannt sind. Neben der gewöhnlichen Schrift wird noch erlaubt das Eindrücken, verboten dagegen das Tröpfeln, das Gießen, das

---

historischen Angaben, daß Ostrakonurkunden wegen der leichten Fälschbarkeit ungültig waren. Wenn von einer entwerteten Urkunde gesagt wird. „sie sei bloß eine Tonscherbe“ (האי שטרא חספא בעלמא, Baba Bathra 32 b), so wird damit gleichzeitig auf das Material der Urkunde hingezielt. — Will jemand seine Unterschrift zeigen, schreibe er seinen Namen auf Tonscherbe. (Keth. 21 a לכתוב אחספא). — Tos. Baba M. 2, 2: כתוב בחרס ונתון על פי חבית. Siehe auch Klein in meinem הצופה II, 48.

[1]) Jebam. 52 a.

[2]) Tos. Gittin 2, 2 (324, 24); j. Gittin 44 b, 36 und sonst: נקרע כשר נתקרע פסול.

[3]) Gittin 19 b; Levy III, 444 נרא und 102 מילה III (Löw, Graphische Requisiten I, 160).

[4]) Gittin 2, 3. Löw 165. Gittin 19 a noch einige Schreibstoffe. Den Zeugen darf man die Unterschrift mit Blei und Speichel vorzeichnen: oder man zerreißt unbeschriebenen Papyrus und sie füllen die Risse mit Tinte (ib.) Alles Erleichterungen beim Scheidebrief.

Hervorpressen (erhabene Schrift, wie Münzlegenden) und das Durchschneiden der Schriftzüge[1]).

Die beliebte Annahme, es handle sich nur um bloße „Kasuistik“, ist durchaus falsch; richtig ist vielmehr, daß die Rechtslehrer des Talmuds die in der Praxis sich zeigenden Vorfälle besprachen und für das Leben Normen aufstellten. Es ist in diesem Betracht besonders signifikant, daß die erwähnten Schreibstoffe und Schreibarten lediglich bei der Normierung des Scheidebriefes zur Sprache kommen, während bei den Schreibregeln für die Anfertigung von biblischen Büchern wieder von anderen Dingen die Rede ist. Der Scheidebrief war eben eine Privaturkunde wie jede andere, deren Abfassung jedem beliebigen Privatmanne überlassen wurde[2]). Schon aus diesem Grunde hatte sich keine feste Schreibtradition ausgebildet und gerade darum kamen in der Praxis alle nur möglichen Schreibstoffe und Schreibarten zur Verwendung, die eine gesetzliche Regelung erheischten. Die Archäologie hat demnach für das Altertum bezüglich des Schreibstoffes und der Schreibart eine reiche Mannigfaltigkeit des Scheidebriefes zu verzeichnen. Dies gilt zum Teil auch noch für das Jahr 1000, wie aus einer an die Gaonen Scherira und Haja gerichteten Anfrage hervorgeht[3]).

In der Regel wurde der Scheidebrief auf einer einzigen Kolumne geschrieben; es schadete aber der Urkunde nicht, wenn ein Teil auf eine zweite Kolumne gesetzt wurde (Gitt. 9, 7). Es kam vor, daß zwei Scheidebriefe nebeneinander

---

[1]) j. Gittin 44 a 12; Tos. 2, 4 (325); b. Gittin 19 a und b: הרושם על העור, המקרע על העור, שופך, מטיף, חיקק. Vgl. auch Löw 50. Das Schreiben durch Tröpfeln war auch dann verboten, wenn die einzelnen Tropfen mit einander verbunden wurden (Jerusch. ib.).

[2]) Samuel (um 250) tut den Ausspruch: Wer die Gesetze der Ehescheidung und Eheschließung nicht kennt, beschäftige sich mit diesen Akten nicht (Kidd. 6 a; 13 b). Die Zuziehung einer Amtsperson, beziehungsweise eines berufsmäßigen Schreibers hat auch er nicht gefordert.

[3]) Responsen der Gaonen, ed. Harkavy Nrr. 351, 367—369. Maimuni kodifiziert die zulässigen Schreibstoffe und Schreibarten, Geruschin IV 1—7. — Die Palästinenser zerrissen den Scheidebrief, die Babylonier nicht (Müller חלוף מנהגים Wien 1876 = Lewy-Festschrift S. 256 Nr. 14; Harkavy l. c. S. 31 und 394).

geschrieben waren (ebenda 6). Die Zeilenzahl war nicht bestimmt. Dies kann noch bewiesen werden. Zu den Kennzeichen, die kein untrügliches Merkmal für einen speziellen Scheidebrief bilden, gehört nämlich die Angabe: „zwei oder drei Zeilen“. Dies sei keine individuelle Eigentümlichkeit eines Scheidebriefes, denn es gebe viele andere, die gleichfalls zwei oder drei Zeilen zählen[1]). Der schon erwähnte älteste Scheidebrief zählt 14 Zeilen, und noch um 1180 schreibt ein französischer Kodifikator, es sei Sitte den Scheidebrief in 12 Zeilen zu schreiben, entsprechend den je 3 leeren Zeilen, welche die einzelnen Bücher des Pentateuchs von einander „scheiden“; hat man aber mehr oder weniger Zeilen geschrieben, so tut das dem Scheidebrief keinen Eintrag[2]). In Europa verwendete man noch im 15. Jahrhundert Pergament, doch schon im 16. Jahrhundert ließ man auch papierne Scheidebriefe gelten. „Die ersten papiernen Scheidungsurkunden kamen aus dem Oriente ... Schon unter Jakob Pollak (gest. 1530) kam ein solcher Scheidebrief aus Konstantinopel nach Krakau. Ein Jahrhundert später bezeugt Joel Särkes, daß alle aus Ägypten ... der Türkei kommenden Scheidebriefe auf Papier geschrieben sind“[3]).

Auf die Schrift verwendete man keine besondere Sorgfalt: es gab Löschungen und über die Zeile gesetzte Worte. Auch das Schreibmaterial mußte gerade nicht tadellos sein. Der Scheidebrief war auch dann gültig, „wenn er zerstoßen, verfault, wie ein Sieb durchlöchert war. Ist die Schrift verlöscht oder zerflossen, ihr Bild aber noch sichtbar, so daß sie leserlich ist, dann ist der Scheidebrief gültig“[4]).

---

[1]) j. Jeb. 15d unt. נ״מ סימן לגיטין? בההוא דמר תרתי· שורין ברם הכא ה״א שבו היה נקיד. j. Gittin 44d unt. והוא דמר תרין תלת שורין. Oben S. 33.

[2]) Ittur, ed. Venedig 55c. — Andere meinen, weil גט nach dem Zahlenwert seiner Buchstaben = 12 sei.

[3]) Löw I, 106.

[4]) Tos. Gittin 9, 8 (334, 6): גט שיש בו מחק או תלוי מגופו פסול ושלא מגופו כשר אם החזירו למטה אפילו מגופו כשר. Ebenda 9, 12 (334, 15: נימיק או שהרקיב או שנעשה ככברה כשר, נמחק או נטשטש ובבואה שלו קיימת אם יכול לקרות כשר ואם לאו פסול (vgl. Maimuni Geruschin IV, 15). Selbst wenn etwas vom Hauptinhalt der Scheidungsformel „verlöscht oder über

Für die Form mancher Buchstaben und für die Orthographie mancher Wörter hat Abaje, das im Jahre 337 verstorbene babylonische Schulhaupt, gewisse Regeln aufgestellt, damit jede Zweideutigkeit der Lesung und Deutung ausgeschlossen werde[1]. Diese eigentümlichen Neuerungen vermochten indeß nicht allgemein durchzudringen. Haja Gaon entscheidet, daß der Scheidebrief auch ohne diese Eigentümlichkeiten gültig ist[2]. Der Get von Fostat zeigt sie indessen alle. Nissim (um 1000 in Kairuan) erklärt sogar, daß Tilgungen einzelner, irrtümlich doppeltgeschriebener Worte durch Überpunktierung oder Streichung oder Löschung den Scheidebrief seiner Legalität nicht berauben[3]. Der südarabische Scheidebrief aus dem Jahre 1822, den Iben Safir abdruckt[4], zeigt keine einzige Eigentümlichkeit der geforderten Buchstabenformen und vielleicht nur zufällig eine der orthographischen Vorschriften[5]. Dagegen findet sich alles im Getformular, das Jakob Tam (um 1150 in Rameru) festgestellt hat[6], was dann für die Folgezeit maßgebend geworden ist. Wie bei manch anderen Dingen entschied der babylonische Talmud als autoritativer Kodex auf Grund theoretischer Erwägung im Abendlande, während im Morgenlande die lebendige Praxis ihm nicht selten das Gegengewicht hielt. In

---

die Zeile gehängt war", tangierte das den Scheidebrief nicht, wenn das Fehlende zum Schluß nachgeholt, bezw. wiederholt war, wie dies in anderen Urkunden gang und gäbe war. Der Scheidebrief bildete auch in diesem Punkte keine Ausnahme.

[1]) Gittin 85 b. Der Vulgärtext ist mehrfach amplifiziert. Vgl. Harkavy l. c. S. 5, 129, 229 und Ginzberg, Geonica II 167—171.

[2]) A. a. O. 171.

[3]) Ittur 17 a (Venedig). Sogar eine in den Text geschriebene Bedingung konnte durch bloße Überpunktierung getilgt werden: אם כתב בגט ונקד עליו כתב.

[4]) אבן ספיר I (Lyck 1866), S. 62 b.

[5]) ודן (statt ודין der bab. Schreiber) ist nämlich gewöhnliche orth. Schreibweise. Entscheidend wären die drei Jod in תהוויין und תצביין, gerade dies fehlt aber.

[6]) Machsor Vitry Seite 785; so kodifiziert auch Maimuni, Geruschin IV, 13—14, wogegen Abraham ben David mit Berufung auf einen Gaon Einsprache erhebt.

talmudischer Zeit kam es vor, daß der Scheidebrief ein eigenes Kennzeichen (סימן) hatte. Als ein untrügliches Kennzeichen wird angegeben: „das ה sei punktiert“[1]), d. h. wahrscheinlich, daß dieser Buchstabe gegen die gewöhnliche Schreibweise mit einem Punkte versehen war. Die Babylonier erwähnen statt dieses bei ihnen sicherlich nicht vorkommenden Kennzeichens „ein Loch an der Seite eines gewissen Buchstaben“[2]).

Die äußere Größe der Scheidungsurkunde war nicht bestimmt; wie bei allen anderen Urkunden konnte auch beim Scheidebrief Länge und Breite von verschiedener Ausdehnung sein[3]); „lang oder kurz“ war darum kein Kennzeichen[4]). Die fertige Urkunde war mit einem (weißen oder roten) Faden umgebunden, wie etwa die aramäischen Papyrusurkunden von Assuan. Ein gefundener Scheidebrief wurde der Frau zugeurteilt, wenn sie die Länge des Fadens richtig angegeben hatte[5]). „Hat sie die Scheidungsurkunde in der Hand, der Bindungsfaden befindet sich aber noch in seiner Hand, so daß er die Urkunde zu sich zurückzubringen vermag, ohne daß der Faden reißt, ist die Scheidung ungültig“[6]). Daher heißt es von einem Scheidebrief, der noch nicht ganz in den

---

[1]) j. Gitt. 44d unt.; j. Jeb. 15d unt. ה"א שבו היה נקוד (ob. 68, n. 1). Korban Eda meint, der Buchstabe bestand nicht aus Strichen, sondern aus Punkten. Offenbar denkt er an j. Gittin 44b, 16, wo beim „Tröpfeln“ (הַמְטִיף) ein Unterschied gemacht wird zwischen עִירֵב את הַנְקוּדוֹת und לֹא עִירֵב את הַנְקוּדוֹת „wenn die Punkte mit einander verbunden oder nicht verbunden sind“. Von allem anderen abgesehen, bleibt unerklärt, warum gerade das ה"א und offenbar alle ה"א „getröpfelt“ wurden? Darum glaube ich, daß eine konsequente Punktierung des fraglichen Buchstaben gemeint ist, damit er vom ח sich unterscheide. ה"א שבו היה נקוב zu emendieren, geht nicht, weil damit nicht erklärt wäre, warum sämtliche ה"א durchlöchert waren. Es so zu fassen, daß der senkrechte Strich mit dem wagrechten Querstrich nicht verbunden sei, scheint auch nicht gut möglich.

[2]) Gittin 27b; Baba Mezia 18b u. 28a: נקב בצד אות פלוני.

[3]) Baba Mezia 28a.

[4]) Gittin 27b unten.

[5]) Baba Mezia 28a: סימני החוט ist מדת ארכו.

[6]) Gittin 78b (B. M. 7a): נט בידה ומשיחה בידו. (Chisda).

Besitz (Bereich) der Frau gelangt ist, „er sei noch mit dem Manne verbunden“[1]).

Als Behälter, in welchen die Scheidungsurkunde aufbewahrt wurde, werden genannt: Tasche, Sack, Beutel, Ring; sie lag mitunter auch frei unter anderen Sachen[2]). Bemerkenswert ist, daß diese heute so sorgfältig angefertigte und behütete Urkunde nicht selten verlegt oder gar verloren wurde, wobei eben die erwähnten Kennzeichen und Behälter juridisch zur Sprache kommen.

Zwei Scheidebriefe konnten auf demselben Blatt nebeneinander oder nacheinander oder mit dem Kopfe gegeneinander geschrieben sein[3]), wobei die Zeugenunterschriften zwischen den zwei Scheidebriefen sich befanden. Es gab auch Kollektiv-Scheidebriefe und zwar in zweifacher Form. Die erste Form enthielt der Reihe nach die Namen der einzelnen Ehegatten, N. N. entläßt usw., die zweite dagegen begann vorerst mit der Kollektiverklärung: Wir N. N. entlassen N. N., worauf dann die Spezifikation erfolgte: N. entläßt N. usw., wobei dann auch die Lage der Zeugenunterschriften in Betracht kommt[4]). Es handelt sich auch hier nicht um Kasuistik, sondern um fünf Ausgewanderte, die ihren daheimgebliebenen Frauen den Scheidebrief nach Hause schicken. Für diese Annahme spricht einerseits die Tatsache, daß berühmte Tannaiten (Meir und Jehuda ben Bethera) über die Frage kontroversieren, anderseits der Zusammenhang, unmittelbar darauf folgt nämlich die Behandlung der Frage, wie es mit Scheidebriefen zu halten sei, die verschiedene Zeugenunterschriften, hebräisch und griechisch, zeigen, was offenkundig auf die Küstenstädte mit gemischter Bevölkerung hinweist.

---

1) Ebenda: אגיד גביה. Vgl. j. ib. 43b, 14: אפילו כוליה בידה וחוט אחד בידיה אינו גט.

2) Gittin 3, 3; b. Gittin 27b (Jeb. 120a); Baba Mezia 28a: שמצא בין כליו, טבעת, ארנקי, כיס, דלוסקמא, חפיסה. 2 und 4 sind griechische Erzeugnisse; allgemein üblich war חפיסה (B. Mezia 28a).

3) Siehe weiter S. 78, n. 1.

4) Gittin 9, 5: חמשה שכתבו כלל בתוך הגט und zwei Baraithas ib. 87a.

2. Der Scheidebrief als Urkunde.

a) Alter und Sprache des Scheidebriefes.

Schon im ersten Teile dieser Arbeit (S. 16) habe ich mich der Ansicht angeschlossen, nach welcher „die mosaische Gesetzgebung das Institut der Ehescheidung nicht eingeführt, sondern vorgefunden hat“. Diese Ansicht stützt sich auf den Wortlaut des Gesetzes von der Ehescheidung (Deut. 24, 1—4), wo die Schreibung eines Scheidebriefes als üblich vorausgesetzt und lediglich die Wiederverheiratung mit der einmal geschiedenen Frau geregelt wird. Dieser Interpretation des Gesetzes zufolge ist auch das Institut der Übergabe eines Scheidebriefes als vorgefunden zu betrachten[1]). Bei den Propheten (Jeremia 3, 1—10 und Jesajas 50, 1) erscheint der Scheidebrief als etwas herkömmliches. Es ist nun nicht uninteressant, daß sich schon in der jüdischen Tradition Stimmen finden, welche den Scheidebrief für vormosaisch erklären.

Ein anonymer Midrasch bemerkt zu Gen. 21, 14, Abraham habe die Hagar mittels eines Scheidebiefes entlassen[2]). Das altjüdische Eherecht fordert nämlich auch bei der Entlassung der in Ehe genommenen „hebräischen Magd“ den Scheidebrief[3]). Über Exodus 18, 2: „Jethro, der Schwiegervater Moses', nahm Zipporah, nach ihrer Entlassung“, kontroversieren zwei alte Tannaiten etwa um 100. Josua meint, Moses habe seine Frau mittels Scheidebriefes entlassen, Eleasar von Modiim dagegen meint, er habe sie bloß durch

---

[1]) So schon Friedmann im Jahre 1870 zu Mechilta 57 b (Anm. 27): „Ein tieferes Erfassen von Deut. 24, 1—4 lehrt, daß der Scheidebrief in Israel seit uralter Zeit heimisch gewesen und nicht zu den Dingen gehört, welche die Tora neu eingeführt hat“.

[2]) Jalkut I, 95 Anf. וישלהיה בגט גרושין. Pirke Elieser Kap. 30: „Sarah sprach zu Abraham: schreibe einen Scheidebrief . . . er schrieb einen Scheidebrief . . . entließ Hagar mittels eines Scheidebriefes“.

[3]) Pseudo-Jonathan zu Ex. 21, 11 (גט פיטורין); Mechilta z. St. (79a Friedmann): חנם מהכסף ולא חנם מהגט. Vgl. die Anm. Friedmanns. Ploss-Bartels, Das Weib, 9. Aufl., II, 683: „Das jüdische Recht setzte fest, daß eine Beischläferin, die jemand drei Jahre lang im Hause hatte, zur rechtmäßigen Ehe- und Hausfrau wurde“ (?).

Worte entlassen[1]). Es liegt auf der Hand, daß die Kontroverse sich um die Frage dreht, ob die Institution des Scheidebriefes schon vor der sinaitischen Gesetzgebung existiert habe? In den Evangelien (Mt. 19, 7. 8; Mk. 10, 3. 4) wird diese Frage sowohl von den Fragestellern als auch von Jesus entschieden verneint, vor Moses hat es eine Ehescheidung überhaupt nicht gegeben[2]). Nach der Entdeckung der Gesetzesstelle Hammurabis, sowie der altbabylonischen Kontrakte kann es, so glaube ich, nicht zweifelhaft sein, welche von den zwei Ansichten über das Alter des Scheidebriefes die richtige ist. Die historischen Tatsachen rechtfertigen den intuitiven Blick der alten Schriftgelehrten.

Die Sprache des Scheidebriefes steht mit der Geschichte der Umgangssprache des israelitisch-jüdischen Volkes engstem Zusammenhange, was hier per tangentem nicht behandelt werden kann. Sicher ist, daß der Scheidebrief in vorexilischer Zeit, wie jedes andere Schriftstück, hebräisch abgefaßt war. Um 700 hat das Volk aramäisch überhaupt noch nicht verstanden[3]), selbst um 450 hat bloß ein Teil „jüdisch nicht mehr sprechen können"[4]). Wann das Aramäische die Volkssprache in Palästina geworden ist, läßt sich in Ermangelung jedweder direkten historischen Angabe nicht genau bestimmen. Doch wird man nach den neueren Papyrusfunden von Assuan und Elephantine, die durchweg aramäisch geschrieben sind und aus dem 5. Jahrhundert (ante) datieren, mit hoher Wahrscheinlichkeit annehmen dürfen, daß das Aramäische um diese Zeit auch in Judäa bereits stark verbreitet war, was die talmudische Uberlieferung[5]), Esra habe dem Volke das Gesetz in aramäischer Sprache verdolmetscht,

---

[1]) Mech. z. St. (57b): אחר שלוחיה ר׳ יהושע אומר אחר שנפטרה ממנו במאמר ר׳ אלעזר המודעי אומר אחר שנפטרה ממנו בגט... . Nach Mechilta Hoffmann 86 sagt J. [בדבר[ים, E. באגרת (und בגט). Die Targume übersetzen בתר דשלחה. (Vgl. oben 7, n. 3).

[2]) Siehe I, 51 ff. Maimuni kodifiziert: Noachiden können sich scheiden, aber „sie haben keine schriftliche Scheidung" (Melachim IX, 8).

[3]) II Kön. 18, 26. 28 (Jesaia 36, 11. 13); II Chronik 32, 18.

[4]) N[illegible]emia 13, 23. 24.

Nedarim 37b.

gleichfalls annimmt. In die Urkunden wird das Aramäische, als Amtssprache der persischen Oberherren im Verkehr mit Vorderasien, noch bevor es die alleinige Landessprache geworden war, eingedrungen sein. Es ist also nicht unwahrscheinlich, daß es in Judäa schon im 5. Jahrhundert aramäische Scheidebriefe gegeben hat. Merkwürdig ist jedenfalls, daß die Ehescheidungsformel des aus dem Jahre 440 datierten Heiratsbriefes mit der des judäischen (noch heute gebrauchten) Scheidebriefes im Wesen wörtlich übereinstimmt[1]).

Soweit wir die Urkunden in die Zeit des zweiten Tempelbestandes zurückverfolgen können, sind sie aramäisch abgefaßt. Die Urkunden, welche die Mischna und die Tosefta gelegentlich zitieren, sind nämlich zumeist aramäisch, fast die einzigen aramäischen Stücke in diesen hebräischen Werken. Wir beschränken uns auf das Eherecht[2]). Der Ehekontrakt, dessen einzelne Bestimmungen Kethuboth 4, 7—12 angeführt werden, war aramäisch abgefaßt, wobei noch bemerkt wird: „So schrieben die Jerusalemer. Die Galiläer schrieben wie die Jerusalemer. Die Judäer dagegen schrieben usw.“[3]). Die Tosefta Keth. 4, 6 (264, 23) sagt dafür: „Alle Länder schrieben wie die Jerusalemer“ und gibt (11) noch ein in der Mischna nicht enthaltenes Zitat. Am instruktivsten ist aber die Erzählung, daß Hillel bei Gelegenheit von Alexandrinern „die Heiratsbriefe ihrer Mütter einforderte“, in welchen er (aramäisch) geschrieben fand: „Wenn du in mein Haus eingehst, sollst du mein Weib sein nach dem Gesetze Moses' und Israels“[4]). Unter Alexandrinern sind hier sicherlich von Alexandria eingewanderte Jerusalemer gemeint. Auf alle Fälle haben wir hier einen Beleg für den aramäischen Ehekontrakt aus der zweiten Hälfte des 1. Jahrhunderts vor unserer Zeitrechnung,

---

[1]) Pap. G 25. 26: ותהך להאן ז׳ צבית (sie kann gehen, wohin sie will); Gittin 9, 3: למהך להתנסבא לכל גבר דתצביין (gehen und heiraten jeden Mann, den sie will). Siehe oben S. 19f und S. 23.

[2]) Zivilrechtliche Urkunden, z. B. Baba Mezia 9, 3; Baba B. 10, 2 (Tos. Keth. 4, 10. 12; 9, 13).

[3]) Siehe weiter unten.

[4]) Tos. Keth. 4, 9 (264, 30); j. Keth. 28d unten; Baba Mezia 104a (Varianten). (Oben 12, n. 3).

aus jener Zeit, in welcher für uns die Tradition überhaupt sichtbar und datierbar wird. Die Urkunde wird im Gegensatz zur rabbinischen ausdrücklich als die volkstümliche bezeichnet[1]), sie stammt also, ebenso wie die anderen aramäischen Urkunden, welche gleichfalls als volkstümliche bezeichnet werden, aus praerabbinischer Zeit. Da aber das Volk selbst keine Urkundenformulare schafft, so kann man in den gedachten Instrumenten nichts anderes sehen, als die Urkunden des alten jüdischen Staates unter der persischen Oberherrschaft, während welcher das Aramäische gleichzeitig Volks- und Amtssprache war[2]). Dem Scheidebrief gleichen die Chaliza- und die Eheverweigerungsurkunde. Nun werden beide aramäisch zitiert, und zwar als „früher gebräuchliche", was auf ein sehr hohes Alter hinweist[3]). Die Mischna betont ausdrücklich, daß beim Akt der Chaliza die bezüglichen Schriftstellen hebräisch gesprochen werden sollen[4]).

Neben aramäischen Urkunden werden aber auch hebräische angeführt, welche gewiß nicht lediglich inhaltliche Wiedergaben aramäischer Texte sein werden. Wenn namentlich die Schammaiten gegen die Hilleliten in zwei Fällen den Wortlaut des Heiratsinstruments (ספר כתובה) geltend machen und bei dieser Gelegenheit je einen hebräischen Satz zitieren[5]), so kann dies nicht anders aufgefaßt werden, als daß sie eine hebräische Urkunde im Auge haben. Auch sonst finden sich öfters hebräische Zitate aus dem Ehekontrakt, die durchaus den Eindruck von wörtlichen Anführungen und nicht von inhaltlichen Wiedergaben machen[6]).

---

[1]) לשון הדיוט (vgl. Tosafoth Baba M. 104 a ,ה״ה, Keth. 53 a (שא״ן).

[2]) Das hohe Alter der rabbinischen zivilrechtlichen Urkunden habe ich in der Cohen-Festschrift nachzuweisen versucht.

[3]) Tos. Jeb. 12, 15 (256, 12): בראשונה היו כותבין שטרי חליצה הקרבת פלוני[ת] לקדמנא ושרת סיניה מעל ריגליה דימיניה וכו׳. Ebenda 13, 1 (256, 20): בראשונה היו כותבין שטרי מיאונין לא שפיא ליה ולא רעיא ליה ולית היא צביא לאיתנסבא ליה. בית הלל אומר בב״ד ושלא בב״ד וכו

[4]) Jeb. 12, 6.

[5]) Jeb. 15, 3, Edujoth 1, 12; Tos. ib. 1, 6 (455, 22): מספר כתובתה נלמד וכו׳.

[6]) Keth. 9, 1, 5. 6.; 12, 2 (היו כותבין = pflegten zu schreiben): Tos. Jeb. 2, 1 (242, 16): איזה הוא שטר, אני פלוני בן פלוני מקבל אני עלי פלונית יבמתי לזון ולפרנס כראוי ובלבד שתהא כתובתה על נכסי בעלה הראשון

Alle diese Daten stammen aus Palästina und zeigen, daß in der Heimat der Tradition, die bis 200 hebräisch redet, im Kreise der Schriftgelehrten das Bestreben bestand, der hebräischen Sprache auch ins bürgerliche Leben Eingang zu verschaffen. Während nämlich die aramäischen Stücke ausdrücklich aus Volksurkunden angeführt werden, sind die hebräischen, wie es scheint, lediglich innerhalb der gebildeten (schriftgelehrten) Kreise üblich gewesen. Die Restauration des Hebräischen, welche schon vor der Tempelzerstörung eingesetzt hat, ging Hand in Hand mit der Ausbreitung der Schriftgelehrsamkeit. Nach dem vollständigen Verluste der politischen Selbständigkeit zog die nationale Bildung, deren Hauptvertreter bis zum Anfang des zweiten Jahrhunderts fast ausschließlich der sozialen Oberschicht angehörten, immer weitere Volkskreise in ihren Bannkreis, wodurch auch die (neu)hebräische Sprache einen breiteren Boden gewann. Um 150 versprach Meir das ewige Heil all denen, die im heiligen Lande leben, täglich das Schema lesen und hebräisch reden[1]. Im Hause des Mischnaredaktors, des Patriarchen Juda I, sprachen sogar die Mägde hebräisch[2], und er tat den für unsere Untersuchung wichtigen Ausspruch: „Wozu soll im Lande Israels die syrische Sprache? Entweder hebräisch oder griechisch“[3].

Die Ergebnisse unserer Erörterung zusammenfassend, konstatieren wir, daß in den ersten zwei Jahrhunderten, die uns hier interessieren, die Sprache des jüdischen Volkes die aramäische war. In dieser Sprache korrespondierte Gamliel I (um 40) nicht nur mit den Juden Palästinas, sondern mit der „Diaspora von Babylonien, Medien, den Griechen (der hellenistischen Welt) und mit der Diaspora aller Länder“[4].

---

1) Sifre Deut. 333 Ende (140 b); j. Schekalim 43c, 73: מדבר בלשון הקודש.

2) Rosch Hasch. 26 b; Meg. 18 a; j. Schebiith 38 c, 25 v. u.; j. Meg. 73 a, 42.

3) Sota 49 b (B. K. 83 a): בא״י לשון סורסי למה אלא אי לשון הקודש או לשון יווני.

4) Tos. Sanh. 2, 6 (416, 27); j. Sanh. 18 d, 13 (M. Sch. 56 c, 9); b. Sanh. 11 b.

Die Dokumente haben diesem Umstande entsprechend fast ausschließlich aramäische Namen[1]). Diesen seit alter Zeit behaupteten Rang suchte einerseits die hebräische und anderseits die griechische Sprache der aramäischen streitig zu machen. Dieser Wettstreit der gedachten drei Sprachen zeigt sich auch beim Scheidebrief. Daß die hebräische Scheidungsformel, welche Gittin 9, 3 gefordert wird, einen hebräischen Scheidebrief voraussetzt, ist schon oben (Kap. III, IV, 1) gezeigt worden. Der Urheber dieses Bestrebens ist Meir[2]), gegen den Jehuda die traditionelle Gepflogenheit, den Scheidebrief in aramäischer Sprache abzufassen, aufrechterhalten wissen will. Da aber der Mischnaredaktor gleichwie Meir die hebräische Sprache an die Stelle der aramäischen setzen wollte, stellte er die Einzelmeinung, wie er dies auch sonst zu tun pflegt, durch das einfache Mittel der Anonymität als allgemeine Meinung hin. Tatsächlich vertritt Jehuda die alte, seit Jahrhunderten geübte Praxis, sein anonymer Kontroversant dagegen eine Reform.

Der hebräische und griechische Scheidebrief wird nebeneinander erwähnt. „War der Scheidebrief hebräisch und die Zeugenunterschrift griechisch, oder war der Scheidebrief griechisch und die Zeugenunterschrift hebräisch, hat ein Zeuge hebräisch und der andere griechisch unterfertigt . . . ist der Scheidebrief gültig“[3]). „Waren zwei Scheidebrtefe in zwei Kolumnen nebeneinander geschrieben und zwei hebräische Zeugen untereinander, ebenso zwei griechische

[1]) Siehe z. B. Baba Bathra 168.

[2]) j. Gittin 50b, 40.

[3]) Gittin 9, 8 גט שכתבו עברית ועדיו יונית יונית ועידיו עברית, עד אחד יוני ועד אחד עברי וכו׳ כשר. Sicher ist, daß in griechischer Sprache geschriebene Scheidebriefe gemeint sind. Unter עברית könnte man allerdings auch aramäisch verstehen (bloß Gegensatz zu יונית), doch wird es auch hebräisch bedeuten. Aus j. Gittin 50d, 1 geht hervor, daß griechische Urkunden mit hebräischen Zeugenunterschriften nicht selten waren. „Man verwandelt hebräische Urkunden in griechische und griechische in hebräische und fügt eine Bestätigung (קיום) hinzu“ (Tos. Baba B. 11, 8, 413, 28). — Grenfell-Hunt, The Oxyrhynchus Papyri IV (1904), Tafel VII ist ein lateinischer Papyrus mit griechischer Unterschrift aus dem Jahre 247 post.

Zeugen untereinander, so ist derjenige Scheidebrief gültig, mit welchem die Unterschriften zusammen gelesen werden. War aber ein hebräischer und ein griechischer, dann wieder ein hebräischer und ein griechischer Zeuge unterschrieben, so sind beide Scheidebriefe ungültig"[1]).

Eine andere Frage ist, ob ein mit griechischen Lettern geschriebener hebräischer (aramäischer) Scheidebrief oder ein mit hebräischen Lettern geschriebener griechischer Scheidebrief gültig ist? Dies ist keine akademische Frage, denn die Juden haben, wie ich in anderem Zusammenhange nachgewiesen habe, auch biblische Bücher mit allerlei fremden Charakteren geschrieben, welcher Gepflogenheit die griechische Umschrift des hebräischen Bibeltextes, das 'Εβραϊκόν des Origenes, seine Entstehung verdankt[2]). Der Mischnasatz: „Der Scheidebrief, der geschrieben ist griechisch" kann auch bedeuten, daß der Scheidebrief bloß in griechischer Schrift (aber nicht zugleich in griechischer Sprache) geschrieben war. Es ist dieselbe Interpretationsfrage, welche bei Behandlung der auf Schrift und Sprache der Bibel bezüglichen tannaitischen Texte zu entscheiden ist. Wie dort[3]), so ist auch hier „griechisch" in doppeltem Sinne zu nehmen: 1. griechische Schrift und griechische Sprache, 2. griechische Schrift und hebräische (aramäische) Sprache. Schon ein Gaon hat unsere Mischna

---

[1]) Gittin 9, 6: שני גיטין שכתבן זה בצד זה ושני עדים עברים באים מתחת זה לתחת זה ושני עדים יונים באים מתחת זה לתחת זה את שהעדים הראשונים נקראין עמו כשר. עד אחד עברי ועד אחד יוני ועד אחד עברי ועד אחד יוני באין מתחת זה לתחת זה שניהם פסולים. Samuel b. Jizchak sagt, es ist zu lesen: עד אחד עברי ועד אחד יוני ועד אחד יוני ועד אחד עברי (j. Gittin 50 c, 13) und so liest tatsächlich die Mischna ed. Lowe. Siehe die beiden Talmude zur Stelle. Gemeint ist, daß die Zeugenunterschriften die volle Breite der beiden Scheidebriefe ausfüllen; wenn also an erster Stelle die hebräischen Zeugen unterfertigen, ist der rechtseitige Scheidebrief gültig, andernfalls der linksseitige. Die Sprache des Scheidebriefes selbst kommt nicht in Betracht, doch ist offenbar ein Fall gemeint, in welchem der eine Scheidebrief hebräisch, der andere griechisch geschrieben war.

[2]) Zur Einleitung in die heilige Schrift, S. 80—83.

[3]) A. a. O. 84 ff. Seither habe ich über das Schreiben des Hebräischen mit fremden Schriftzeichen und der fremden Sprachen mit hebräischen Schriftzeichen aus allen Zeiten und Ländern Material gesammelt.

in diesem zweifachen Sinne gefaßt und aus ihr die Frage beantwortet, ob ein *persischer* Scheidebrief gültig sei?

Der Gaon entscheidet, nachdem er die in Rede stehende Mischna angeführt und für rechtsgültig erklärt hat, wie folgt: „Ein *persisch geschriebener* Scheidebrief ist gültig ohne jedes Bedenken. Nur muß er vorschriftsmäßig geschrieben sein; entweder in unserer aramäischen Umgangssprache, wenngleich in persischer oder griechischer Schrift, schreiben wir ja den Scheidebrief in aramäischer Sprache und wenn er auch geschrieben wäre syrisch, welches die Schrift einer der aramäischen Sprachen ist, oder in babylonisch-chaldäisher Schrift, welche unsere aramäische Schrift ist, wäre er auch gültig und ebenso in allen anderen Schriftarten. Dasselbe gilt, wenn der Scheidebrief in eine andere Sprache übersetzt ist, und wir nach genauer Untersuchung finden, daß er allen von den Gesetzeslehrern aufgestellten Anforderungen entspricht"[1]).

Schon vor 350 kamen in Machusa zivilrechtliche Urkunden in persischer Sprache vor, welche von den babylonischen Schulhäuptern, obgleich sie sie nicht lesen konnten, als rechtsgültig anerkannt wurden[2]). Die Kenntnis der per-

---

[1]) Responsen der Gaonen, ed. Harkavy S. 129 (Nr. 255): והילכך גט דכתיב פרסית כשר היא ואין בו חששא כל עיקר, אלא מיהו צריך שיכתב בהלכתו, או כלשון הזה דרגילנא ביה בלשון ארמית ואע״פ שנכתב בכתב פרסי או בכתב יווני דהא עברית קא כתבינן ולשון ארמית הוא, ואו [צ״ל ואי] היה כתיב בכתב פרסי [צ״ל סורסי] נמי דהוא כתיב [צ״ל כתב] לאחד מלשוני הארמית או כתב בבלי כשדי שהוא כתב ארמית שלנו גם כשר היה וכן כל כיוצא בו, ואו אפילו הועתק גופו של גט ותורפיו אל לשון אחר וחקרנוהו ומצאנו בו את הצרכים שתיקנום חכמים כשר הוא... וראשונים שלנו תקינו עוד וכדון יכל העולין עכשיו אם תרף הדברים הללו נמצא בגט אפילו בלשון אחר הרי זה כשר. Durch die Emendation des zweiten פרסי in סורסי wird die ganze Stelle verständlich. Unter עברי versteht der Gaon die hebr. Quadratschrift. Auch Maimuni kennt eine eigene hebr. Profanschrfft (Kobez Resp. Nr. 7). Ende des Responsums heißt es: אם תורפיו במקימו אע״פ שהוא בלשון אחר כשר... ואם בלשון הזה דרגילנא ביה ובכתב אחר כל שכן דשפיר דאמי, אילא ידאי ראוי שלא לעשות כך בלשון אחר לכתחלה וכו׳ אלא אם כן הוא שנועדו בית דין חשיב בארץ יון או רומי או פרס... ואם לא נועד בכך אלא יחיד כותב גט בלשון אחר טעין מחקר ואינו מוחזק בזה ובהחקרו והמצאו מכוון כהוגן כשר הוא.

[2]) Gittin 11a: אמר רבא האי שטרא פרסאה וכו׳ מגבינן ביה מבני חרי,

sischen Sprache, welcher R. Josef vor der aramäischen den Vorzug gab[1]), machte aber unter den Juden ständig Fortschritte, so daß der Verfasser des Halachoth Gedoloth um 750 kodifiziert: „Wo kein Schreiber vorhanden ist, es gibt aber Juden, welche persische Schrift lesen können, so schreiben die Juden persisch und unterfertigen den Scheidebrief, die Urkunden und den Ehebrief, und es ist in Ordnung"[2]). Der Gaon, der diese Stelle erläutert, gestattet jede Sprache, nennt ausdrücklich Griechenland, Rom (Byzanz?) und Persien[3]). Etwa 250 Jahre später (um 1200) konstatiert indeß Mamuni, daß das ganze jüdische Volk den Scheidebrief in aramäischer Sprache nach dem von ihm mitgeteilten (noch jetzt üblichen) Formular abfasse, obgleich jede Sprache zulässig sei[4]). Noch im 17. Jahrhundert kam aus Marseille — sicherlich von Marannen — ein spanischer Scheidebrief nach Italien, den aber Samuel Aboab für ungültig erklärte[5]). Man traute sich nicht die Fähigkeit zu, in einer anderen Sprache auf all die Minutien achten zu können, welche für den aramäischen Scheidebrief vom babylonischen Talmud statuiert wurden.

b) Charakter und Stilisierung des Scheidebriefes.

Um den urkundlichen Charakter des jüdischen Scheidebriefes bestimmen zu können, ist es vorerst nötig, die Einteilung der Urkunden überhaupt kennen zu lernen. Mitteis stellt hierüber folgende allgemeine Begriffe fest:

רב פפא כי הוה אתי שטרא :Ebenda 19b .והא לא ידעי למיקרא? בדידעי וכו׳ פרסאה לידיה דחתים בערכאות של גוים מקרי להו להני שני גוים וכו׳ (vgl. Halach. Gedoloth, ed. Hildesheimer, S. 324, n. 2).

[1]) Sota 49b; B. K. 83a.

[2]) Hal. Ged., ed. Venedig 79d, Hildesheimer 334, Warschau 158. Dieselbe Stelle wird Resp. d. Gaonen Harkavy, Nr. 254 zitiert. Alles weitere daselbst ist dunkel.

[3]) Siehe die Stelle oben S. 79, Anm. 1.

[4]) Geruschin IV, 11: כבר נהגו כל עם ישראל לכתוב הגט לשון ארמי וכנוסח זה אע״פ שמותר לכתבו בכל לשון לכתהלה. Ebenso sagt Maimun von der Angelobung: יש לאיש לקדש אשה בכל לשון שהיא מכרת בו וכו׳. (Ischuth III, 8. Maggid gibt als Quelle Kidd. 6a an).

[5]) דבר שמואל, Nr. 361.

a) „Der Jurist teilt die Urkunden nach ihrem Inhalt ein in Zeugnisurkunden und Dispositivurkunden. Erstere sind solche, in welchen ein rechtlich relevanter Vorgang, der sich bereits vor der Errichtung der Urkunde zugetragen hat, durch diese nur bestätigt und dadurch leichter beweisbar werden soll; z. B. über ein bereits gegebenes und darum schon an sich rechtsverbindliches Darlehen wird ein Schuldschein ausgestellt oder über ein mündlich errichtetes Testament wird zur Festhaltung des Testamentsinhaltes ein Protokoll errichtet. Dispositiv sind solche Urkunden, wo das Rechtsgeschäft gerade erst durch die Errichtung der Urkunde zustande kommt, z. B. ein Kauf, ein Ehevertrag oder Testament, bei welchen, sei es kraft gesetzlicher Ordnung, sei es kraft Parteiverabredung, erst die Vollziehung der Urkunde das Geschäft ins Leben rufen soll."

b) „Ihrer Stilisierung nach werden die Urkunden eingeteilt in objektive und in subjektive, je nachdem über den beurkundeten Hergang vom Standpunkt eines unparteiischen Beobachters in der dritten Person referiert wird (z. B. ὁμολογεῖ ὁ δεῖνα) oder die Parteien selbst, in der ersten Person redend, die Urkunde redigieren (z. B. ὁμολογῶ)".

c) „Eine dritte Einteilung ist die in öffentliche und private Urkunden. Erstere werden vor einem öffentlichen Funktionär errichtet, letztere ohne Zuziehung eines solchen"[1]).

Betrachten wir zuerst den letzten Punkt. Das Gesetz sagt einfach: der Mann schreibe der Frau einen Scheidebrief. Dies ist wörtlich zu nehmen. Die Schreibkunst war nämlich im alten Israel sehr verbreitet[2]), zumal in der sozialen Oberschicht, unter den Besitzern von Grund und Boden, an die sich das mosaische Gesetzbuch, wie aus den Einzelheiten desselben hervorgeht, in erster Reihe wendet. Wenn aber selbst zugegeben wird, daß mit „er schreibe" bloß die Anfertigung eines Scheidebriefes ausgedrückt sei, dies also auch

---

[1]) L. Mitteis und U. Wilcken, Grundzüge und Chrestomathie der Papyruskunde, II. Band, 1. Hälfte, S. 49 f.

[2]) Ein zufällig aufgegriffener Knabe schreibt 77 Namen auf (Richter 8, 14) und andere Beweise.

ein anderer für den Mann besorgen könne, so ist im Gesetze die Zuziehung einer Amtsperson noch immer nicht gefordert, somit der private Charakter des Scheidebriefes nicht tangiert. Von einer Behörde, etwa den „Ältesten der Stadt“, wie bei dem Rechtsfall der Verdächtigung der Ehre der jungen Frau (Deut. 22, 15), ist weder im mosaischen Gesetz noch bei den Propheten die Rede. Beim privaten Charakter der altisraelitischen Ehe einerseits und beim bedingungslosen Scheidungsrecht des Mannes anderseits [1]), muß die Ehescheidung eine reine Privatsache gewesen sein. War dies aber der Fall, dann ist folgerichtig auch der Scheidebrief eine Privaturkunde. Weder in der Bibel noch in den Apokryphen findet sich für eine gegenteilige Meinung irgend ein Anhaltspunkt. Der Heiratsbrief Papyrus G von Assuan sichert beiden Ehegatten das Recht zu, mit der „vor der Gemeinde“ abgegebenen Erklärung „ich hasse“ die Ehe aufzulösen. Doch ist dort die öffentliche Erklärung, wie der Zusammenhang zeigt, wegen vermögensrechtlicher Folgen der Scheidung notwendig; auf die Scheidung selbst hatte die Gemeinde augenscheinlich gar keine Ingerenz. Von einem Scheidebriefe ist dort überhaupt nicht die Rede, nach der Scheidungsäußerung „kann die Frau gehen, wohin sie will“.

Die Geschichte der Ehescheidung, soweit sie aus der Überlieferung bekannt ist, verzeichnet keinen einzigen Fall, wo eine Behörde in die Ehescheiduug in irgendwelcher Form eingegriffen hätte. Im 1. Jahrhundert vor unserer Zeitrechnung scheint indeß in diesem Punkte eine Änderung eingetreten zu sein. Der Streit der beiden großen Schulen, der Schammaiten und Hilleliten, über den zulässigen Scheidungsgrund[2]) hat nur dann einen richtigen Sinn, wenn zur Vornahme einer Scheidung der vorherige Rechtsspruch einer hiezu befugten Behörde eingeholt werden mußte. Die Ausfertigung und Übergabe des Scheidebriefes war indeß auch nach schammaitischer Ansicht ein Privatakt, der ohne Assistenz eines Gerichtshofes oder öffentlichen Funktionärs vor

[1]) I. Teil, S. 22 und 27.

[2]) I. Teil, S. 31—41.

sich ging. Zur Scheidung des Levirs (חליצה) forderte man einen Gerichtshof aus drei Mitgliedern[1]), die allerdings auch Privatpersonen sein durften, zur Ehescheidung bedurfte es auch eines solchen Gerichtshofes nicht. „Schreit jemand von einer Bergesspitze: wer meine Stimme hört, schreibe einen Scheidebrief für meine Frau, schreibe man und übergebe ihn“[2]). All dies charakterisiert den Scheidebrief als eine Privaturkunde. Als eine solche hätte er aber auch dann zu gelten, wenn beim Scheidungsakt ein Gerichtshof zu intervenieren gehabt hätte, weil der Scheidebrief zu seiner Herstellung keiner Amtsperson bedarf und eine solche in ihm nicht genannt ist.

Der regelrecht abgefaßte Scheidebrief bewirkt durch Übergabe an die Frau die Scheidung von selbst. Ohne Scheidebrief kann eine Scheidung nicht bewerkstelligt werden. Er ist also eine *Dispositivurkunde* und zwar in solchem Maße, daß der betreffende Rechtsakt ohne ihn gar nicht stattfinden kann. Ob die Übergabe vor Zeugen geschehen muß oder nicht[3]), ist in diesem Betracht ohne Belang, denn auch in ersterem Falle verbleibt der Urkunde der dispositive Charakter.

Was nun die *Stilisierung* betrifft, so konstatieren wir hier zuvörderst, daß die noch vorhandenen Scheidebriefe *subjektive* Urkunden sind. Es spricht im Scheidebriefe lediglich der Mann und zwar in der ersten Person. Gleich nach dem Datum nennt er seinen Namen, spricht dann in der Urkunde durchweg in der ersten Person und setzt keine Unterschrift bei.

Originalurkunden sind, wie schon bemerkt, nicht erhalten. Es werden aber im Talmud, nach unserer Vermutung auch in der Bibel, einzelne Sätze des Scheidebriefes ange-

---

[1]) Jebamot 12, 1 מצות חליצה בשלשה דיינין, ואפילו שלשתן הדיוטות.

[2]) Tos. Gittin 6, 9 (329, 23). Ähnliche Fälle Mischna das. 6, 5. 6. „Sagt jemand zu zweien: gebe meiner Frau einen Scheidebrief usw. Sagt er aber zu dreien: „gibt meiner Frau einen Scheidebrief“, so müssen sie mit anderen schreiben lassen, denn er hat sie zum Gerichtshof gemacht“ (ibid. 7).

[3]) Über diesen Punkt siehe weiter.

führt und diese sind subjektiv gehalten. Sie beziehen sich auf das Wesen der Scheidung und sind in dem betreffenden Kapitel behandelt worden. Indem wir darauf verweisen, erübrigt es hier nur noch den cheirographischen Charakter des Scheidebriefes nachzuweisen, was wir gleichfalls an der Hand der von Mitteis gegebenen Beschreibung versuchen.

„Das χειρόγραφον ist eine Urkunde, welche im Briefstil, also subjektiv gehalten ist, daher auch ohne Zeugen. Sie beginnt mit der Grußformel (ὁ δεῖνα τῷ δεῖνι χαίρειν)[1]), das Datum fehlt am Ende. Unterschrift des Ausstellers ist . . . nicht üblich . . . diese Urkundenart . . . ist jetzt in den Papyri schon für die frühptolemäische Zeit erkenntlich (anno 248 ante) und reicht schon auf das klassische Griechenland zurück." „Nach dem Namen erwartet man, daß das χειρόγραφον vom Aussteller stets eigenhändig geschrieben sein sollte; und oft ist das auch der Fall; jedoch sind viele Cheirographa allographisch, und in manchen derartigen Stücken ist nach ihrem sehr vollendeten Stil wahrscheinlich, daß sie durch gewerbsmäßige Urkundenschreiber aufgesetzt sein werden"[2]).

Die Nennung des eigenen Namens an der Spitze des Kontextes und des Namens der anderen Partei (der Frau) gleich im ersten Satze, die subjektive Stilisierung und endlich das Fehlen der Unterschrift des Ausstellers charakterisieren den Scheidebrief als Cheirographon. Als solches ist der Scheidebrief im Deuteronomium gedacht, da es zweimal heißt „er schreibt einen Scheidebrief". In talmudischer Zeit wurde der Scheidebrief allographisch zumeist von einem berufsmäßigen Schreiber ausgeführt[3]). Es kamen indeß auch noch in dieser Epoche eigenhändig geschriebene Scheidebriefe vor, wobei Bestimmungen getroffen werden, welche auf diejenigen zwei Punkte, in welchen der Scheidebrief in seiner

---

[1]) In der Note bemerkt M. „das χαίρειν fällt jedoch mitunter weg".

[2]) Grundzüge II, 1. Hälfte, S. 55 f.

[3]) Z. B. Gittin 6 Ende. Der Schreiber hielt fertige Formulare (טופס) bereit, in welche er vorkommenden Falls die Namen der Ehegatten und das Datum (תורף) nachträglich eintrug (ebenda 3, 1. 2 und oft).

gegenwärtigen Form vom Cheirographen der Griechen abweicht, auf die Stelle des Datums und auf die Zeugenunterschrift nämlich, ein helles Licht werfen.

Es heißt nämlich Gittin 9, 4[1]): „Drei Scheidebriefe sind ungültig; hat aber die Frau sich wiederverheiratet, ist ihr Kind trotzdem legitim. (1.) Hat der Mann den Scheidebrief eigenhändig geschrieben, es sind aber keine Zeugen unterschrieben. (2.) Sind Zeugen unterschrieben, es fehlt aber das Datum. (3.) Ist das Datum da, aber bloß ein Zeuge... R. Eleasar sagt: Obgleich keine Zeugen unterschrieben sind, wenn nur der Scheidebrief vor Zeugen übergeben wurde, so ist er gültig, denn die Institution der Zeugenunterschrift wurde nur zum Nutzen der Welt eingeführt".

Datum und Zeugen sind rabbinisch, nicht biblisch, historisch gesprochen, spätere Neuerungen. Bei den Zeugen kennen wir auch noch den Zeitpunkt der neuen Einrichtung, es ist dies die Zeit des Patriarchats Gamliels I., der sein Amt um das Jahr 30 angetreten hat. Unter den drei auf den Scheidebrief bezüglichen, zum „Nutzen der Welt" getroffenen neuen Bestimmungen ist die letzte die, daß die Zeugen den Scheidebrief unterfertigen[2]). Eleasar (um 150) hält noch an die alte Gepflogenheit fest, indem er erklärt, die Scheidung bewirken die „Zeugen der Übergabe", während Meir dies den „Zeugen der Unterschrift" zueignet[3]). Selbst nach der

---

[1]) שלשה גטין פסולין ואם נשאת הולד כשר, כתב בכתב ידו ואין עליו עדים, יש עליו עדים ואין בו זמן, יש בו זמן ואין בו אלא עד אחד וכו׳ שאין העדים חותמין על הגט אלא מפני תקון העולם. Jebamoth 3, 8 werden dieselben drei Fälle mit ספק גירושין eingeleitet.

[2]) Gittin 4, 3: העדים חותמין על הגט מפני תקון העולם. Gittin 2, 5: „Die Frau selbst darf den Scheidebrief schreiben שאין קיום הגט אלא בחותמיו" (siehe hiezu Gittin 23 a).

[3]) עדי מסירה כרתי־עדי חתימה כרתי Gittin 3 b, 23 a u. sonst. Meir, der Berufsschreiber, sagte: „Wenn der Mann den Scheidebrief auf dem Schutthaufen gefunden und ihn unterfertigen ließ und übergeben hat, ist die Scheidung gültig". Mit anderen Worten, ein bereitgehaltenes Formular ist auch eine geeignete Scheidungsurkunde (vgl. Tosafoth Gittin 4 a חתמו). Die allgemeine Ansicht ging dahin, der Scheidebrief müsse eigens für die zu scheidende Frau geschrieben werden (לשמה). Siehe Gittin 3, 1; b. Gittin 23 a und oft. Dies ist noch ein Widerhall der alten Sitte, daß der Mann selbst die Urkunde ausfertigt.

neuen Ordnung gab es Scheidebriefe ohne Zeugenunterschrift[1]).

Für den Zeitpunkt der Einführung des Datums haben wir dagegen keine bestimmte historische Angabe. Noch Abba Saul (um 100) lehrt: „Wenn in einem Scheidebriefe das Datum fehlt, aber geschrieben steht: ‚Ich habe dich heute verstoßen' oder ‚an jenem Tage, an welchem N. N. unsere Urkunden gelesen', so genügt dies"[2]). Die Mischna setzt indeß schon die Setzung des Datums voraus, nimmt aber die Sache nicht ganz streng, insofern in ihr bei Scheidebriefen das Schreiben der Urkunde am Tag und die Unterfertigung der Zeugen am Abend oder umgekehrt im Gegensatze zu anderen Urkunden kontrovers ist[3]). Bei der Besprechung der Aeren des Scheidebriefes haben wir gesehen, daß das Datum des Scheidebriefes in einer Kontroverse der Pharisäer mit einem „galiläischen Ketzer" erwähnt wird, mithin wird diese neue Einrichtung nicht jünger sein als diejenige der Zeugenunterfertigung. Beide dürften in der Praxis bereits vor der gedachten Zeit üblich gewesen sein, aber nicht durchgehends. Die Anordnung Gamliels hat sicherlich bloß eine bereits verbreitete Gepflogenheit zu einem, Ausnahmen nicht gestattenden Gesetz erhoben. Dies folgt aus der altorientalischen (auch antiken) Sitte, die Urkunden mit dem Datum zu beginnen oder zu beschließen, was oben (IV, 4) erörtert wurde.

Sicher ist auf alle Fälle, dass Datum und Zeugen nicht zum ursprünglichen Bestand des Scheidebriefes gehören, er war also in vortalmudischer Zeit ein reines Cheirographon, wie es das mosaische Gesetz vorschreibt. Diesen Charakter hat er seinem Kontext nach bis auf den heutigen Tag bewahrt, während alle anderen rabbinischen Urkunden, einschliesslich des

---

[1]) Gittin 1, 3: אם יש עליו עדים יתקיים בחותמיו. Tos. ib. 1, 3 dasselbe ausführlicher.

[2]) Tos. Gittin 9, 6 (334, 2): אפילו כתב בו אני היום גרשתיך (auch Baba B. 172b etwas abweichend). Beachte die hebr. Fassung.

[3]) Gittin 2, 2. Über den Grund dieser rabbinischen Verordnung streiten schon (um 250) Jochanan und Simon ben Lakisch (b. Gittin 27, vgl. j. Gittin 45c unten), sie muß also damals schon alt gewesen sein, denn sonst wäre ihnen der wahre Grund noch bekannt gewesen.

Heiratsinstruments, durchgehends in objektive Zeugnisurkunden verwandelt worden sind.

Noch in tannaitischer Zeit hat es nachweislich subjektive Schuldurkunden gegeben[1]), doch werden die objektiven Urkunden die gangbareren gewesen sein. Unwahrscheinlich ist aber, daß schon in talmudischer Zeit die Zeugen als Berichterstatter über den rechtlichen Vorgang figurierten, wie in den erhaltenen und noch heute zu Recht bestehenden rabbinischen Urkunden. Im Talmud werden nämlich in der Regel Notare (סוֹפֵר, סָפַר, לבלר λιβλαρ) als Urkundenschreiber erwähnt. Die altpalästinische Urkunde wird der aramäischen Papyrusurkunde von Assuan und Elephantine geähnelt haben, welche im Wesen mit der demotischen und graeko-aegytischen Papyrusurkunde übereinstimmt[2]). Die aramäische Papyusurkunde schließt stets mit dem Vermerk: „Diese Urkunde schrieb N. N. auf das Geheiß des N. N.“, worauf dann unmittelbar die Zeugenunterschriften folgen[3]). Außer den Zeugen gibt es also noch einen mit Namen genannten Mann, der von dem Rechtsgeschäft Kenntnis hat. Es fragt sich nun, ob der sich nennende Schreiber nicht gleichzeitig als Zeuge betrachtet werden kann? Die Mischna bejaht diese Frage, indem sie erklärt: „Der Scheidebrief sei gültig, wenn auf demselben stehe: Dies schrieb der Schreiber [N. N.] und nachher ein einziger Zeuge folgt“[4]). Die Mischna will sagen, der

---

[1]) Tosefta Baba Bathra 11, 4 (413, 17): בין שכתוב בו לווה פלוני מפלוני בין שכתוב בו אני פלוני בן פלוני לוויתי מפלוני והעדים למטה כשר.

[2]) Siehe meinen Aufsatz in der Cohen-Festschrift. Ich behalte mir vor, auf dieses Thema anderwärts noch zurückzukommen.

[3]) Z. B. Papyrus A: כתב פלטיה בר אחיו ספרא זנה כפם קוניה, שהדיא בגו (folgen Zeugenunterschriften). In Pap. L folgt der Vermerk des Schreibers zum Schluß, weil er die Schuldurkunde auf das Geheiß der Zeugen anfertigte (על פם שהדיא).

[4]) Gittin 9, 8: כתב סופר ועד כשר, d. h. der Schreiber hat den Scheidebrief mit dem Vermerk versehen: „Es schrieb diesen Scheidebrief N. N.“ Gittin 86 b: ודוקא כתב ידו ועד אבל כתב סופר ועד לא ושמואל אמר אפילו כתב סופר ועד שהרי שנינו כתב סופר ועד כשר. Samuel muß demnach die Mischna erklären, der Schreiber habe sich genannt, sonst würde ja aus der Mischna folgen, daß ein einziger Zeuge immer genüge.

übliche Schreibervermerk nebst der Unterschrift eines einzigen Zeugen sei genügend. Wenn Jirmeja sagt: „In der Mischna stehe [oder sei zu verstehen]: der Schreiber habe unterfertigt“[1]), so hat er vielleicht nur sagen wollen, der Schreiber müsse seinen Namen unter die Urkunde gesetzt haben, d. h. er habe sich namentlich als Schreiber genannt, es genügt aber nicht, wenn man ihn bloß durch Erkennen seiner Schrift identifiziert[2]). Dies steht dahin. Für sicher halte ich aber, daß die Worte der Mischna: „Es schrieb der Schreiber“, die alte Schreibersitte, sich als Anfertiger der Urkunde zu nennen, widerspiegeln, und daß die Mischna in dem Falle, wo ein solcher Vermerk sich auf dem Scheidebriefe findet, schon die Unterschrift eines einzigen Zeugen für genügend hält.

Wir hätten also in der Mischna noch eine Spur jener alten Sitte, welche wir in den jüdisch-aramäischen Papyri wie in den babylonischen Verträgen durchweg finden, daß der Schreiber der Urkunde sich zum Schluß mit Namen nennt. Sowohl in Palästina wie in Babylonien, wo die Juden in dichten Massen lebten, nicht selten ganze Landstriche ausschließlich bewohnten, gab es überall Notare und Privatschreiber, welche die Rechtsurkunden ausstellten, in der Regel auch Behörden, welche das Beurkundungsrecht besaßen. Es lag somit zu einer Änderung des Herkommens gar kein Grund vor. Anders gestaltete sich die Sache in nachtalmudischer Zeit, als die Juden nach und nach jede Selbständigkeit verloren hatten, und auch die Zerstreuung noch gesteigert wurde, so daß weder Schreiber noch Behörden allzeit zur Verfügung standen. Man nahm daher zu den leichter zu beschaffenden „zwei Zeugen“ Zuflucht. Auf diesem Wege sind, glaube ich, die subjektiven Urkunden durchweg in objektive übergegangen, und zwar so, daß stets die zwei Zeugen

[1]) Gittin 66b, 71b, 86b: חתם סופר שנינו.

[2]) Gittin 88a heißt es, Abahu habe aus der Urkunde den Schreiber erkannt und wollte ihn als Zeugen in Betracht ziehen. Jirmeja habe aber eingewendet: חתם סופר שנינו. Wenn also der Schreiber sich genannt hätte, dann wäre es חתם סופר gewesen. Es würde sich also nicht um die Frage handeln, ob סופר נעשה עד. Dies alles nur nebenher, unsere Interpretation der Mischna ist davon unabhängig.

als Berichterstatter über den rechtlichen Vorgang erscheinen. Dies ist in den rabbinischen Urkunden durchweg der Fall bis auf den Scheidebrief, der als religiöse Dispositivurkunde, gerade infolge dieses Umstandes seinen alten Charakter in allen Ländern bis auf den heutigen Tag unverändert bewahrt hat. Der jüdische Scheidebrief ist das älteste lebende Dokument und das einzige, das aus dem Altertum in die Gegenwart hineinragt.

VI.

ZEHN ALTE SCHEIDEBRIEFE NEBST EINER FREILASSUNGSURKUNDE.

Die vorliegende Arbeit befand sich bereits in der Drukkerei, als mir Ende Juli dieses Jahres bei einem Besuche in London die reiche Handschriftensammlung des Herrn Elkan N. Adler in Augenschein zu nehmen vergönnt war. Mit bekannter Liberalität stellte er mir sämtliche in seinem Besitze befindlichen Scheidungsurkunden zur Verfügung, wofür ihm der herzlichste Dank dargebracht sei. Indem ich diese alten Dokumente samt und sonders abdrucke, will ich einleitend einiges über ihre Bedeutung anmerken.

Für den ältesten bekannten Originalscheidebrief habe ich den aus Fostat stammenden vom Jahre 1088 gehalten. Schon Schwab hat indessen einen gleichfalls aus Fostat stammenden Scheidebrief veröffentlicht, der aus dem Jahre 1066 datiert ist[1]). Jetzt haben wir in Nr. 1 einen Originalscheidebrief aus dem Jahre 1020 und in Nr. 2 ein Formular, das spätestens aus dem Jahre 1048 stammt.

[1]) Revue des études juives LXVI, 128. Die Zeilen des Originals sind im Abdruck nicht markiert, auch ihre Zahl ist nicht angegeben. Ob Zeile 1 im Original בשבת (nicht בשבא oder בשבה) geschrieben steht, ist fraglich. Statt בדלא (Z. 4) וכדי (Z. 5), דיתהוויין (Z. 6), דיתצביין (Z. 7), יהווי (Z. 8) wird zu lesen sein: כדלא, וכדו, דיתהויין, דיתיצביין, יהוי. — מנ[אי] (Z. 8) ist falsch ergänzt, richtig ist מני. Ich bemerke zugleich, daß das von Schwab l. c. 129 veröffentlichte Fragment ebenfalls aus einem Scheidebriefe stammt. Ein anderes Dokument kann es nicht gewesen sein.

Obgleich diese Dokumente bis auf eines in ein und demselben Orte ausgefertigt wurden, zeigen sie im Ausdruck wie in der Orthographie einiger Wörter manche Unterschiede: ein Beweis, daß der Scheidebrief selbst um diese Zeit noch nicht bis auf das Pünktchen auf dem i festgestellt war. Zunächst sei im allgemeinen bemerkt, daß sämtliche Dokumente ganz in aramäischer Sprache abgefaßt sind, d. h. auch die von Fall zu Fall auszufüllenden Punkte (vornehmlich das Datum) sind aramäisch, und nicht wie in späteren europäischen Scheidebriefen und auch in dem hier unter Nr. 10 abgedruckten unbestimmter Herkunft, hebräisch. Die Woche heißt stets שבא, שבה, שבתא (emph.), nie שבת. Auf die Woche folgt der Monatstag, stets mit דהוא eingeführt. Schon in diesen alten Scheidebriefen wird bald לירח, bald בירח gebraucht. Das Jahr der Aera wird mit דשנת eingeführt, bloß Nr. 5 hat שנת. In der Jahreszahl folgen stets der Reihe nach Tausend, Hunderte, Zehner, Einser. Der Ausdruck für „übliche Aera" lautet Nr. 1—6 und Nr. 1 (oben S. 3) למניינא דרגילננא ביה, Nr. 7 und 8 dagegen לשטרות; bis zum Jahre 1128 sagte man: „nach der Aera, welche wir gebrauchen", von 1145 an: „nach den Kontrakten"[1]. Beide Ausdrücke werden zusammen nie angewendet. Dies findet sich nur in Nr. 9, wo anscheinend nach לבריאת עולם: למימנא ביה דרגילנא folgt. Fraglich ist, ob Alfasi selber in seinem Formular (oben Seite 4, Nr. 3) לבריאת עולם במניינא דרגילנא למימני ביה geschrieben hat, da doch dies mit den gleichzeitigen Originalurkunden nicht in Übereinstimmung ist und auch eine Tautologie wäre. Die Orthographie von למנינא schwankt[2]. למימנה gebrauchen die Fostater nicht.

Zum Namen der Ehegatten wird „jeder Name, den ich habe" hinzugefügt, nicht aber zum Vaters- oder zum Ortsnamen, wie dies ganz spät in Europa üblich wird. — Aus

---

[1]) Der Talmud nennt diese Aera stets die „Aera der Griechen", nie anders (oben S. 52 f.). Wann der Ausdruck לשטרות zum erstenmal gebraucht wurde, ist nicht bekannt. Unsere Scheidebriefe vermeiden die Benennung למלכות יון vielleicht aus Rücksicht auf die arabische Herrschaft.

[2]) מניינא (Nr. 1, 4, 6); מניאנא (Nr. 3); מינייאנא (Nr. 5).

כד לא wurde vorerst כדלא, dann כדלא. Die Reihenfolge der drei Scheidungsausdrücke schwankt. Bemerkenswert ist, daß in dem ältesten wie in dem zweitältesten und in den zwei letzten Scheidebriefen (Nr. 1. 2. 7. 8) beidemal alle drei Ausdrücke, und zwar in derselben Reihenfolge verwendet werden, während in dem Scheidebriefe des Jahres 1088 (S. 3) an zweiter Stelle bloß ein Ausdruck gebraucht ist, wie auch in Nr. 3, 4, 5, 6. Gegen vier haben fünf Urkunden an zweiter Stelle ותרוכית allein, es handelt sich also nicht um ein Versehen, auch nicht um die Stileigentümlichkeit eines Ortes oder Schreibers oder einer Zeit, sondern um eine durch mehr als ein Jahrhundert bezeugte Gepflogenheit. Die Schlüsse, die wir aus diesem Umstande auf das Urfo mular gezogen haben (S. 31), werden durch den urkundlichen Befund gestützt.

In dem Scheidebrief aus dem Jahre 1088 steht im Faksimile deutlich תריכית, so auch in Nr. 3, 4, 5, 6, während Nr. 1, 2, 8 תרוכית zeigt, Nr. 7 sogar ein sehr langgestrecktes Waw wie Nr. 10 und die späteren Scheidebriefe in Europa. In den Namen des Scheidebriefes am Schluß der Urkunde haben sämtliche Exemplare diesen vom Talmud erwähnten langgezogenen Buchstaben: תרוכין usw. Nr. 1 hat diese Buchstabenform sogar in תהךיין. Die Orthographie von להתנסבא schwankt, auffallenderweise auch להיתנסבא (Nr. 1). Die Texte schwanken auch zwischen בנפשכי und בנפשיכי und בידכי und בידיכי, sowie noch in manchen Kleinigkeiten (דיהוי: דייהוי; Nr. 1 ימחה, sonst stets ימחא, kein einzigesmal ימחי). Inkonsequent sind die Urkunden bezüglich der Schreibung der Namen des Scheidebriefes, welche bald plene bald defektiv geschrieben werden: תירוכין und תרוכין usw. Man scheint diesem Punkte keine besondere Aufmerksamkeit geschenkt zu haben. — Nach לא ימחא בידכי haben manche Texte noch מן שמי.

Bis auf ein einziges Exemplar findet sich die Formel הרי את מותרת לכל אדם weder in den wirklichen Urkunden noch in den Fo mularen, was unsere Ausführungen[1]) bestätigt. Der von Schwab publizierte Scheidebrief, der gleichfalls aus

[1]) Siehe oben S. 24. Über Nr. 10 siehe weiter.

Fostat stammt und nach Alter an dritter Stelle zu stehen kommt, enthält ebenfalls diese Formel. Da Schwab diese Worte zum Teil durch Ergänzungen herausbringt, wäre eine neue Durchsicht des Originals nicht überflüssig. Jedenfalls stehen die zwei Urkunden in diesem Punkte vereinzelt da.

Sehr interessant ist die Tatsache, daß in den wirklichen Urkunden, welche von zwei Zeugen unterschrieben sind, nämlich 3, 4, 5, 6, 8, sowie in Nr. 1 (oben S. 3) das Wort עד nach der Zeugenunterschrift fehlt[1]), und auch in Nr. 1 bloß nach dem Namen des sich als ספרא (Schreiber) bezeichnenden Urkundenverfertigers erscheint, und zwar in einer Form — die zwei Buchstaben sind durch einen breiten Zwischenraum von einander getrennt — die es wahrscheinlich macht, daß dieses Wort erst nachträglich hinzugefügt wurde.

Was nun die äußere Gestalt betrifft, so ist vor allem zu konstatieren, daß sämtliche Urkunden auf Pergament geschrieben sind, während beim Freilassungsbrief, der allerdings eine Jerusalemer Urkunde ist, Papier verwendet ist. Es darf hieraus geschlossen werden, daß man beim Scheidebrief diesen neuen Schreibstoff nicht für zulässig hielt, wie denn auch später über diese Frage in Europa ein heftiger Streit entbrannte[2]). Das Format ist, wie man aus den vorgesetzten Angaben sieht, sehr verschieden, doch sind sie sämtlich klein. Die Zeilenzahl variiert zwischen 13 und 18[3]), der Zwölfzahl war nicht einmal der Zufall gewogen. — Zu bemerken wäre noch, daß in drei Scheidebriefen (Nr. 4, 5, 6) die „Zeugen der Übergabe“ auf der Rückseite des Scheidebriefes besonders vermerkt sind, wobei in einem Falle der eine Zeuge mit dem unter dem Dokument unterfertigten identisch is. Es gelang mir leider nicht alle Namensunterschriften zu entziffern.

Unter den Scheidebriefen findet sich kein einziges Cheirographon, sie sind samt und sonders von einem Schreiber, der gewöhnlich der Chasan (חזן) oder seltener der Notär (ספרא) der Gemeinde war, geschrieben worden. Derselbe unterfertigt

---

1) Siehe oben S. 56.

2) Siehe oben S. 68.

3) Der Reihe nach: 15, 18, 14, 17, 13, 14, 16, 14 (ohne Zeugen).

dann als Zeuge. Dies geht aus der Identität der Schrift ganz sicher hervor. Liniierung fehlt, und in mancher Urkunde laufen die Zeilen krumm. Am Ende der Zeile wird zuweilen ein Wort zur Hälfte über die Zeile gesetzt, während mancher Schreiber die Zeile durch Dehnung von Buchstaben ausfüllt. Am bemerkenswertesten ist in dieser Beziehung Nr. 3, wo die Worte כדת משה וישראל eine ganze Zeile ausfüllen, was dadurch erreicht wird, daß der Querstrich der Buchstaben ה, ר und ל übermäßig lang gezogen ist. Diese drei Buchstaben füllen zwei Drittel der Zeile. Wie alt die litterae dilatabiles sind, ist nicht ermittelt, man hat hier einen Beleg aus dem Jahre 1110 (für ל aus dem Jahre 1037—48, Nr. 2), der zugleich zeigt, daß die Dehnung sich nicht lediglich auf die fünf Buchstaben אהלתם beschränkte, wie allgemein geglaubt wird. Auch der Scheidebrief vom Jahre 1088 hat ein langgezogenes ר in der gedachten Formel, welche auch hier die letzte Zeile allein in Anspruch nimmt.

Eine eigene Besprechung erfordert Nr. 10. Dieses Formular besteht aus 12 Zeilen und hat die Formel הרי את מותרת לכל אדם. Das Datum ist hebräisch und nach der Weltschöpfungsaera gegeben[1]). Statt וכל שום heißt es וכל שום וחניכא. Sehr auffalend ist die Orthographie von דיהוויית (statt דיהות oder auch דיהוית = du warst) und דתהווייין. Bis auf die letztere Eigentümlichkeit stimmt es mit den europäischen Scheidebriefen im Großen und Ganzen überein; es fehlen in ihm bloß die späteren Erweiterungen bei der Nennung des Personen- und Ortsnamens. Über seine Herkunft läßt sich nichts bestimmtes sagen. Einen Anhaltspunkt bietet vielleicht דתיבון, das erste Wort der 6. Zeile. Die Schrift ist hier noch ganz deutlich, so daß an der Lesung kein Zweifel besteht. Unmittelbar vor צביתי steht im Get-Formular Alfasis, sowie in allen europäischen Scheidebriefen der Wohnort des Mannes, wir hätten also in diesem Worte den Ausfertigungsort zu sehen: מתא דתיבון. Doch vermag ich ihn nicht zu identifizieren. Möglicherweise steckt in diesen Buchstaben eine Segensformel, wie sie

---

[1]) Ich glaube לבריאת noch zu erkennen.

seit dem 6. und 7. Jahrhundert bei der Nennung Jerusalems oder anderer heiliger Orte gebräuchlich wurde.[1]) An der Echtheit dieses höchstwahrscheinlich im Jahre 1142 abgefaßten Urkundenformulars zu zweifeln, liegt kein annehmbarer Grund vor, somit kann man in demselben einen Vorläufer des noch jetzt in Geltung stehenden Scheidebrief-Typus' erblicken. Es ist nicht unmöglich, daß die in Rede stehende Formel in Palästina im Gebrauche stand — es fehlt das bab. ופטרית und גט פטורין — und von da in Scheidebriefe anderer Länder eingedrungen ist.

Sieht man von Minutien ab und zieht lediglich den eigentlichen Inhalt der Scheidungsurkunde, d. h. die Scheidungsformel in Betracht, so kann man sich der überraschenden, für sämtliche jüdischen Urkunden bedeutsamen Erkenntnis nicht verschließen, daß das uns beschäftigende Dokument auch im Mittelalter keine eigentliche Umgestaltung erfahren hat, mithin seit fast dritthalb Jahrtausenden unverändert geblieben ist. Der zähe Konservatismus des Rabbinismus, wie des jüdischen Wesens überhaupt, der hier an einem konkreten Beispiel aufgezeigt wurde, ist für die Gesamtanschauung über das jüdische Gesetz und seines Grundbuches, das man zusammenfassend kurz Talmud nennt, von höchster Bedeutung. Was in der Mischna steht, muß nicht gerade aus dem 2., und was im Talmud steht, muß nicht gerade aus dem 3. bis 5. Jahrhundert stammen, wie allgemein geglaubt wird. Der Grundstock ist uralt, die Wandlungen gleichen denen, die der Scheidebrief durchgemacht hat — das Wesen bleibt konstant.

Der hier veröffentlichte Freilassungsbrief hat mutatis mutandis ganz die Form einer Scheidungsurkunde und bildet eine dokumentarische Bestätigung des talmudischen Lehrsatzes: Scheidebriefe gleichen Freilassungsbriefen[2]). Die Aera

---

[1]) Siehe Zunz, Zur Gesch. und Liter. S. 315 f.

[2]) Oben S. 61, n. 2.

ist die seleukidische (1369 = 1057), was mit למנינא דרגילינא ביה לשטרות, also durch Vereinigung beider Formeln ausgedrückt wird. Ganz eigentümlich ist die Schreibung דיהוייית (mit drei Jod) und mit noch einem vierten am Ende. — Die Lücken vermochte ich nicht überall auszufüllen, da mir kein Freilassungsformular für eine Sklavin bekannt ist; Ittur 56b Venedig teilt eine solche bloß für einen männlichen Sklaven mit.

*

1. Originalurkunde, Fostat 1020.

(Höhe 16 cm., Breite 10 cm., 16 Zeilen, Ränder abgeschnitten, Zeilen vorne defekt, Quadratschrift, Pergament).

.... [כ]שבא דחוא עשרה יומין לירח
.... [דשנת] אלפא ותלת מאה ותלתין וחדא
[שנין למניי]נא דרגילינא ביה בפסטט
[מצרים] דעל נילוס נהרא מותבה אנא
...... קה וכל שום דאית לי צביתי
[ברעות נ]פשי כד לא אניסנא ופטרית
[ושבק]ית ותרוכית יתיכי ליכי אנתי
.... בת סעדיה וכל שום דאית ליך
[דהות] אנתתי מקדמת דנא וכדן פטרית
[ושבקי]ת ותרוכית יתיך דיתהוייין רשאה
[ושל]טאה בנפשיכי למהך להיתנסבא
[לכל ג]בר דיתצביין ואנש לא ימחה
[בידכי מן יו]מא דנן ולעלם ודן דיהוי ליך
[מני ספ]ר תירוכין וגט פיטורין
[ואגר]ת שיבוקין כדת משה וישראל
... ד ברבי שבניה ספרא
ד
ד- -ע ד
[ש]למה בן אברהם

Uber ספרא steht in kleineren Buchstaben: החזן, über dem ש von שבניה ein כ, und über dem נ ein ה, was ich nicht erklären kann · שבניה I Chr. 15, 24. — Der Buchstabe über dem ל von [ש]למה sieht wie ein ח aus, doch wird der linke Vertikalstrich kein Bestandteil des Buchstaben und ד vorne durch ע zu ergänzen sein = עד.

2. Formular, Fostat zwischen 1038—1047.

(Höhe 16 cm., Schriftfläche 14 cm., Breite jetzt 6 cm., ursprünglich etwa 8 cm., fehlender Teil abgeschnitten, 20 Zeilen Quadratschrift, Pergament).

א עשרין ותלתה יומין
לפא ותלת מאה וחמשין
א דרגילינגא ביה בפסטאט
ס נהרה מותבה אנא
ה וכל שום דאית לי
פשי כד לא אניסנא
ית ותרוכית יתיכי ליכי
ת ישועה וכל שום דאית
תתי מקדמת דנה וכדן
ת ותרוכית יתיך
אה ושלטאה בנפשיכי
לכל גבר דיתצביין
בידיכי . . . . אנא
ה מיומא [דנן ולע]לם
ת לכל אדם ודן
ספר [תרוכ]ין
ן ואגרת שבוקין
ה וישראל
רבי דויד החזן ספרא
. . ה בשבא

3. Originalurkunde, Fostat 1110.

(14·5×11 cm., ursprünglich etwa 12·5 cm., Zeilen hinten defekt, oben und in der Mitte größere Lücken, 16 Zeilen, schöne Quadratschrift, Pergament).

[ב]מע[לי שבתא דהו]א שבעה [יומין לירח]
תשרי [דשנ]ת אלפא וארבע מאה ועש[רין]
וחד שנין למניאנא דרגילינגא ביה בפסט[ט]
מצרים דעל נילוס נהרא מיתבה אנא חסן
בר חבה וכל [שום] דאית לי צבי[תי] [ברעות]
נפשי כדלא אניסנא ופטרית ושבקית

ותריכית יתיכי ליכי אנתי פאצלה בת
ח[ס]ין [וכל שום דא]ית ליכי דהוית אנת[תי]
מן קדמת דנה וכדן תריכית יתיכי די
תהויין רשאה ושלטאה בנפשכי למהך
להתנסבא לכל גבר די תצביין ואנש לא
ימחא בידכי מן יומא דנן ולעלם ודן דיהוי [ליכי]
מני ספר תירוכין וגט פטורין ואגרת שבוקין
כדת משה וישראל
יצחק ביר׳ שמואל הספרדי זצ׳ל׳ח׳ הע׳
הב׳

ברכות [בר] שילה הכהן

Auf der Rückseite des oben stark beschädigten Dokumentes folgt nach vier Zeilen arabischer Schrift und einer unleserlichen hebräischen Zeile ganz deutlich:

ברכות הכהן בר שילה הכהן נ׳ ע׳

Weiter unten mit größeren Schriftzeichen:

שהר . . . .

4. Originalurkunde, Fostat 1124.

(18×8 cm., Schriftfläche 15×7 cm., 19 Zeilen, Quadratschrift, Pergament).

בתלתה בשבה דהוא תמניה יומי בירח
ניסן דשנת אלפא וארבע מאה ותלתין
וחמשא שנין למניינא דרגילננא ביה
[בפסטאט] מצרים דעל נילוס נהרא
מותבה אנא ישועה הכהן בר שלמה
הכהן וכל שום דאית לי צביתי ברעות
נפשי כדלא אניסנא ושבקית ופטרית
ותריכית יתיכי ליכי אנתי סת אלבנאת[1]
בת נעמאן הכהן וכל שום דאית
ליכי דהוית ארוסתי מן קדמת
דנה וכדן תריכית יתיכי דיתיהויין
רשאה ושלטאה בנפשכי למהך
להתנסבא לכל גבר דיתיצביין
ואנש לא ימחא בידכי מן שמי

[1]) JQR. XI, 331; Zunz, Ges. Schr. II, 47.

מן יומא דנן ולעלם ודן דייהוי
ליכי מני ספר תירוכין וגט פטורין
ואגרת שבוקין כדת משה וישראל
יצחק המלמד ביר׳ חיים נ׳ע׳ נפוסי י׳ו׳ב׳א׳
/ חלפון הלוי ביר׳ מנשה נ׳ע׳ /

Auf der Rückseite:

מטא לידה קמן אנן עידי מסירה
/ חלפון הלוי ביר׳ מנשה נ׳ע׳ /
מנשה בר עמרם ס׳ט׳

5. Originalurkunde, מניה זפתא neben Fostat, 1125.

(10·5×9 cm., 15 Zeilen, zierliche Quadratschrift, Pergament).

בתלתה בשבה דהוא עשרים ותלתה יומין לירח
אייר שנת אלפא וארבע מאה ותלתין ושיתה שנין
למינייאנא דרגילינגא ביה בעיר מניה זפתא
דסמיכא לפסטאט מצרים דעל נילוס נהרא
מותבה אנא חלפין בר משה וכל שום דאית לי
צביתי ברעית נפשי כדלא אניסנא ושבקית
ופטרית ותריכית יתיכי ליכי אנתי בנאת בת סיבא
וכל שום דאית ליכי דהות אינתתי מן קדמת
דנא וכדן תריכית יתיכי דיתיהויין רשאה
ושלטאה בנפשכי למהך להתנסבא לכל גבר
[דיתצ]ביין ואנש לא ימחא בידכי מן [יומא דנן
ולעל]ם ודן דייהוי ליכי מני ספר תירו[כין
ו]גט פיטורין ואגרת שבוקין כדת משה וישראל
אברהם ברבי . . . .
ליי בר אברהם ס׳ ט׳

Auf der Rückseite:

מטא לידה גטה קמן אנן עידי מסירה
א . . ן דבר עלי נ׳ע׳ (?)
. . . . בר . . . .

6. Originalurkunde, Fostat 1128.

(17×10 cm., Schriftfläche 14×9 cm., 16 Zeilen, schöne Quadratschrift, feines weißes Pergament).

במעלי שבתא דהוא עשרין וחמישה יומי בירח
אייר דשנת אלפא וארבע מאה ותלתין ותישעה

שנין למניינא דרגילינגא ביה בפסטאט מצרים
דעל נילוס נהרא מותבה אנא נתן בר שלה וכל
שום דאית לי צביתי ברעות נפשי כדלא אניסנא
ושבקית ופטרית ותריכית יתיכי ליכי אנתי
סת אלדלאל בת מבשר הנקרא בשארה המשוחרר
וכל שום דאית ליכי דהות אנתתי מן קדמת
דנה וכדן תריכית יתיכי דיתיהויין
רשאה ושלטאה בנפשכי למהך להתנסבא
לכל גבר דיתיצביין ואנש לא ימחא בידכי
מן שמי מן יומא דנן ולעלם ודן דייהוי ליכי
מני ספר תרוכין וגט פטורין ואגרת
שבוקין כדת משה וישראל
חלפון ביר׳ גאלב החזן ת׳נ׳צ׳ב׳ה׳
/ חלפון הלוי ביר׳ מנשה נ׳ע׳ /

Auf der Rückseite:

מטא לידה קמן אנן עירי מסירה
/ חלפון הלוי ביר׳ מנשה נ׳ע׳ /
בר . . . . .

7. Originalurkunde, Fostat 1145.

(10×7 cm., 18 Zeilen, zur Kursive neigende Quadratschrift, Pergament).

בחד בשבה דהוא חמשה ועשרין יומי לירח
שבט דשנת אלפא וארבע מאה וחמשין ושיתא
שנין לשטרות בפסטאט מצרים דעל נילוס
נהרא מותבה אנא יוסף דמיתקרי אבו אל
אנאדם בן משה וכל שום דאית לי צביתי
ברעות נפשי כדלא אניסנא ותרוכית
ושבקית ופטרית יתיכי ליכי אנתי תמתע
דמיתקריא עמאים בת עמרם וכל שום
דאית ליכי דהו[ת אנת]תי מן קדמת דנה
וכדן תרוכית ושבקית ופטרית יתיכי
דיתיהויין רשאה ושלטאה בנפשיכי
למהך להתנסבא לכל גבר דיתיצביין
ואנש לא ימחא בידיכי מן שמי מן יומא
דנן ולעלם ודן די יהוי ליכי מני ספר

תרוכין וגט פטורין ואגרת שבוקין כדת
משה וישראל
.....ב.....זצ׳ל
יפת (?) בר שמריה נ׳ע׳

8. Originalurkunde, Fostat 1146.

(11×7 cm., 16 Zeilen, Kursivschrift, Pergament. Von oben nach unten gehende zwei Schnitte, welche offenbar vom Gerichtshof gemacht wurden, קרע ב׳ד).

בשישי בשבה דהוא עשרין יומין לירח כסליו
דשנת אלפא וארבע מאה וחמשין ושבעה שנין
לשטרות באלפסטאט אנא אברהם בן ידין (?)
וכל שום דאית לי צביתי ברעות נפשי דילא
אניסנא ותרוכית ושבקית ופטרית יתיכי
ליכי אנתי דלאל בת יוסף וכל שום דאית ליכי
דהוית אנתתי מן קדמת דנה וכדן
תרוכית ושבקית ופטרית יתיכי ליכי
דיתיהויין רשאה ושלטאה בנפשיכי
למהך להתנסבא לכל גבר דיתיצביין
ואנש לא ימחא בידיכי מן שמי מן יומא
דנן ולעלם ודן די יהוי ליכי מני ספר
תרוכין וגט פטורין ואגרת שבוקין
כדת משה וישראל
נתן ביר׳ שמואל החבר ז״ל
יוסף הלוי בר יפת

Z. 1 könnte auch בשתא gelesen werden, doch ist dies nicht wahrscheinlich. Z. 7 ist der Querstrich des ד von וכדו zur Ausfüllung des Zeilenendes langgedehnt. Das ו von שבוקין (Z. 13) ist sicherlich nur aus Unachtsamkeit kurz geraten.

9. Formular, Fostat 1066.

(zirka 16×16 cm., Pergament. Veröffentlicht von M. Schwab in Revue des études juives LVI, 128).

בתרין בשבת דהוא שיתסר יומי בירח סיון שנת אלפא ותלת מאה
שבעין ושבע שנין למנינא דרגילננא ביה בפסטאט מצרים דעל נילוס

נהרא מותבה אנא צדקה בר משה וכל שום דאית לי צביתי ברעות נפשי
בדלא אניסנא ושבקית ופטרית ותרוכית יתיכי [ליכי אנתי] על . . בת . . .
וכל שום דאית ליכי דיהות אנתתי מן קדמת דנא וכדו תרוכית יתיכי ליכי
דיתהוויין רשאה ושלטאה בנפשיכי למהך להתנסבא לכל גבר דיתיצביין
ואנש לא ימחה בידיכי מן יומא דנן ולעלמא והרי [את מותר]ת לכל [א]דם
[ודן דייה]וי ליך מנ[י] גט פטורין וספ[ר תרוכין] ואגרת שבוקין כדת משה
וישראל

אהרן המומחה ב״רב אפר[ים] ספרא ושהדא

Zeile 4 Ende habe ich die eingeklammerten Worte hinzugefügt, Z. 6 das dritte Jod eingesetzt, Z. 6, 8 די mit dem darauffolgenden Wort verbunden, Z. 8 statt: מנ[אי]: מנ[י] ergänzt. Siehe übrigens oben S. 90. Anm. 1.

10. Formular, nach 1140, unbekannter Herkunft.

(8×12 cm., Schriftfläche 6×10·5 cm., 12 Zeilen, schöne Quadratschrift, zweite Hälfte der Schrift verwischt, Pergament).

בששי בשבת ב
ותשע מאות
דרגילנא למימנא ביה
בר וכל שום וחניכא דאית לי
דתיבון צביתי ברעות נפשי
ותרוכית ושבקית יתיכי ליכי
שום והניכא דאית ליכי
די הויית ארוסתי מן קדמת
ושבקית יתיכי דתהוויין רשאה
למהך להתנסבא לכל גבר
בידיכי מן יומא דנן ולעלם והרי את מו[תרת לכל אדם]
דיהוי ליכי מינאי ספר תרוכין ואגרת שבו[קין]

11. Freilassungsbrief, Jerusalem 1057, Originalurkunde.

(19×13 cm., 18 Zeilen, zur Kursive neigende Quadratschrift, Papier. Zeile 12—14 am Ende, Z 11 in der Mitte defekt).

ביום ערובתא עשרין והמשה יומין בתשרי
שנת אלפא ותלת מאה ושתין ותשע שנין

למנינא דרגילננא ביה לשטרות בירושלם
קרתא קדישתא תתבני בפרע אנא אברהם
ביר' יצחק נ'נ' דמתחכם בן הדוד צביתי ברעות
נפשי כדלא באונס ולא בשגו ולא בטעו אילא
בליבא שלמא ובדעתא שלמתא ושחרירית
יתיכי אנתין טראיף די הוייתי שפחתי
מן קדמת דנה וכדן שחרירית יתיכי
הא את בת חורין ואית ליכי רשותא למיעל
בקהל[א דישרא]ל ולא ש ליכי בישראל
ולמיעב[ד כר]עות נפשיך כש[אר בת ישראל]
ולית לי אנא אברהם ולא לירת[אי בתראי ולא]
לכל מאן דייתי מחמתי עלך שיע[בודא ולא]
על זרעך דמו ת בישראל ודן דיהוי ליכי
מנאי גט שחרור ושטר חירות דנן כדת משה וישראל
אנא [צ]מח ביר' אלעזר נב'ע' כתבת שהדת
אנא דניאל הנשיא[1]) ראש ישיבת גאון יעקוב שהדית חתמית

---

[1]) Daniel b. Asarja Fürst und Gaon von 1054—1062. Siehe Bacher JQR. XV, 84 und p. 85, n. 1:

„דניאל הנשיא הגדול
ראש ישיבת גאון יעקב".

STELLENREGISTER.

Bibel.

Targum.

Septuaginta.

Talmud.

Midrasch.

Neues Testament.

Josephus.

Papyri.

WORTREGISTER.

A) Hebräisch-aramäisch.

B) Personen und Ortsnamen in den Urkunden.

C) Griechisch-lateinisch.

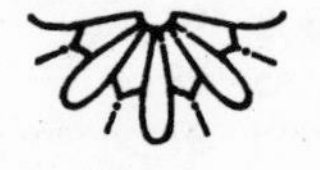

SACHREGISTER.

BERICHTIGUNGEN.

Seite 3, Zeile 5 der Urkunde statt וכדן, lies וכדן.
" 3. In תרוכין, פטירין, שבוקין ist statt des gewöhnlichen ו ein langes ן einzusetzen.
" 3, letzte Zeile und Seite 4, Zeile 2 lies stati ותריכית: ותריכי.
" 4, Nr. 4, Zeile 1 בת פלונית: בת פלוני.
" 5, Nr. 6, Zeile 7 אנא: אנת.
" 5, letzte Zeile streiche [ויום].
" 19, Anm. 1, Seite 29, Anm. 1 und Seite 34, Zeile 1 וכדן: וכדו.
" 31, Zeile 4 von unten די: זי.
" 34, Zeile 1 וכדן: וכדו.
" 56, Anm. 3 statt 8, 6 lies 8, 9.
" 73, Zeile 7 Gesetzesstelle: Gesetzesstele.